Littérature d'Amérique

Collection dirigée par
Normand de Bellefeuille et
Isabelle Longpré

Le Curé du Mile End

Du même auteur

Hurler, Montréal, Québec Amérique, coll. Littérature d'Amérique, 2007.

Le Premier Noël du père Noël, Montréal, Québec Amérique jeunesse, album, 2006.

Corps célestes, Montréal, Québec Amérique, coll. Littérature d'Amérique, 2006.

Les Larmes d'Adam, Montréal, Québec Amérique, coll. Littérature d'Amérique, 2004.

Robert Maltais
Le Curé du Mile End

roman

QUÉBEC AMÉRIQUE

Catalogage avant publication de Bibliothèque et Archives nationales du Québec et Bibliothèque et Archives Canada

Maltais, Robert
Le curé du Mile End
(Littérature d'Amérique)
ISBN 978-2-7644-0653-3
I. Titre. II. Collection: Collection Littérature d'Amérique.
PS8626.A47C87 2009   C843'.6C   2008-942227-9
PS9626.A47C87 2009

Conseil des Arts   Canada Council
du Canada   for the Arts

SODEC
Québec

Nous reconnaissons l'aide financière du gouvernement du Canada par l'entremise du Programme d'aide au développement de l'industrie de l'édition (PADIÉ) pour nos activités d'édition.

Gouvernement du Québec – Programme de crédit d'impôt pour l'édition de livres – Gestion SODEC.

Les Éditions Québec Amérique bénéficient du programme de subvention globale du Conseil des Arts du Canada. Elles tiennent également à remercier la SODEC pour son appui financier.

L'auteur remercie le Conseil des arts et des lettres du Québec pour son aide à l'écriture de ce roman.

Québec Amérique
329, rue de la Commune Ouest, 3e étage
Montréal (Québec) Canada H2Y 2E1
Téléphone : 514 499-3000, télécopieur : 514 499-3010

Dépôt légal : 1er trimestre 2009
Bibliothèque nationale du Québec
Bibliothèque nationale du Canada

Mise en pages : Karine Raymond
Révision linguistique : Diane Martin
Conception graphique : Isabelle Lépine

© 2009 **Éditions Québec Amérique inc.**
www.quebec-amerique.com

Imprimé au Canada

À Romy, ma petite-fille

Note de l'auteur

Oui, je fais parler les morts. Je mets dans leur bouche les mots qui conviennent à mon histoire. On est en pleine licence romanesque.

On peut lire le roman sans tenir compte des notes en bas de page qui renvoient à des *suppléments* formés de dossiers, de notes et d'extraits du journal personnel de Gilbert Fortin, le curé du Mile End.

On y trouve aussi les séquences où il rêve l'Histoire du Québec en la transformant, ce que l'un de mes lecteurs appelle le *révisionnisme onirique*. Les rêves naissent de l'imagination du curé du Mile End. Après chaque séquence, des *notes du rêveur* replacent le songe dans son contexte historique.

En sortant du roman, on peut très bien avaler les *suppléments* d'un trait, comme on cale une bière.

« Ce peuple a besoin de grandeur.
Si on ne la lui offre pas maintenant,
il n'aura même plus la force de la vouloir. »

Pierre Bourgault, le 20 février 1961

« Tuer pour la cause ? Mourir pour la cause ?
Non ! Ni héros ni martyr. »

Pierre Bourgault, novembre 1970

« Les gens ne croient pas les paroles toutes nues,
il faut souffrir et les tremper de sang. »

Maxime Gorki, *La Mère*

PREMIÈRE PARTIE

1

L'arc-en-ciel s'élance du lac des Deux-Montagnes pour coiffer les clochers de la basilique Notre-Dame de Montréal.

La nef fait le plein de vedettes pour des funérailles très « people ». Un athée à Notre-Dame ! Pierre Bourgault a toussé sa dernière cigarette lundi dernier. La « voix de l'indépendance », le dompteur de foule, le charmeur d'élites, le grand brouillon ferme les livres. Mort le 16 juin 2003 ; à enterrer le 21 : aujourd'hui.

Le jubé et les galeries grouillent de monde. Une faune davantage habituée aux manifestations de rue cherche un coupable, une victime expiatoire, un bouc émissaire. Le grand soir n'a toujours pas eu lieu. Deux référendums perdus, un peuple coupé en deux : le besoin et le désir. Maintenant, on confond racisme et ethnicité. On ne veut plus dire « nous » : les douze millions de descendants des dix mille immigrants français de 1672 n'existent pas. Déjà, une moitié a disparu en mer étasunienne, noyée dans le « melting pot ». Comme l'écrivait un chroniqueur politique : « Le petit reste a choisi : il va mourir de peur entre deux bancs de neige et trois *tabarnaks.* »

« Le statu quo, c'est la sécurité ; l'indépendance, c'est la liberté », leur hurlait le mort au début des années quatre-vingt. Le besoin de sécurité, le désir de liberté : Canada, le village confortable ; Québec, un passage étroit, celui de la naissance. Le sens même des mots parle tout seul.

On est mal, dans la basilique, ce samedi matin 21 juin 2003. Pourquoi Pierre Bourgault a-t-il tenu à finir ici ? Vanité, vanité, vanité ! Il se savait vaniteux ; s'en expliquait en affirmant avoir raison de l'être. Vaniteux, vraiment ? Peut-être la boutade d'un enfant déçu de lui-même. Des témoins de ses dernières heures confirmeront ce matin la tourmente dans laquelle il était plongé. On a même entendu l'un de ses proches se demander si l'enfant pieux devenu « fif » – attiré par les « p'tits bums » qui lui volaient jusqu'au respect de lui-même – avait raté sa vie…

Juste sous le toit, le corps éthéré de Gilbert Fortin[1] flotte entre deux dimensions. Il comprend mal pourquoi sa méditation le conduit dans cette église. Le moine trappiste vit à l'abbaye cistercienne d'Oka depuis l'automne 2001. Rentré de France après plus de trente ans d'exil, le vieil orphelin en fin de cinquantaine possède un don qu'il ne souhaitait pas : en méditation, ses chakras s'activent, les sept couleurs du spectre – rouge, orangé, jaune, vert, bleu, pourpre, violet – forment un arc-en-ciel. Son corps ne bouge plus, figé dans un recueillement qui tient de la momification. L'esprit de Gilbert va et vient à sa guise : un beau cas de bilocation.

Que fait-il à Notre-Dame ? Le moine savait pour la mort de Bourgault. On lit *Le Devoir*, au monastère. Son unique rencontre avec l'homme à la tête d'albinos remonte au début des années soixante. Un politicien atypique l'intéressait, mais comme une bête de cirque. Marcel Chaput, un fonctionnaire canadien, venait d'écrire *Pourquoi je suis séparatiste*. Le brûlot perçait les carapaces et les peurs pullulaient. L'angoisse des Canadiens français refaisait surface. Le psychologue sait que l'idée même de séparation terrorise l'enfant abandonné, l'enfant

---

1. *Les Larmes d'Adam*, Québec Amérique, 2004.

trahi depuis les origines. Abandonné par sa mère la France, berné par sa belle-mère l'Angleterre, trompé par sa concubine du Haut-Canada, dupé par sa sainte Mère l'Église dans laquelle il se croyait à l'abri, le Canadien français se réfugiait dans les chicanes de famille, les querelles de clocher et la mesquinerie politicailleuse.

Dans le pensionnat de séminaire où il faisait son cours classique, Gilbert Fortin entendait discuter les prêtres pendant qu'il assurait le service aux tables, dans le réfectoire réservé aux professeurs. Quelques jeunes religieux défendaient tant bien que mal l'idée de l'indépendance du Québec, mais la grande majorité fustigeait les rêveurs, au nom d'un sens des responsabilités régi par la règle du juste milieu.

Ce Marcel Chaput attisait bien des passions chez les ensoutanés. Son audace interpellait Gilbert, l'enfant abandonné à la naissance, élevé à l'orphelinat, dont l'intelligence exceptionnelle ouvrait les portes de l'instruction. Il comprenait que seules les études le sortiraient de l'indigence. Il ne s'intéressait à personne, jaugeait chacun et se servait de tous : d'abord, des religieuses de l'orphelinat où il tenait le rôle de l'enfant modèle ; puis, de l'aumônier de l'école primaire où il interprétait le premier de classe indélogeable. En septième année, à la communion solennelle, il impressionna tellement le père Ovila Guay que le religieux appela son frère Ovide pour lui demander de payer le cours classique de Gilbert. L'avocat Ovide Guay ne refusait rien à son jumeau.

Le cœur sec, la curiosité insatiable, l'intelligence hypocrite, Gilbert Fortin s'empiffrait de latin, de grec et d'orgueil. Flatteur avec les imbéciles au pouvoir, distant avec les arrivistes vulgaires, il avançait sans laisser de trace, tel un bateau traversant l'océan sans marquer l'eau.

Il voulait entendre ce Marcel Chaput, quitte à s'échapper clandestinement pendant quelques heures du pensionnat où certains fils de riches se considéraient comme en prison. Pour les autorités, il s'agissait de dresser un rempart contre l'esprit corrupteur du monde afin de protéger les jeunes pousses jusqu'à leur maturité de grands arbres. Ils formaient l'élite du troupeau canadien-français qui croissait et se multipliait en bonnes grappes de grosses familles, mûrissant sous le soleil de la foi catholique.

Ce vendredi soir de 1963, Gilbert Fortin arriva en avance à la conférence de Marcel Chaput. Un disque de musique militaire accueillait les curieux : une trentaine de personnes que Gilbert évitait de regarder. Il espérait se rendre invisible en se fondant dans l'anonymat. Il tentait de réduire au minimum l'activité de son cerveau, sachant l'intelligence capable d'attirer l'attention.

Cette fois, il échoua.

Sur scène, un homme dans la vingtaine parlait : Pierre Bourgault sonnait le réveil. Fasciné, Gilbert ne le lâchait pas des yeux. L'esprit branché sur l'intelligence du tribun, l'élève de Méthode reconnaissait les accents de la sincérité. Bourgault disait vrai : ce peuple se devait à lui-même un pays, un vrai pays.

Seize ans, l'âge où le cœur choisit.

Pourtant, même en croyant le don Quichotte, Gilbert n'embarqua pas. La peur du risque l'emporta et son cœur s'atrophia… pour quarante ans.

Après la conférence, c'est Bourgault qui marcha vers lui. Gilbert ne comprenait pas comment il pouvait intéresser un tel personnage. Il le saurait beaucoup plus tard, en lisant quelques notes biographiques sur la sexualité de l'homme aux cils noirs et blancs. Gilbert refusa même d'entamer une vraie discussion avec le conférencier. L'idée de peuple ne le concernait pas, lui, l'orphelin étranger à la notion de famille. Il se sortait tout seul de tout, sauf de la solitude. Au contraire, il s'y enfoncerait toute sa vie : incrédule, incroyant, athée. Ayant fui le Québec en 1967, l'intellectuel desséché, réfugié dans un monastère français, vivait dans une bulle invisible depuis l'enfance. Apprendre lui suffisait. Comprendre le contentait. Il s'agissait de ne rien sentir.

Pourtant, une nuit d'automne de l'an 2001, son cœur atrophié s'était révolté, refusant de battre. Puis, par une sorte de miracle, en plus du cœur de chair maintenu en équilibre instable au-dessus du ravin de la mort, celui qui veut aimer avait redémarré.

♠

Depuis, Gilbert vit tant bien que mal. Il a quitté l'abbaye de La Ferté, en Bourgogne, pour rentrer au Québec. Le choc ! Des églises vides, des femmes s'approchant du pouvoir, des hommes déboussolés, une permissivité impensable dans son enfance.

Voilà déjà près de deux ans que Gilbert essaie de comprendre. Il s'est d'abord plus ou moins débarrassé d'un accent français qui le mettait sur la sellette : on le traitait de « maudit Français ». Aussi, il termine un cours de formation intégrale dans un institut du boulevard Gouin. Le plus gros du travail consiste à rebrancher le cerveau et le cœur, Gilbert sachant qu'il ne sait pas aimer.

En 2001, pendant sa convalescence, il s'est laissé aller durant quelques jours à un élan nouveau pour lui. Il a approché quelqu'un : l'infirmière lui ayant sauvé la vie. Pas très longtemps, pas très loin. La femme vivant déjà avec un homme, le moine s'était retiré, rentrant dans les terres arides de la solitude.

Pourtant, quelque chose a changé : maintenant, Gilbert peut pleurer.

Enfin, cette méditation ouvrant les sept chakras pour permettre à son esprit de se déplacer a jeté par terre ses ultimes réserves. Gilbert Fortin ne comprend plus rien à rien, mais il sent. Voilà tout ce qu'il sait.

Pendant la semaine, le moine vit chez un curé, dans le quartier où il suit les cours de formation intégrale. Chaque vendredi soir, en rentrant au monastère, il laisse la psychologie au vestiaire et plonge en lui-même. Il peut rester des heures en méditation. Son cœur se dilate enfin. Depuis le solstice de l'hiver 2001, l'orphelin de naissance vit un deuil. L'ancien Père abbé a perdu son plus jeune novice, assassiné par une secte. Maintenant, le cœur de Gilbert vibre ; le petit moine l'a ressuscité. Le matin ayant suivi l'assassinat d'Ouriel Thiercy[2], Gilbert a reçu un visiteur étrange. Dans la zone entre le sommeil et l'état de veille, quelqu'un est venu déposer sur ses lèvres un baiser, un « baiser de sa bouche », comme dit le *Cantique des Cantiques*. Une telle impression de plénitude, un si profond sentiment de sécurité lui en restent… que le quinquagénaire ne peut pas exclure l'hypothèse d'une présence d'outre-tombe.

Il rêve éveillé, comprenant mieux ce qu'écrivait le Chinois Tchouang Tcheou, au cinquième siècle avant Jésus-Christ : « Jadis, moi, Tchouang Tcheou, je rêvais que j'étais un papillon, un papillon qui voltigeait, et je me sentais heureux ; je ne savais pas que j'étais Tcheou. Soudain, je m'éveillai et je fus moi-même, le vrai Tcheou. Et je ne sus si j'étais Tcheou rêvant qu'il était un papillon ou un papillon rêvant qu'il était Tcheou. »

Gilbert accepte de ne plus savoir. Quelle importance ? L'appartenance à un ordre religieux facilite sa vie. Il a droit à la liberté des riches héritiers sans soucis d'argent. Cette insouciance vaut bien des libertés tenant souvent de l'illusion. Gilbert vit une belle aventure : il cherche le sens de la vie.

Comme il aimerait maintenant discuter avec Pierre Bourgault. Il se sent proche de cet homme exceptionnel.

---

2. *Hurler*, Québec Amérique, 2007.

Suspendu dans la marge, debout entre deux dimensions, tout en haut de la basilique Notre-Dame, le corps éthéré de Gilbert Fortin se penche sur la nef remplie de célébrités. Le peuple des galeries s'agite. Un homme s'avance dans l'allée centrale. On reconnaît le Premier ministre du Québec venu, sans son épouse, rendre hommage à un adversaire respecté. Les huées pleuvent sur le politicien. On a trouvé le bouc émissaire.

Le spectacle désolant provoque une réaction imprévisible. Juste à côté de Gilbert, dans le même champ vibratoire tenant davantage de la lumière que de la matière, un grand rire explose. Puis, un constat fait suite.

— Tiens! Je ne tousse plus.

Oui, le mort a parlé. La «présence» de Pierre Bourgault se tient à la gauche de celle de Gilbert Fortin. Le moine ne saura jamais s'il rêve cette scène ou si tout cela est réel. Pourtant, il est bel et bien avec Bourgault, aux funérailles du tribun… qui enchaîne.

— Je les aurais engueulés! La stupidité m'a toujours enragé.

Il parle à Gilbert comme si cela allait de soi. Puis, il se ravise.

— Qu'est-ce que vous faites ici?

— Ce serait plutôt à moi de vous poser la question.

— Oui, vous avez bien raison. Non, pourquoi vous… Bon! Je reprends. Vous aussi, vous êtes mort?

— Non… ce serait long à expliquer.

Bourgault sourit.

— Allez-y! On dirait bien que j'ai l'éternité devant moi.

Mais loin de laisser la parole à Gilbert, Bourgault poursuit.

— Jamais, vous m'entendez? jamais je ne me suis senti aussi bien. Un peu avant de mourir, si vous saviez comme j'ai eu peur! Mais la fatigue est devenue si grande que j'ai fini par abandonner, en pensant bien que j'allais m'éteindre définitivement. J'en ai connu des gens déclarés cliniquement morts ; des revenants qui n'avaient pas vu de tunnel de lumière, pas entendu de chœurs angéliques, pas senti de parfums célestes. Ils s'étaient éteints comme des ampoules électriques. Voilà tout. Je m'étais résigné. Petit garçon, j'avais espéré tellement plus que ça.

Il rit.

— Mince ! Je n'ai pas envie de fumer.

Il poursuit.

— J'étais un enfant mystique. On peut le dire comme ça, je crois. Je me suis battu toute ma vie pour me débarrasser de ce don que je ne voulais pas. Voilà, maintenant je suis mort et je vois : le petit garçon avait raison.

En bas, dans le chœur de la basilique, à l'ambon, Gilles Vigneault achève *Les Gens de mon pays* : « Je vous entends demain parler de liberté. »

Bourgault s'est interrompu pour écouter. Il sourit en hochant la tête.

— Voilà. Tout le problème se résume à ça.

— Je ne vous suis pas.

— Demain : c'est le mot qui annule tout le reste. Demain n'existe pas, demain n'existera jamais. Il n'y a pas de chose telle que demain. Ça n'existe pas, demain !

Puis, il constate un fait.

— Tiens ! Je ne me fâche pas. Ça ne me révolte plus. Je suis bel et bien mort.

Il rit, sans tousser.

— Si vous saviez comme c'est curieux. Oui, je me suis éteint. Pendant un certain temps, je n'étais plus. Plus du tout. Disparu.

En bas, dans la nef, une salve d'applaudissements vient l'interrompre. Bourgault sourit.

— Mon Dieu que c'est vulgaire ! Ils ne comprennent même pas ça. J'ai demandé qu'on vienne ici parce que c'est beau, que le lieu impose une sorte de respect, dégage une impression de mystère. Ils transforment la nef en Place-des-Arts. Je pense que j'espérais un peu de sacré. Oui, souvent, même les religieux ne croient pas à la religion. Les Jésuites… Non, je ne recommence pas là-dessus. On sait tous ça. Dommage que les curés ne fassent plus leur job depuis au moins cent ans.

Bourgault regarde Gilbert, vêtu de la robe blanche et du scapulaire noir des Cisterciens. Il change de niveau de langage.

— Tu es moine, toi?

— C'est un déguisement. Enfin, oui, c'est vrai que je suis moine. Mais j'ai choisi ça pour me cacher, pour avoir la paix, pour vivre tranquille.

— Pour mourir ta vie, quoi!

— J'ai passé ma vie à mentir.

— Pas moi. Moi, j'ai triomphé dans la mauvaise foi… assumée. J'ai passé ma vie dans une terrible solitude.

— Moi aussi.

Gilbert regarde Bourgault. Longtemps. Les cils de l'albinos se chargent d'une grosse larme avant qu'il enchaîne.

— J'aurais pu libérer mon peuple. J'ai mal compris. J'étais fait pour monter un feu: un feu grand comme un temple… La religion, mon gars, la religion est une si grande force. J'ai une tête d'évêque, tu trouves pas? Évêque! Qu'est-ce que je raconte? De cardinal, hein? Le cardinal Bourgault. Oui, ça sonne juste.

Pour la première fois, il fait rire Gilbert.

— Ma foi du bon Dieu, c'est vrai.

— J'ai souvent dit que c'était inutile, la recherche du sens. Fallait pas croire tout ce que je disais.

— Oui, ça crée un espoir… en fait, une espérance.

Bourgault comprend mal. Il ne laisse jamais passer une occasion d'apprendre.

— Je ne saisis pas bien la nuance.

— Oh! C'est plus qu'une nuance. Je te donne un exemple. Un : j'ai le cancer. Je vois le médecin. Il me parle de chimio et de guérison possible. C'est un espoir. Deux : j'ai le cancer. Je vois le médecin. Il me parle de chimio et de guérison possible. Je me tourne vers Dieu – enfin, ce qu'on appelle Dieu – et je demande que le meilleur se produise. C'est de l'espérance.

— Dieu, Dieu, Dieu… Tu sais, je suis mort et je ne le vois toujours pas. C'est dommage, ce nom de Dieu. Les Juifs ont raison de ne pas le nommer. Pourtant, ils vont à la synagogue, fouillent la Torah, le Talmud et enchaînent les cérémonies religieuses. Malgré leurs divisions, cette identité religieuse les tient. Ils sont unis. C'est un peuple, le peuple juif.

— Je suis rentré depuis un peu moins de deux ans et je constate que les Québécois ont peur de tout ce qui peut ressembler à la religion.

— «Chat échaudé craint l'eau froide.» Quand l'eau chaude t'a brûlé, tu crains même l'eau froide. Quand la prudence tombe dans l'irrationnel, on peut parler de peur. On ne peut pas vivre sans morale ; pas davantage sans réfléchir… Ici, on a confondu la morale et la religion. Pourtant, le peuple québécois a besoin de plus que du consensus des humoristes. La grand-messe Juste pour Rire est une immense cérémonie de funérailles. Nous assistons à la mort d'un peuple. Nous nous noyons dans l'insignifiance. Je ne souffre pas d'avoir mal agi. Je n'ai pas mal agi. Je n'ai pas suffisamment agi… et ça, c'est dommage. Quand j'ai écrit : «Ent'deux joints, on pourrait faire qu'qu'chose/Ent'deux joints, on pourrait t'grouiller l'cul», je sortais de la politique… ou la politique me sortait. Bon! Disons que les deux sont vrais. Personne, tu m'entends! personne n'a relevé que les derniers mots, que la dernière phrase de la dernière reprise du refrain faisait plus qu'inviter à se grouiller le cul. Il s'agissait de «te» grouiller le cul. Oui, un avertissement, pas tout à fait une menace, mais pas loin. C'est passé dans le beurre.

— Pourquoi?

— Peut-être que je ne le croyais pas vraiment. Pour Charlebois, je ne peux pas parler. Quant à moi... Eh bien ! C'est à moi-même qu'on aurait dû la chanter.

Bourgault sourit : un bon sourire sans ironie, sans amertume. Il a retrouvé l'enfant mystique.

La basilique se vide. Bourgault regarde un moment la foule qui se disperse.

— Où est-ce qu'ils vont ?

— On dirait un troupeau...

— Sans berger, je sais bien. J'ai essayé à l'université. Tu as entendu mon ancien étudiant devenu vedette de télé ?

— Oui, il t'aimait, celui-là.

— Professeur, c'est un beau métier.

Gilbert Fortin sourit finement.

— Une sorte de berger, quoi !

Pierre Bourgault éclate d'un rire qui ne s'étouffe plus.

— C'est vrai. Ma vanité, c'était de la pudeur.

— Pardon ?

— Je sais, oui. Ça s'appelle un paradoxe. La résolution des deux termes crée une dynamique...

Les deux lettrés sourient. Bourgault poursuit.

— Comment t'appelles-tu ?

— Gilbert Fortin.

— J'avais un destin, Gilbert. Oui, c'est bête à dire parce que ça peut faire prétentieux, mais mon talent d'orateur entraînait une mission. Je n'ai pas voulu... ou je n'ai pas pu... ou je n'ai pas su ; les trois, je crois. J'ai fui le sacré. Je le regrette. Nous sommes un peuple exemplaire de ténacité, de courage et de... bêtise. Il ne fallait pas chasser les curés, il s'agissait de les convertir à ce qu'ils enseignaient. Tu es un curé, toi : grouille-toi le cul !

— Je me sens complètement seul.

— C'est faux ! Moi, j'étais seul. Toi, tu as une équipe, une communauté, une Église, une religion. La religion ? Jamais on n'arrivera à la tuer. Elle ressuscite, la garce! J'ai essayé de retourner chez les Jésuites pour terminer mon cours, après mon renvoi en Philo Un. Ils ont jamais voulu me reprendre. Qui sait ce qui serait arrivé? J'ai dû me contenter – avec plaisir, d'ailleurs – de conversations où la délinquance et une légèreté proche de la futilité masquaient la pudeur de l'idéal. Parce que, oui, j'ai toujours été un idéaliste. Je trouvais lâche de se bercer de l'illusion d'une vie éternelle. Il me semblait que la vraie dignité, c'était d'accepter l'absurdité, debout sur les remparts de la logique réaliste, comme un preux chevalier se dressant sur les murailles de la citadelle pour mourir bravement sous les coups d'un adversaire impitoyable.

— La mort.

— Oui. Je n'ai jamais eu peur de la mort. Je la savais inéluctable. Et comme même mort, je ne le suis pas, ça ne tient plus. Il faut vivre en sachant ça.

Gilbert comprend.

— Les hindous parlent de la *maya*, de la vie comme d'un bal d'illusions : un voile à déchirer. L'éternité, ça ne peut être que maintenant.

La « présence » de Pierre Bourgault se dissipe.

Pour toujours?

2

Dans sa cellule de l'abbaye cistercienne d'Oka, Gilbert Fortin sort de sa méditation, comme s'il rentrait de voyage. Il sent une présence. Posée sur sa main, une mouche le regarde dans les yeux. Il frémit. Pas de peur, plutôt une sensation de déséquilibre, comme s'il pouvait perdre pied dans le mystère, passer dans une autre dimension. On sait si peu de choses.

Ce qui vient de se passer est-il vrai? Gilbert ignore s'il a vraiment rencontré le spectre de Pierre Bourgault. Une impression demeure : celle de ne pas être à sa place. On ne devient pas moine pour se cacher. Il regarde autour de lui : un lit, une armoire, une table, une chaise et un pot de chambre. Rien d'autre.

C'est fini, terminé. Il doit partir; oui, quitter le monastère. Mais il va bien le faire. Il ne fuira pas. Quel soulagement! Quelle angoisse! Il ne retournera pas vivre en France, non. C'est ici, chez lui. Gilbert Fortin va-t-il s'inscrire sur la très courte liste des libérateurs de peuples, aux côtés du mahatma Gandhi? Faut-il reprendre le flambeau de Pierre Bourgault? L'idée l'amuse un instant. C'est bien beau, mais on fait comment? Il sait ceci : on avance pas à pas, en posant toujours le pied dans la bonne direction, même si on ne peut pas voir plus loin. Gilbert va entrer dans le monde pour la première fois. Il a toujours vécu dans la marge. La fenêtre de sa cellule

s'offre au plein sud. Le soleil de midi chauffe le moine trop
sec pour transpirer. Gilbert Fortin enlève ses lunettes et pose
la tête dans ses mains qui glissent sur son visage. Ses doigts
fouillent un moment les poils gris et noirs de sa barbe. Oui, il
faut commencer par se démasquer. Pour la première fois depuis trente ans, il va se raser.

La cloche sonne pour sexte, l'office du milieu du jour : on
récite quelques psaumes avant le repas. Gilbert, dans un réflexe conditionné, marche vers l'église. Il croise le Père abbé,
qui s'approche des casiers de livres de prières en le saluant
d'un signe de tête silencieux. Gilbert s'immobilise, laisse passer le supérieur, fait demi-tour, descend l'escalier qui mène
aux lavabos et ouvre la porte de l'armoire où sont rangés les
accessoires de toilette. Il prend les ciseaux, un rasoir et de la
mousse à raser.

Les poils tombent dans le sac de plastique. Puis, Gilbert
plonge une débarbouillette dans l'eau chaude avant de la poser longuement sur son visage. Il le couvre ensuite de mousse
et entreprend de se raser, en se regardant au fond des yeux. Il
ne sait rien de lui-même. Il est tout à fait seul. L'enfant abandonné, démuni, arrive à l'âge d'être grand-père. À l'abbaye de
La Ferté, on l'appelait Père abbé. Il ne connaîtra pas d'autre
paternité. Son regard quitte un instant le miroir, comme s'il
ne voulait pas voir l'étranger glabre qui s'anime sous sa peau.

Il marche jusqu'au vestiaire, derrière les lavabos. Le moine
ôte la ceinture de cuir, retire le scapulaire noir, déboutonne la
robe blanche qui tombe sur le plancher de ciment peint. Il
enfile un pantalon gris, une chemise bleue et un blazer marine. Vêtu comme un jeune pensionnaire de cours classique,
il remonte l'escalier. Les moines mangent en silence au réfectoire. De loin, il entend la voix du lecteur qui poursuit le récit
de la vie du père Werenfried van Straaten, le fondateur de
l'*Aide à l'Église en Détresse*. Celui qu'on appelait le « Père au
lard » – parce que les paysans l'aidaient à soulager la faim des
réfugiés des Églises de l'Europe de l'Est, en partageant une

partie de leurs réserves de lard –, le prémontré nonagénaire était mort au début de l'année. Gilbert ralentit pour entendre une dernière fois le rituel familier qu'il a tant aimé. Toutefois, il ne ressent pas de nostalgie. Il sourit. Il a l'impression de quitter l'orphelinat, comme le faisaient quelques enfants choisis par des familles. Il ne les avait jamais enviés. Ils couraient, à son avis, un risque trop grand en abandonnant le grand dortoir, les religieuses et le gruau rebaptisé la soupane.

Ce midi, Gilbert n'a pas faim. Il se nourrit de papillons dans l'estomac. Il s'assoit dans le vestibule, en face du bureau du Père abbé. Il attend. Sa réserve de patience vaut bien la montagne de lard du prêtre flamand devenu célèbre. Gilbert Fortin a envie de vivre. Il ferme un instant les yeux. Le processus de méditation se remet en marche. Non ! Ça suffit. Pas ça. Il va garder les pieds sur terre. Plus question de vivre dans sa tête, même si elle voyage dans un arc-en-ciel. Gilbert veut du concret, du solide. Il se lève et fait les cent pas dans l'antichambre. Il devra attendre pendant plus d'une heure. Il le sait. Ça lui va. Tout est bien. Il ne dormira pas ici ce soir. C'est décidé. Il ne sent pas le besoin d'une dernière fois. Il n'y a pas de dernière fois : maintenant, voilà tout ce qui compte.

À treize heures trente, la cloche sonne : fin de la sieste et office de none dans dix minutes. Puis, le Père abbé regagnera son bureau et Gilbert lui parlera.

♣

En l'apercevant, glabre et vêtu comme un vieil étudiant, le Père abbé comprend tout de suite. Il savait qu'on en arriverait là. Pas du tout désolé ni même déçu, il salue intérieurement le courage du quinquagénaire avancé qui choisit de reprendre sa vie. Il fera tout pour lui faciliter la tâche. Gilbert Fortin a une bonne cause. Il obtiendra aisément une dispense de vœux solennels.

Les deux hommes sont assis face à face. Le Père abbé pose parfois la main sur la croix pectorale qui signale sa condition de supérieur du monastère. Un conseil de frères l'aide à faire ses choix, mais il décide seul. Il a le dernier mot. Élu par les frères, confirmé par l'Abbé général de l'Ordre des Cisterciens de la stricte observance, il dispose d'un pouvoir absolu. Les moines choisissent désormais des démocrates. Ils ne remettent plus l'autorité à une figure paternelle intransigeante. Ce sont deux abbés qui se parlent.

Les doigts accrochés à la chaîne de sa croix, l'abbé d'Oka hoche la tête.

— J'ai bien envie de te féliciter.

Oui, c'est paradoxal. Mais depuis son entrée au monastère, le moine voit quelques hommes malheureux qu'il ne peut pas encourager à sortir. On les a maintenus dans une dépendance enfantine. Quand on a fermé le vieux réfectoire devenu trop grand, on a découvert sous les tables des clous plantés là par des frères qui y accrochaient des quignons de pain de réserve. À l'époque, les moines dormaient dans un dortoir où ils ne disposaient d'aucun espace personnel. On couchait tout habillé sur un petit lit, dans une suite d'alcôves séparées par des demi-murs de carton où l'on crevait de chaleur en été.

Cette Église québécoise agonise. Le Père abbé ne la regrettera pas. En 1935, on logeait près de deux cents religieux à Oka ; il en reste moins de quarante. Dans dix ans, ils vivront peut-être à vingt. L'homme de Dieu y pressent une résurrection possible. Qu'on enlève jusqu'aux derniers pouvoirs à cette Église québécoise, le cistercien ne lèvera pas le petit doigt pour les retenir. Il y voit une libération. Que l'on pioche tant qu'on voudra sur le passé de l'Église catholique, canadienne, québécoise… peu importe. Il sait que l'important n'est pas là. Il pense au philosophe français qui a écrit : « Les chrétiens devraient s'intéresser au Christ, puisque les non-chrétiens s'intéressent surtout à l'Église. »

Il s'appuie au dossier de son siège, ouvre les mains, les coudes appuyés sur les bras du fauteuil.

— Par quoi veux-tu commencer, Gilbert?

Le vieil étudiant en blazer et pantalon gris pose la main sur son visage pour fouiller les poils de sa barbe. En effleurant la peau nue de sa joue, il prend conscience de la révolution dans laquelle il vient de se plonger lui-même. Il reste là, figé. L'abbé d'Oka attend. Le temps ne compte pas à l'intérieur du monastère. À la lumière de l'éternité de la fin, on ne voit bien que le temps présent. Oui, le moine a quitté le monde; et lentement, le monde le quitte. C'est ici même que les deux hommes vont se séparer. Gilbert Fortin rentre... ou, plutôt, entre dans le monde, parce qu'il n'y a jamais vécu, contrairement à son interlocuteur.

Gilbert inspire, acquiesce de la tête à plusieurs reprises au discours intérieur qui se précise, se simplifie et se résume en un mot. Il sait par quoi commencer.

— Sortir.

Oui, c'est juste. Le Père abbé se sent responsable du vieil adolescent au cerveau hypertrophié.

— Quel est ton plan?

— J'en ai pas.

— En veux-tu un?

— Pourquoi pas?

— Tu veux partir quand?

— Maintenant.

— Sans même dire au revoir aux frères?

— Voilà.

— Où veux-tu aller?

— À Montréal.

— Au presbytère?

— Non, je n'ai pas envie d'expliquer.

— Tu pourrais peut-être passer quelques jours au couvent des Dominicains?

— C'est où?

— Sur la montagne, chemin de la Côte-Sainte-Catherine, près de l'Université de Montréal. Je les connais bien. Personne ne va te poser de questions.

La prudence de Gilbert l'emporte.

— Oui, entendu... pour quelques jours.

Le Père abbé téléphone au couvent dominicain. Il joint le frère hôtelier qui confirme qu'une clé attendra le frère Gilbert à la réception. Tout un réseau d'institutions catholiques tisse une toile qui couvre la planète entière. Un religieux est chez lui partout... et nulle part. Comme un pèlerin.

Gilbert vit intérieurement le paradoxe. Tant qu'il n'avait pas la foi, il pouvait se cacher sous l'habit religieux. Depuis que Dieu l'a visité – il ne peut pas le dire autrement –, il doit sortir de son trou.

Les communautés religieuses fondées depuis des siècles ont prévu les diverses étapes que Gilbert va franchir pour se dégager le moins mal possible de son ancienne vie. On ne le jettera pas à la rue comme un malotru. Il devra y mettre du sien, bien entendu, mais il pourra compter sur l'aide des Cisterciens pendant trois bonnes années. Puisque le moine quitte le cloître, on parle d'une exclaustration. Comme Gilbert est toujours attaché à l'abbaye de La Ferté, en Bourgogne, il lui faudra écrire à son remplaçant, le nouvel abbé, dom Jean-Daniel. Celui-ci relaiera la demande accompagnée de ses commentaires à l'Abbé général de l'Ordre. Il faudra adresser la lettre directement au pape – qui, bien sûr, ne la verra jamais – pour obtenir la dispense. La Congrégation pour les Instituts de Vie Consacrée et les Sociétés de Vie Apostolique confirmera la décision de l'Abbé général, du Père abbé et du moine lui-même. Dans le cas d'un religieux qui n'est pas ordonné, il faudra moins de deux mois. Pour un prêtre comme Gilbert Fortin, tout dépendra de son choix. S'il veut exercer son ministère, il devra trouver un évêque qui acceptera de l'incardiner, c'est-à-dire de le rattacher à son diocèse. Pour le moment, bien loin de tout ça, Gilbert a besoin d'une chose beaucoup plus simple. Il lui faut de l'argent. L'entente conclue entre le monastère français de La Ferté et la trappe d'Oka règle déjà le plus gros. Tout le reste devient une question de détails que les frères chargés de la comptabilité des deux monastères prendront en main. Pour le couvent dominicain, les frères d'Oka paieront le compte, à la façon d'une note d'hôtel. Gilbert recevra de quoi vivre décemment. Non, on ne jette pas les gens à la rue comme des malpropres. Bien sûr, les choix entraînent des conséquences et une rupture fera toujours mal aux deux parties ; mais l'ingratitude, la grossièreté et l'injustice ne sont pas nécessairement au rendez-vous.

Gilbert ne veut pas quitter le sacerdoce. Tout au contraire, il part pour l'exercer. Oui, il va chercher un évêque, mais pas tout de suite. D'abord, il a besoin de souffler un peu ; de respirer, tout simplement.

Les deux moines ont parlé de tout ça pendant une bonne demi-heure. Gilbert se lève. L'abbé d'Oka s'inquiète.

— Je vais te conduire au train. Il part à quatre heures. Je reviendrai à temps pour les vêpres. Ta valise est prête ?

Gilbert retombe sur son siège, victime d'un léger malaise. Il balbutie plus qu'il ne parle.

— J'y ai pas pensé.

« Oh mon Dieu ! C'est pire que je croyais. » L'abbé d'Oka redouble d'inquiétude. Il va bien porter son nom de père.

— Bon ! T'as juste le temps. On va partir à trois heures et quart.

Pendant que Gilbert retourne au vestiaire, le supérieur passe chez le frère responsable de l'administration. Il explique à peine la situation à frère Conrad, qui en a vu d'autres. Pour le comptable, une seule question reste sans réponse : « Pourquoi le frère Gilbert ne dit-il même pas au revoir ? »

3

Sur le quai de la gare de Deux-Montagnes, les deux hommes cherchent à sortir du malaise. Les moines choisissent de s'enfoncer dans le désert affectif pour laisser à Dieu toute la place. La plupart d'entre eux préfèrent limiter les échanges physiques. Quand une émotion les secoue, ils ne se laissent pas jeter par terre. Souvent, ils attendent que ça passe, sans plus.

Une poignée de main devrait suffire. Pourtant, ils sentent le besoin d'une accolade : un simple contact de la tête ; gauche, droite.

C'est fait.

Gilbert monte dans le train de banlieue. Seul. Il pose sa petite valise. Tourné vers le stationnement, il voit la Toyota bleue du Père abbé repartir en direction d'Oka. La grande main de l'angoisse lui serre la gorge. Il essaie de prendre conscience de son ventre, d'y appuyer son souffle, de respirer profondément. Il retire ses lunettes, les glisse dans la poche de poitrine de son veston, ferme les yeux, presse du pouce et de l'index chaque côté de son nez jusqu'à éteindre la lumière de ses propres yeux. Il expire jusqu'au bout des bronches. Gilbert Fortin n'est pas un homme heureux.

Un grand rire sensuel et plein de sous-entendus le sort du puits dans lequel il coulait. Une belle grosse femme rousse comme une citrouille s'accroche au cou de son mari, qui la regarde droit dans les seins en murmurant des insanités lubriques. La colère enflamme Gilbert. Sa rage de ne pas avoir été aimé, son impuissance à se donner le plongent dans le désarroi. Il combat une terrible envie de sortir du train en courant pour rentrer se cacher au fond de sa cellule.

La grosse femme lui sourit.

— Il fait beau, hein ?

Elle le réconforte. Le fantasme devient quelqu'un, une personne.

— Oui, c'est vrai.

— Vous avez pas chaud avec votre blazer ?

La femme porte une robe soleil qui ne couvre que la pudeur minimale. Sans attendre la réponse, elle pointe le doigt vers la valise.

— Vous partez en voyage ?

Gilbert reçoit la question comme si la femme lui donnait une réponse. Il sourit. Il regarde bien le couple, sent monter en lui une vraie sympathie, se détend, passe la langue sur ses lèvres sèches et croise les jambes en laissant monter un petit rire presque joyeux.

— C'est ça, oui, je pars en vacances.

L'homme ouvre la bouche.

— Où vous allez ?

La question bloque Gilbert. La femme le voit. Elle pince son mari.

— Eh que t'es curieux ! C'est pas de tes affaires.

— Oh ! Moi, je disais ça… On parle pour parler, hein ?

— On parle pour rien dire, plutôt.

Elle sourit à Gilbert.

— Bonnes vacances, monsieur. Nous autres, on va juste au feu d'artifice, à La Ronde.

L'homme se penche, pour une confidence.

— Puis, on dort au Motel Canada, à Greenfield Park. J'ai réservé l'*Éden*. Elle le sait pas. Chut…

La femme envahit à son tour la bulle de Gilbert.

— Qu'est-ce qu'il vous a dit ?

Le gros homme cligne de l'œil.

— Ah! Un secret, c'est un secret, hein, mon *chum*?

Même si Gilbert voulait parler, il ne saurait pas quoi dire. Aucune image de la chambre *L'Éden* ne pourrait surgir dans la tête du moine. Comment serait-il en mesure de concevoir un bain en forme de cœur, un lit rond sous un plafond miroir, des lampes suspendues au milieu de plantes en plastique et un écran diffusant des vidéos pornographiques?

Gilbert sourit de plus belle à la grosse femme.

— J'ai pas le droit de vous répondre. Je pense qu'il vous prépare une… euh… une surprise?

Il se voit déjà dépassé. Et le train n'a même pas encore quitté la gare en direction de Montréal.

Le gros homme ne sent pas la complicité mâle s'établir avec Gilbert, comme si le grand maigre en blazer le snobait. Il entraîne sa femme vers le fond du wagon.

— C'est une tapette.

— Pourquoi tu dis ça?

— Parce que c'est vrai.

— Pis? Ton frère Philippe aussi, il est gay.

— Philippe la pipe, oui.

Il jette un regard méprisant sur l'inconnu.

— Justement, je les sens.

Gilbert a entendu. Aussitôt, il retombe en enfance.

Il entre dans l'adolescence: treize ans. L'orphelinat organise une excursion. Les garçons qui ont fait leur communion solennelle sont invités au chalet d'un bienfaiteur. L'homme enseigne à l'école primaire; jeune marié, l'ancien frère mariste s'occupe aussi des cadets de la marine. Il aime beaucoup les p'tits gars. Beaucoup. Surtout les p'tits durs. Gilbert n'est pas son genre. Par contre, Réginald Bérubé le branche à mort.

La couette rebelle, le regard sournois, le teint bronzé, le petit Elvis excite René Dupuis, ce grand squelette à lunettes que Réginald tient dans sa petite main sale. Le garçon fait de la boxe. C'est déjà un petit homme musclé, arrogant et envieux.

Il n'aime pas Gilbert Fortin. Le premier de classe lui tombe sur les nerfs. L'intelligence limitée de « Redge » n'accepte pas ce qui la dépasse. Il coupe les têtes, Réginald Bérubé. Il se plaît à humilier ceux qui ne l'admirent pas. Gilbert Fortin ne lui adresse jamais la parole. En fait, Gilbert ne le voit pas ; il passe son temps le nez plongé dans les livres. Son héros, Bob Morane, lui offre un tour du monde plein d'aventures ; de *La Vallée infernale* à *Mission pour Thulé*, en compagnie de Bill Balantine, Frank Reeve, Aristide Clairembart et les autres. On est en 1959. Au début de l'année, l'auteur Henri Verne a publié le premier roman de la saga de *L'Ombre Jaune*. Gilbert a enfin pu mettre la main sur *La Couronne de Golconde*: en compagnie de Bob, Gilbert va sauver la jeune et jolie métisse qui veut récupérer le trésor de ses ancêtres, les sultans de Golconde. La tête dans les bouquins, l'orphelin rêve et s'instruit ; ce qui plaît aux sœurs qui encouragent la lecture. Elles reçoivent des livres en cadeaux. Un ancien protégé joue au hockey pour les Canadiens, un autre est Père blanc d'Afrique. Quelques-uns poursuivent leur vie de pensionnaires… dans les prisons du pays. Les religieuses font tout ce qu'elles peuvent pour sauver les enfants abandonnés. Parmi elles, des filles enragées se cachent, quelques vraies sadiques écrasent les malheureux, mais la majorité de ces bonnes catholiques essaient de « gagner leur Ciel » en « faisant le bien ».

Gilbert en profite amplement. Il leur plaît ; l'enfant sage comprend que les toutous qui font la belle reçoivent les plus gros os. Pas Réginald Bérubé. « Redge » ne se contente pas d'un os ; il veut de la viande. Il aime mordre, se remplir la bouche de sang chaud. Contrairement à Gilbert qui passe le pique-nique le nez plongé dans son livre sans s'intéresser au professeur René Dupuis, « Redge » sent l'excitation qui torture le pédophile. Le grand maigre à barniques rit de tout ce qu'invente le petit boxeur. René Dupuis coule dans la soumission. Il n'arrive pas à détacher les yeux du petit maillot rouge de Réginald, qui le méprise et que son propre mépris excite. C'est cette viande qui nourrit l'enfant battu ne cherchant pas de raison de vivre ; pas besoin : il se vengera pendant toute sa vie. Le garçon n'étourdira sa souffrance qu'en faisant souffrir.

On est en fin d'après-midi. Le bourreau cherche une victime. Sa haine pour René Dupuis ne peut pas se diriger vers l'adulte, pas devant les autres enfants. Réginald tourne en rond. Il arrache les ailes à une mouche. Elle zigzague dans sa main. Ça ne fait plus rire ; ni lui ni personne. Il se lève. René Dupuis reluque une protubérance sous le caleçon rouge.

— Où est-ce que tu vas, Réginald ?

— Changer le poisson d'eau.

Il faut bien de la retenue à René pour qu'il ne quitte pas sa chaise pliante.

Le petit Elvis joue des muscles en gagnant l'arrière du chalet. Il s'arrête près de l'étang. Les pieds plantés dans la mousse humide, il y va d'un long jet sonore, admirant sa jeune puissance. Depuis un moment, le petit boxeur combat l'ennui. Un crapaud saute sur le tapis vert. « Redge » plonge et le saisit.

— Viens fumer, bébé.

On lui a appris que les crapauds et les grenouilles gonflaient jusqu'à l'éclatement quand on leur bloquait une cigarette dans la gueule. Il revient vers le groupe, les bras collés au ventre, les mains refermées sur sa proie. Il passe tout près de Gilbert qu'il dérange. Le lecteur quitte un instant Bob Morane. Ses yeux se posent sur le maillot rouge de Réginald. Le cercle humide que dessinent les dernières gouttes négligées par le chasseur du marais provoque un début de fou rire vite réprimé. Trop tard. Réginald a compris. Il ne rougit pas sous l'irritation. Il blanchit de rage. Gilbert comprend que même Bob Morane ne viendra pas le sauver. « Redge » ne va pas frapper Gilbert. Il trouve mieux. Il plonge le crapaud dans la culotte de Gilbert, qui saute sur ses jambes en criant. Humilié, meurtri, il rejette le crapaud sur Réginald, qui cesse aussitôt de rire. « Bob Gilbert Morane » affrontera-t-il « Redge La Terreur Bérubé » ?

Les enfants forment un cercle pour applaudir « Rocky Redge Marciano », future légende de la boxe. René Dupuis marche lentement vers le groupe. Il va laisser à son protégé le temps de triompher, en l'arrêtant juste après le premier coup de poing. Ce sera un knock-out technique.

Malgré lui, Gilbert fait tourner le drame au cirque. Réginald Bérubé croule de rire. La culotte de Gilbert Fortin dégouline. Le garçon tremble de peur, de rage impuissante, en retenant les larmes de l'humiliation. Un courageux enfant anonyme part le bal.

— Pissou ! Pissou ! Pissou !

Le coryphée entraîne le chœur. Au-dessous des voix, comme une confidence, Réginald crache la pire insulte imaginable pour ce garçon à la sexualité trouble.

— Tapette.

« Mont Royal, Mount Royal. » La voix du chef de train le ramène dans le wagon. Quelques voyageurs montent.

Gilbert se lève. Il marche vers le couple qui a oublié jusqu'à son existence.

— Je vous demande pardon.

Le gros homme sombrait dans la somnolence depuis la station Grand-Moulin. Il ouvre un œil en grimaçant.

— De que c'est ?

Gilbert s'assoit en face de lui.

— Je vous ai entendu.

Le gars se tourne vers sa femme.

— Je ronflais-tu?

Elle ne tient pas compte de lui. Elle ne saisit pas de quoi parle Gilbert.

— Entendu quoi?

— « Tapette ».

Le gros homme se réveille tout à fait.

— Comment ça, tapette? M'as t'en faire, moi, des tapettes.

— Vous avez dit à votre femme que j'étais une tapette.

Honnêtement, le colosse ne se souvient pas. Il ne cherche pas le trouble. Il ne veut surtout pas de chicane. Sa force tranquille ne recèle pas l'ombre d'une méchanceté. L'ignorance prend toute la place. Sa femme décide tout. Même pour *La Poule aux Œufs d'Or*, il n'arrive pas à choisir entre l'œuf et l'enveloppe. Il cherche un appui.

— J'ai-tu dit ça, minou?

Sa moitié supérieure va encore une fois le tirer d'un mauvais pas. Elle lui règle d'abord son compte.

— Oui, t'as dit ça.

Puis, elle sourit à l'homme au blazer, en cherchant un grand mot pour qu'il comprenne qu'il s'adresse à la portion pensante du couple.

— Écoutez, monsieur. Je vous jure que mon mari est pas un omophage.

— Homophobe.

— Ah!...

Gilbert lui a coupé l'inspiration.

« Canora, Canora. » Dans les haut-parleurs du wagon, le chef de train répète le même mot en passant de l'accent québécois à l'anglais; pour ce faire, il amaigrit le dernier « a ».

La grosse femme se prend de sympathie pour ce grand visage pâle qu'un verre de lait battrait dans un concours de bronzage. Elle écoute Gilbert qui leur raconte l'épisode de son enfance qui vient de refaire surface.

Le couple grimace de déception quand le train entre à la gare Centrale. Cet homme-là parle aussi bien qu'à la télé-vision : un mélange de Canal Évasion et de Télé-Québec, mais intéressant.

Le train s'immobilise. Gilbert s'interrompt, puis constate :

— Nous sommes arrivés.

La grosse femme veut savoir.

— Puis, qu'est-ce qu'il a fait avec le crapaud ?

Le couple s'accroche à Gilbert. L'homme leur plaît. Ils vont l'accompagner jusqu'au couvent pour qu'il dépose sa valise et récupère les clés. Le feu d'artifice de l'Argentine débute à vingt-deux heures. Gilbert aime l'idée de commencer sa nou-velle vie par un feu d'artifice. En ce week-end de la Fête natio-nale – le nouveau nom pour la Saint-Jean-Baptiste –, Montréal veut s'amuser mur à mur.

L'autobus 129 dépose le trio en face du couvent de la Côte-Sainte-Catherine. Gaétan Pitre tutoie maintenant Gilbert.

— C'est là que tu restes ?

— Pas vraiment. Enfin, oui… pour le moment.

Gilbert essaie de s'ouvrir, d'établir le contact avec ce qu'il appelle des « gens ordinaires ».

Jacynthe Bonneau et son Gaétan s'assoient dans les fau-teuils de cuir du hall du couvent. Gilbert disparaît derrière la grande porte qui se referme sur le cloître. À part le laïc qui travaille à la porterie, ils ne voient personne ; c'est l'heure du souper. Les deux grosses personnes entendent crier leurs ven-tres ronds. Ils invitent Gilbert au restaurant. Ils n'en sont pas encore revenus : le visage pâle n'a jamais mis les pieds au Saint-Hubert BBQ.

Jacynthe avait chanté : « Pout, pout, pout, Saint-Hubert BBQ », pour aussitôt constater l'ampleur du manque de culture de l'homme. En réaction à tant d'ignorance, Gaétan était passé au tutoiement.

— *Come on*, tu nous niaises… T'es bien le seul Québécois. O.K., saint Jean-Baptiste, c'était le patron des Canadiens français, mais le patron des Québécois… Pout, pout, pout, Saint-Hubert BBQ.

Gilbert avait ri de bon cœur. Ce couple lui faisait du bien. Quand Jacynthe a compris qu'il n'avait jamais mangé une bouchée de poutine, elle s'est sentie émue de compassion. Sa fibre maternelle vibrait si fort qu'elle avait murmuré pour elle-même : « Pauvre enfant ! »

Gilbert pose sa valise sur le lit de la chambre 73. Le temps de constater que la fenêtre donne sur le mont Royal, il rejoint Jacynthe et Gaétan. Le gros homme se meurt de faim.

— On prend un taxi.

Pendant que le réceptionniste se rend au téléphone pour réserver une voiture, il regarde Gilbert.

— Est-ce que je mets votre nom sur la liste pour le barbecue, demain midi ?

« Décidément, c'est Québec barbecue… », suggère discrètement un petit lutin qui semble s'éveiller dans l'oreille de Gilbert. « Allez ! Pourquoi pas ? »

— Oui, bien sûr, merci. Euh… Je vais peut-être rentrer tard.

— Vous avez vos clés ?

— Bien entendu.

— *No problemo*, mon Père.

Jacynthe se tourne vivement vers Gaétan.

— On est peut-être pas polis de pas l'appeler comme ça ?

— « Mon père, mon père… » J'en ai déjà en masse du bonhomme chez nous.

Il rit. Elle aussi.

Gilbert s'approche, en quête de bonne humeur, de légèreté, de joie de vivre.

— Je peux savoir ce qui vous amuse ?

Jacynthe et Gaétan expliquent. Ils se voient vite confirmés dans leur choix. Gilbert, qui n'a jamais tutoyé un étranger, se complaît dans le «tu». Il se québécise à grande vitesse. Son parrain Gaétan et sa marraine Jacynthe vont le baptiser dans la sauce à poutine au cours de la prochaine heure, avant que le coq n'ait chanté: «Pout, pout, pout.»

C'est un initié qui lève la tête pour admirer le ciel de Montréal illuminé par les artificiers argentins. Gilbert assiste à son premier feu d'artifice. Debout sur le pont Jacques-Cartier, il éructe discrètement. Son estomac de moine végétarien manifeste ses limites. Stimulé par les deux ogres, il a dépassé la mesure. «À la mesure sans mesure de ton immensité, tu nous manques, Seigneur…» L'hymne de l'office des laudes passe entre les oreilles du cistercien dépaysé.

Un bouquet multicolore explose au-dessus du grand fleuve. Derrière lui, l'immense dôme géodésique de l'architecte Richard Buckminster Fuller se dresse toujours. Il abritait le pavillon des États-Unis, à l'Expo 67. Ce sont les derniers souvenirs montréalais de Gilbert.

Il devait entrer au Grand Séminaire à l'automne. Le jeune homme, qui ne croyait ni à Dieu ni à diable, avait sauté pardessus l'Atlantique pour échapper à son destin: le bon garçon ne deviendrait pas curé. Pourtant, la fuite géographique n'avait rien changé. Le solitaire en voyage était resté dans sa bulle. L'enfant atteint de déficience affective ne supportait pas le grand air trop libre. À Paris, Gilbert avait souffert d'hyperventilation. Soumis à trop d'informations, son cerveau était devenu victime de surchauffe. Depuis quelques années, des scientifiques tentaient d'expliquer le phénomène d'hyperventilation en comparant le cerveau à une automobile. Le nez jouait le rôle du radiateur. La tourmente de mai 1968 avait eu raison de la capacité respiratoire du jeune homme élevé en vase clos par les communautés religieuses québécoises. Pendant plus de trente ans, à l'abbaye de La Ferté, il s'était rafraîchi le cerveau au point d'en faire une chambre froide où des provisions inépuisables de connaissances occupaient un espace ordonné, fonctionnel, cohérent, logique et dégagé de subjectivité, comme de toute autre faiblesse.

Plus de trente ans d'illusions séparent le garçon de l'Expo 67 du quinquagénaire du feu d'artifice argentin du 21 juin 2003. Au milieu d'une mer de monde, en compagnie de Jacynthe et de Gaétan, il se retrouve au point de départ. Tout serait-il toujours un recommencement? Des gerbes bleues montent de partout; le ciel de nuit redevient jour. La finale sent l'apothéose. On applaudit, on commente, on compare. Les fidèles reviendront pour le prochain feu.

Jacynthe et Gaétan sont soulagés par la voix enjouée de Gilbert.

— Allez! C'est ici qu'on se sépare. Merci pour tout. Bonne route!

Il s'entend parler la langue de bois des curés: «Bonne route!» Quel sac de vent! Gilbert Fortin veut vivre avec le monde, dans le monde, comme tout le monde. Il s'avance, résolu, malhabile et touchant. Il prend Jacynthe dans ses bras, l'embrasse sur les deux joues et se tourne vers Gaétan qui l'attrape pour broyer sa timidité, ses réserves, ses peurs, le noyau dur de sa solitude.

— T'es un bon gars, Gilbert. Pour un curé, t'es pas pire. Lâche pas, mon homme.

Jacynthe est fière de son mari, contente de sa soirée et elle sait où Gaétan a choisi de passer la nuit. Le gros naïf ne peut rien lui cacher. Il avait laissé la feuille avec le numéro de téléphone du Motel Canada sur le comptoir de la cuisine, à côté de l'appareil mural. Il ne va pas regretter sa nuit, foi de Jacynthe.

Gaétan, en guise de mot de la fin, offre un conseil qui envoie Gilbert à la conquête d'un nouveau sommet gastronomique.

— La prochaine fois, essaie la poutine *Western*… avec la sauce piquante, puis un Dr Pepper.

♣

Riche de l'héritage de Gaétan Pitre, Gilbert Fortin suit la foule qui regagne l'avenue De Lorimier. Il remonte jusqu'à Mont-Royal et tourne à gauche. Partout, on boit de la bière en chantant: «Gens du pays…» On dirait l'hymne national. Gilbert se sent fondre de plus en plus. Arrivé au boulevard Saint-Laurent, il entend des voix, des violons, une musique très rythmée. Il part en direction nord. Au coin de Saint-Joseph, un parc accueille un groupe de musique traditionnelle. Les gens dansent sur le gazon. Une odeur de poulet cuit sur le gril ajoute une touche sensuelle et gourmande.

À l'est du parc, une église séduit immédiatement Gilbert. Il ne savait pas qu'on pouvait avoir le coup de foudre pour un bâtiment. Il lit maintenant les informations affichées devant le presbytère de la paroisse Saint-Enfant-Jésus du Mile End.

Gilbert veut vivre ici.

Une voix rauque précède une mauvaise haleine qui la rattrape.

— *Hey!* Donne-moé vingt piastres.

Le gars incarne la répugnance. Inspirant un mélange équilibré d'aversion et de répulsion, il provoque un haut-le-cœur dont Gilbert a immédiatement honte. Il donne vingt dollars à la créature immonde qui s'éloigne, éberluée.

— C't'un miracle, tabarnak. Je le crois pas. C't'un miracle, tabarnak.

Il s'immobilise, se tourne vers Gilbert, secoue la tête, dépassé.

— Crisse d'épais. Ostie de niaiseux.

4

Gilbert étouffe. On marche sur sa poitrine. Il ne peut plus bouger. Pas maintenant : il sait que ce n'est pas le temps de mourir. Il doit d'abord accomplir un devoir. Sa tâche n'est pas même entreprise. Le dormeur cherche une issue, il veut sortir du cauchemar. Il plonge au cœur du tourbillon et nage en tire-bouchon vers le point d'origine, au fond de l'eau verte. Il s'accroche à la pointe du rocher immergé qui crée la spirale mortelle. Gilbert bande les muscles, donne un grand coup de reins et se propulse hors du piège aquatique.

Léger, tout léger, le rêveur s'élève au-dessus de son torse, montant sans effort au centre d'un canal de lumière verte. Il poursuit l'ascension, toujours branché à son corps endormi, maintenant allongé sur le dos, immobile. Il ne perçoit plus rien comme avant. Il quitte sa chambre du couvent dominicain pour passer par la matrice où sont coordonnés le temps et l'espace. Gilbert Fortin voyage dans l'Histoire, branché au cœur de l'éternel présent. Le rêve tisse une nouvelle réalité historique.

Les molécules se resserrent jusqu'à former un amas sombre où seul un point lumineux passe du vert au jaune, à l'orangé, au rouge pour se concentrer davantage, en aspirant Gilbert Fortin qui plonge encore au fond d'un tourbillon; il ne s'agit plus d'eau mais de feu. Gilbert danse un court instant dans

l'âtre. La bûche éclate et le rejette sur le sol d'une chambre au
plafond bas. Son rêve le mène en Nouvelle-France[3]…

Gilbert Fortin reste suspendu dans le temps du rêve jusqu'à
l'instant du réveil. On meurt ainsi chaque nuit.

♣

Puis, le soleil dit bonjour à la montagne. Par la fenêtre de la
chambre 73 du couvent, le mont Royal pose son regard vert
sur le moine qui lève la toile après avoir écarté le rideau.

Quel beau dimanche matin! «Six heures moins quart.
J'ai pas beaucoup dormi… Oh! La nuit de fou!» Il ne se souvient pas du rêve entier, mais il en retient de grands bouts.
Cette incursion dans l'Histoire va sculpter son inconscient.
Par contre, il n'a rien oublié du feu d'artifice, de Jacynthe, de
Gaétan… ni de cet être innommable qui l'a suivi jusqu'à
l'avenue du Parc en l'injuriant, donnant l'impression que
l'aumône de vingt dollars de Gilbert l'enrageait. À la frontière
d'Outremont, l'itinérant s'était immobilisé, comme s'il refusait de se salir les pieds dans le quartier chic.

Gilbert, soulagé, avait marché lentement, s'arrêtant même
quelques instants au parc Beaubien où des adolescents fu-
maient du pot. Les jeunes, loin d'avoir peur et de faire disparaître le joint, lui avaient offert une *puff*. Refusant dans un sourire, il était reparti, plus lourd d'une question sans réponse:
«Pourquoi?» L'intellectuel ne comprenait pas ce besoin de se
défoncer en fumant de l'herbe, en s'inondant d'alcool, en
s'assommant de bruit.

Il avait franchi la porte du couvent chargé d'impressions
neuves. En passant devant la salle de télévision, il s'était
aperçu que quelqu'un d'autre ne dormait pas davantage.

---

3. Voir *Le Révisionnisme onirique: Séquence 1*, page 355.

Discret, il n'avait pas ralenti le pas, ajoutant simplement la question supplémentaire à la longue liste du jour.

Puis, il était tombé au fond du lit, tout au fond, jusqu'au dix-septième siècle. Non, ce rêve n'avait rien d'ordinaire. Il en est certain.

Quelque chose se prépare. Inutile de chercher, de vouloir aller vite. Il ne s'agit pas d'aller vite, mais bien d'aller loin, de creuser un puits dans le présent : oui, dans l'éternel présent.

Un beau dimanche matin ensoleillé de juin, une belle journée pour le barbecue des dominicains. Ici, comme au monastère, l'équilibre démographique souffre encore plus que chez les quinze hommes pour une femme de la Nouvelle-France. C'est quarante hommes pour une femme. Et encore, elle reste discrètement figée sur son piédestal, dans le coin de la chapelle, la très sainte Vierge Marie.

♣

On boit bien, chez les dominicains. Il se sent loin de la Trappe. Un jeune frère colombien monte le son. La musique sud-américaine transforme la dalle de ciment en plage. Les pinces de crabes pointent vers la montagne de viande à griller. Il est treize heures et la grande table en forme de fer à cheval s'anime de plus en plus.

Gilbert, qui ne boit jamais, s'est assis entre un religieux octogénaire et un énorme frère qui boit sec et engloutit tout ce qui se mange, dans une bonhomie qui fait plaisir. Loin de déplaire à Gilbert, l'appétit du gros homme le stimule. Il aimerait tant se sentir aussi vivant.

En apéritif, il a bu un demi-verre de vin blanc qui lui tourne légèrement la tête. Le cuisinier dépose un steak saignant dans son assiette. Le cistercien végétarien hésite. Son gros voisin lui verse un verre de côtes-du-Rhône.

— Ça va vous donner des couleurs.

Le bon frère Édouard lui sourit. Tout en sueur et bonne humeur, il retourne se servir une troisième fois.

Le vieux religieux qui tète une patte de crabe regarde à peine son voisin.

— Mon frère a bon appétit.

Le frère Victor s'intéresse à Gilbert. Il sait d'où il vient et se demande où il va. La vie du vieux dominicain a tellement changé. À son entrée au noviciat de Saint-Hyacinthe, on se levait la nuit pour prier, on respectait le silence au cloître, on ne mangeait jamais de viande. On partait prêcher des retraites du nord au sud de la province ; on enseignait à l'université, on y fondait des facultés. On conseillait aussi des cardinaux, on en avait même compté un : le cardinal Rouleau, archevêque de Québec de 1926 à 1931, un fils de cultivateur de l'Isle-Verte.

Le frère Victor, vieil idéaliste, ne perd pas sa vie à regretter sa jeunesse. Toujours actif, il prêche encore les sept messes dominicales de l'oratoire Saint-Joseph, les mains enfoncées dans les poches de sa robe blanche, sans même consulter un bout de papier. Il arrive là préparé, sachant ce qu'il souhaite qu'on retienne, confiant dans ce qu'il appelle l'Esprit Saint.

Le bon gros frère Édouard revient s'asseoir à côté de Gilbert.

— Mangez, mangez, ça va refroidir.

Gilbert attaque la viande rouge, porte un morceau à sa bouche, l'arrose d'une gorgée de vin et décide qu'il va aimer ça. Le frère Victor sourit. Il constate que le moine travaille fort pour essayer d'avoir du plaisir. Il pique lui-même un petit bout de bœuf et le mastique longuement. Il ne s'est jamais habitué. À dix-huit ans, il a donné sa vie à l'Église, à son Ordre, à son peuple canadien-français, en voulant servir de guide à sa race.

Il buvait alors les paroles de Lionel Groulx, un prêtre qui marquerait son époque : « Pour être le maître d'une génération, il faut être capable de parler d'espoir et d'avenir, de fournir des pensées nettes, des buts fermes, enivrants, en état d'exalter et de coordonner les énergies. »

La vocation religieuse du frère Victor s'était vue confirmée par la voix de l'abbé Groulx : « À égalité d'intelligence et de savoir-faire, ce seront toujours les spirituels qui serviront le mieux notre pays. »

Même aujourd'hui, à quatre-vingt-quatre ans, le frère Victor cultive l'espérance. Le vieil homme sait que la foi est la substance de l'espérance. Il croit que chaque peuple possède un destin, tout comme chaque personne. Nourri à la vieille école, il se sent comme le vieillard Siméon, toujours au temple, en attente du Messie.

Quelque chose l'attire chez le cistercien, qui a déjà mangé la moitié de son steak et qui accepte l'offre de frère Édouard en tenant le verre dans lequel le gros homme verse le vin rouge. Le frère Victor rumine une feuille de salade et une pensée de Lionel Groulx en fin de vie ; il voit dans le christianisme « un élan joyeux [...] un acte de libération et d'agrandissement de son être ».

Le frère Victor est un prêcheur, un homme de parole, un éducateur populaire. Il a participé de tout son cœur à ce qui est devenu la Révolution tranquille. En compagnie de tant de jeunes idéalistes formés par l'Action catholique, il espérait balayer les insécurités qui engendraient le besoin sclérosant de s'embourgeoiser dans ce qu'il appelait le « formol matérialiste ». Une bonne partie de cette jeunesse croyante se dressait contre une Église fossilisée où le cardinal se prenait humblement pour un prince. Pour eux, catholique voulait bien dire universel, pas dogmatique.

Cependant, aujourd'hui, le frère Victor ne sait plus si, en se réclamant tout autant des épîtres de saint Paul que des encycliques sociales, il n'a pas simplement remplacé les clercs par des bureaucrates, les communautés religieuses par des syndicats de fonctionnaires qui rêvent, comme pour aller au

Ciel, de jouer au golf en Floride. On rit de tout, mais pas souvent de tout son cœur.

Posant comme prémisse que Dieu existe, il croyait que son peuple trouverait en lui l'envie de comprendre, le désir de connaître sa destinée, de s'appuyer sur la sécurité matérielle pour explorer le spirituel.

Le frère Victor a perdu une bataille. Il prêche maintenant pour des vieux qui souvent récitent leur chapelet pendant qu'il parle dans le vide. Pourtant, il ne désespère pas. Il sait que ce qu'on appelle le *modèle québécois* prend sa source dans la justice sociale catholique ; que la *Charte canadienne des droits et libertés* et la *Charte des droits et libertés de la personne du Québec* proviennent des valeurs chrétiennes.

L'Église canadienne-française peut mourir tranquille. Le frère Victor croit à la résurrection de l'Église québécoise.

« Alouette, gentille alouette… », chantent les dominicains de 2003, sur la terrasse du couvent, en buvant de la bénédictine. On a presque fini de plumer l'oiseau. Quelques frères battent la mesure. Un moustachu se lève, bat des ailes et lance un couplet nouveau.

— Je te plumerai le ziziiiiiii…

Un malaise court entre les verres et les assiettes sales. L'excité ne s'en rend pas vraiment compte. La musique sud-américaine repart aussitôt.

Le frère Victor regarde le visiteur. Gilbert Fortin a tout mangé, bu les deux verres de vin et s'offre un mal de tête carabiné.

— Vous allez digérer tout ça, vous pensez ?

— Je ne pourrais pas le jurer. Vous croyez que je peux quitter la table sans commettre une indélicatesse ?

— Hum ! Ce serait mieux que de piquer du nez dans les assiettes. Bonne sieste !

Gilbert pose la tête sur l'oreiller, ferme les yeux et replonge immédiatement dans la lumière verte.

Le rêveur retrouve son personnage onirique de jésuite… en 1691[4].

Vers seize heures, le dormeur se réveille de sa sieste avinée et boit un grand verre d'eau en se regardant dans le miroir du lavabo. On suffoque de chaleur dans la petite chambre aux murs en blocs de béton. À sa porte, il croise une présence inimaginable au monastère. Un chat marche lentement dans le corridor. Une voix l'appelle.

— Tornade ! Tornade !

Le chat revient tout de suite vers l'homme à la barbe blanche parsemée de fils blonds qui sourit gentiment.

— Oui, oui, c'est bien un chat. Je l'ai trouvé, abandonné dans une ruelle. Il miaulait. Inquiétez-vous pas, vous l'entendrez pas.

— Je ne m'inquiète pas du tout.

Gilbert s'accroupit et tend la main.

Tornade vient vers lui, se tourne et offre son dos pour une caresse. Gilbert ne se souvient pas d'avoir flatté un chat. Même pas ça… il ne connaît même pas de plaisirs aussi simples.

Le frère dominicain qui rejoint Gilbert le dépasse d'une demi-tête.

— Moi, c'est Jaquelin.

— Gilbert… enchanté.

— Vous êtes avec nous pour quelques jours ?

— Peut-être, oui. Je n'en suis pas encore certain.

— Vous êtes Français ?

— Non, non, Montréalais. J'ai vécu longtemps en Bourgogne.

— L'accent a un petit peu déteint.

---

4.   Voir *Le Révisionnisme onirique : Séquence 2*, page 359.

— Je suis rentré depuis presque deux ans. Je retrouve lentement mon accent québécois.

— À cause? Je trouve ça beau, moi, l'accent français!

— Oui, mais me faire traiter de «maudit Français», ça me tombe sur les nerfs.

Le Saguenayen aux allures de bûcheron offre sa dent en or dans un sourire invitant.

— Avez-vous envie de descendre fêter en ville avec nous autres?

— J'aimerais bien d'abord passer sous la douche.

— Un petit quart d'heure?

— Entendu.

L'eau rafraîchit le visiteur, qui ferme les yeux pour offrir son visage au jet puissant.

Il a l'impression de recevoir des messages en forme de songes. Comme au cours de la nuit, une lumière verte a ouvert le rêve, créant la même impression d'accéder à une autre dimension.

Tout de même étonnante, cette façon de réviser l'Histoire où les faits se modifient par son action. Gilbert sait bien que, dans la seconde moitié du dix-septième siècle, la France n'a pas peuplé sa colonie. Si on avait pris possession de la vallée chaude et fertile du Mississippi en plus des riches territoires des Grands Lacs, comme il le projetait dans son rêve, les arguments méprisants de Voltaire seraient tombés à plat: «Nous avons eu l'esprit de nous établir en Canada sur les neiges entre les ours et les castors.»

Au séminaire, son professeur de littérature française avait osé lire un extrait de Candide: «Vous savez que deux nations sont en guerre pour quelques arpents de neige vers le Canada.» Tous les étudiants s'étaient indignés. Pas Gilbert. À l'époque, il ne sentait pas de lien avec le groupe, comme s'il ne possédait pas l'instinct grégaire. Il n'avait pas davantage développé le sens de la solidarité chez les Cisterciens. Ce n'était pas la faute des moines. Cela relevait de l'incapacité pour l'orphelin à jouer franc jeu.

Les cours de formation intégrale de l'institut du boulevard Gouin commencent toutefois à lui ouvrir les yeux. Toutes ces années vécues à l'étranger lui font sentir la différence. Au Québec, il n'est pas seul de la même façon qu'en France.

Oui, Gilbert Fortin est toujours seul... mais seul parmi les siens.

♣

Les frères descendent de l'autobus au coin de la rue Laurier et de l'avenue du Parc. Les soixante ans de frère Jaquelin ne se voient pas ; le barbu de Port-Alfred dégage surtout de la force. Les deux autres nagent dans la bonne trentaine. Le frère Stéphane, un petit brun frisé tout en muscles, respire la bonne humeur ; à l'opposé, le grand maigre Henri-Charles, pas encore dominicain, sue l'angoisse et parle sans arrêt. Le squelette ambulant mitraille Gilbert de questions. Sans le savoir, Henri-Charles lui rend service. Il permet à Gilbert de s'adonner à un nouvel exercice : celui de dire la vérité.

En vingt minutes, le trio en sait plus sur Gilbert Fortin que tous les moines cisterciens de l'abbaye de La Ferté où il a vécu de 1968 à 2001. Ils en connaissent davantage que tous ses confrères du cours classique et que tous les enfants de l'orphelinat.

Sans réserve, Gilbert répond simplement aux questions. Sa candeur séduit les trois hommes. Gilbert se sent étonnamment léger en refusant de calculer l'effet de ses paroles : c'est bon de dire la vérité.

Le quatuor se fraie un chemin dans la foule qui fête dans la rue Saint-Viateur, entre Parc et Saint-Urbain. À chaque bout, une estrade offre une animation. Les restaurants grecs servent des souvlakis, des brochettes. Le gras des saucisses brûle sur les charbons rouges et parfume l'air du quartier, séduisant Gilbert: «C'est décidément Québec barbecue.»

Le frère Stéphane sort du «dépanneur» et offre des bouteilles de bière à ses frères.

— Une p'tite Boréale?

Il ajoute une précision pour Gilbert.

— C'est de la bière québécoise.

L'envie de sentir son appartenance n'échappe pas à Gilbert. Ses guides de la veille exprimaient le même besoin. Jacynthe et Gaétan signalaient tout ce qui tenait de la québécitude.

Comme pour bien confirmer les impressions de Gilbert, le groupe de jeunes musiciens sur scène entraîne la foule à reprendre en chœur un succès des années soixante: «Québécois, nous sommes Québécois…»

Les trois compagnons entonnent le célèbre couplet du défunt groupe *La Révolution française*: «Le Québec saura faire s'il ne se laisse pas faire…»

Une odeur de pourriture assaille Gilbert.

— *Hey!* Donne-moé vingt piastres.

L'itinérant de la nuit dernière a repris du service. Dans le Mile End, il se promène sur ses terres. Il ne reconnaît pas Gilbert qui, lui, retrouve le même affreux malaise. Cet homme lui fait peur.

Stéphane, le frère optimiste, le dominicain plein de santé, le sort du pétrin avec une aisance réjouissante.

— On peut juste te donner une bière.

Il tend sa bouteille en direction du vagabond qui tique.

— Elle est déjà commencée.

— Justement, elle est pas finie.

L'ivrogne saisit tout de même la bière.

— T'es *cheap* en tabarnak.

Henri-Charles s'en mêle.

— O.K. d'abord, je peux la reprendre.

— *Hey !!!* Touche pas à ça, toé, crisse.

Le psychotique file en tenant la bouteille serrée sur son cœur.

Jaquelin pointe sa Boréale en direction du démuni disparu.

— C'est ça que ça donne...

L'ancien infirmier se rappelle le temps pas si lointain où l'on accusait les communautés religieuses hospitalières de garder les fous en prison. On traite maintenant les services gouvernementaux d'irresponsables parce qu'ils laissent les psychiatrisés s'enfoncer dans la déchéance.

Gilbert Fortin sent peser sur lui un fardeau inconnu : l'impression d'une responsabilité jamais éprouvée. Il a eu raison de quitter le monastère. Cependant, il faudra laisser du temps au temps. Gilbert Fortin peut nommer sa réalité : « Je suis moi-même en voie de désinstitutionnalisation. » Il vaut mieux s'installer au couvent des Dominicains pendant quelque temps. Un sas de décompression semble nécessaire. La charge tombe de ses épaules.

Il reçoit un coup sur la jambe et baisse les yeux sur l'objet contondant. Assis dans une poussette, un jeune enfant noir agite un petit drapeau québécois. Gilbert sourit aux parents du garçon. L'homme parle avec un accent québécois que Gilbert aurait lui-même du mal à imiter.

— Excuse-nous, *man*, on t'a-tu fait mal ?

Pourtant, on ne peut pas avoir davantage une tête d'Haïtien que le jeune papa ; ni refuser de voir que cette famille à la peau noire appartient autant au peuple québécois que la foule de Blancs. Ce type de réflexions que Gilbert sent monter pour la première fois soulève une question sans réponse : « Qu'est-ce que je fais ici ? »

La bouteille pleine réchauffe dans sa main. L'inquiet Henri-Charles le sort de son nuage.

— Excuse, la bois-tu, ta bière ?

5

Il est minuit. Gilbert n'a pas vu passer les heures. Depuis la Saint-Jean-Baptiste, il fréquente la grande bibliothèque du couvent dominicain. Il fouille dans les livres d'Histoire du Canada. L'ancien moine s'intéresse pour la première fois à ce qu'au cloître on appelait « le monde et le temps du monde ».

Le voici passionné par l'Histoire. Il connaît mieux Tertullien, théologien chrétien du deuxième siècle, que Samuel de Champlain ; saint Augustin que Maisonneuve ; sainte Gertrude d'Eisleben que Marie de l'Incarnation. Oui, il s'est davantage intéressé à une bénédictine du treizième siècle qu'à cette femme mystique de Québec qui a écrit des pages lumineuses sur la Trinité, tout en instruisant les enfants de la colonie et ceux qu'elle appelait en toute innocence les « Sauvages ».

Les informations que le chercheur engrange le conduisent à une nouvelle question : a-t-on manqué de peu le bateau qui pouvait mener à une immense Nouvelle-France[5] ?

L'intellectuel s'étire longuement : « Bon, j'arrête, ça suffit pour ce soir. » Gilbert range l'atlas et les bouquins d'Histoire. Il reviendra demain. Il aime les bibliothèques. À l'abbaye de La Ferté, on étudiait dans une grande salle appelée le *scriptorium*. Il n'a pas développé l'habitude de s'isoler dans sa chambre comme les frères d'Oka et les dominicains du couvent

---

5. Voir *Dossiers de Gilbert Fortin : Origine des Québécois de souche*, page 403.

Saint-Albert. Disposant de la clé du lieu et de la permission d'accéder à la bibliothèque en tout temps, il éteint la lumière et referme la porte derrière lui.

Ses notes sous le bras, il passe devant la salle de télévision. Quelqu'un d'autre ne dort pas. Par la porte entrouverte, Gilbert voit quelques cheveux gris qui dépassent du dossier du fauteuil, face au téléviseur. Il connaît cette tête. Qui ? Formé à la discrétion monastique, il ne creuse pas la question et monte se coucher. Tout de même, l'identité de l'insomniaque éveille sa curiosité.

Le nouvel historien s'endort à peine que déjà monte la lumière verte.

Le rêveur retrouve son personnage onirique de jésuite qui travaille depuis vingt ans à équilibrer les forces démographiques dans le Nouveau Monde[6]…

Gilbert a dormi tard. Il se réveille chargé de questions. La présence et l'action d'un homme comme ce jésuite de son rêve aurait-elle pu changer le cours de l'Histoire ? Autrement dit, le destin assumé d'un seul homme peut-il modifier la destinée de tout un peuple ? « Ça revient à dire que la foi déplace les montagnes, non ? »

Mardi matin, 1er juillet : fête du Canada. Pourtant, Gilbert ne sent pas la même ambiance festive que le 24 juin.

À table, en buvant le café, juste après la messe, on taquine les nationalistes. Le trio que connaît bien Gilbert devient la cible des amuseurs. L'ancien moine y relève tout de même un malaise. Contrairement à Jaquelin et à Stéphane, Henri-Charles ne rit pas de si bon cœur. On perçoit la blessure. Oui, son

---

6.   Voir *Le Révisionnisme onirique : Séquence 3*, page 365.

peuple a mal à son Histoire. Le vieil orphelin voit une parenté avec la sienne propre : un enfant abandonné dans un peuple abandonné. Les deux destinées s'harmonisent : « Mais qu'est-ce que c'est que ce genre de réflexions ? »

Non, dans le couvent dominicain, Gilbert ne sent pas un gros élan pour célébrer la Confédération. Pourtant, le Canada est un si beau pays. Celui dont rêvaient nos ancêtres en franchissant les Rocheuses pour sentir se dilater leurs cœurs en découvrant le Pacifique : *A Mari usque ad Mare.* Hélas ! Les Français du dix-septième siècle, plus conquérants que colonisateurs, ne s'étaient pas davantage enracinés dans l'Ouest qu'un marin traversant la mer sur un bateau n'aurait possédé l'océan.

Pourtant, un peuple nouveau est né en Amérique. Aujourd'hui, une nation québécoise existe. Gilbert Fortin possède un outil efficace : une mémoire aguerrie d'intellectuel actif. Après quelques jours de recherche, il peut déjà dessiner à grands traits la genèse de l'identité de son peuple[7].

En quittant le cloître à plus de cinquante-cinq ans, Gilbert a retiré sa coule monastique. Sans la protection du long vêtement aux manches immenses et au grand capuchon blanc, il entre dans le monde. Vêtu comme un jeune étudiant d'une autre époque, il cherche enfin un idéal. Le mort de peur est ressuscité. Il veut vivre. Comment imiter le père Gilbert de ses rêves, ce constructeur de pays ? Et d'abord, par où commencer ?

Gilbert a du mal à se concentrer. Il va boire un verre d'eau au réfectoire. Immédiatement, il se sent mieux. « Ça tient parfois à pas grand-chose. » Il est dix heures trente. Le matin n'a vraiment rien d'un jour de fête.

Assis seul à la grande table ronde installée dans un renfoncement de la salle à manger, le frère Victor boit du thé en mangeant deux biscuits « feuille d'érable ». Le vieux religieux

---

7. Voir *Dossiers de Gilbert Fortin : La genèse de l'identité québécoise*, page 407.

qui voisinait avec Gilbert au barbecue des dominicains, dimanche dernier, observe discrètement le visiteur.

Répondant à un réflexe conditionné de la vie monastique, Gilbert salue le religieux d'un signe de tête.

L'octogénaire consacré frère prêcheur depuis plus d'un demi-siècle se moque un peu du verre d'eau de Gilbert.

— C'est pas ça qui va vous engraisser.

Le visage osseux de l'ancien moine crée une impression de fragilité, Gilbert étant ce qu'on appelle un faux maigre. Cependant, c'est un assoiffé, toujours à l'affût de nouvelles connaissances. Ce vieux dominicain l'interpelle. «C'est lui!» Il reconnaît la tête grise de l'insomniaque de la salle de télévision. Avant qu'il n'ait le temps d'ouvrir la bouche, le vieil homme lui emplit les oreilles.

— Vous êtes également un couche-tard?

«Évidemment, il m'a entendu marcher.» Gilbert obéit à la loi de l'attraction universelle et s'assoit en face de la vedette de l'oratoire Saint-Joseph.

— Je suis surtout une montagne de questions.

— Moi aussi. Ça n'a toujours fait qu'augmenter. Chaque amorce de réponse génère encore plus de questions. Faut nous y faire, la pile ne baissera jamais.

Il trempe son biscuit en forme de feuille d'érable dans la tasse de thé.

— Vous voyez? Je fête le Canada à ma façon: je le noie, je le mange, le digère et je le...

Il ponctue la dernière étape informulée d'un petit rire espiègle que ne renierait pas un auditoire de garderie.

Gilbert s'est trouvé un allié, un confident; un peu d'aide, en tout cas.

— Vous avez un moment?

— Il est trop tard pour que je n'aie pas tout mon temps.

— Écoutez...

— Non, pas ici. On va aller dans ma chambre.

Gilbert, étonné, encaisse le coup. Au monastère, on n'entrait jamais dans la cellule d'un autre moine : prohibé.

♣

Le dénuement de la chambre du frère Victor touche Gilbert. Un ordinateur antédiluvien y prend des airs de luxe en regard de la couverture de laine grise jetée sur le lit et des deux fauteuils démodés qui résument tout l'ameublement. Il n'a pas trahi son vœu de pauvreté, le frère prêcheur qui lui parle.

— Les bouts de rêves que tu me racontes ressemblent davantage à des songes.

Le frère Victor ne vouvoie pas longtemps ; ou, alors, c'est qu'il tient à garder ses distances... surtout avec les femmes. Heureusement qu'il y a la parole : le vieux prêcheur aime parler depuis toujours. Gilbert s'est tant accroché au silence. Les deux hommes forment-ils les pôles qui pourraient produire de l'énergie ? Comme l'électricité jaillit de la conjugaison du négatif et du positif ? Non, Gilbert ne veut pas entrer chez les Dominicains et le vieux frère Victor, pas davantage en sortir.

L'ancien trappiste poursuit sa réflexion.

— Je suppose que le mieux est de continuer mes recherches à la bibliothèque. J'ai l'impression d'y nourrir mes rêves... ou mes songes ?

— Oui, sans doute un moment, mais l'heure approche où tu vas devoir bouger.

— Pour faire quoi ?

Le frère Victor se mouche en riant.

— Sauver le monde, mon vieux.

Au-dessus du mouchoir, deux petits yeux vifs s'animent sous les sourcils gris en broussaille. Un bonheur étonnant envahit Gilbert. L'homme assis en face de lui combine l'insouciance d'un enfant qui n'a rien vu... à la science d'un grand chercheur à la fine pointe de la connaissance humaine.

Depuis quarante ans, le temple s'est écroulé. Lors de la bénédiction des travaux pour la construction du couvent Saint-Albert, le frère Victor s'était amusé en observant les dignitaires. Pendant que le maire Sarto Fournier, jambes croisées sur sa chaise, à l'aise, fumait sa cigarette, le cardinal Paul-Émile Léger incarnait l'homme que le doute ne pouvait pas ébranler. Or, moins de dix ans plus tard, il avait quitté le pouvoir pour se lancer dans la lutte contre la lèpre, la faim et la misère qui ravageaient le continent africain. Le cœur de Paul-Émile Léger avait été remis en marche par la peine ressentie à la mort de ses parents : « Au commencement était le cœur. »

Oui, voilà ce qui fait bouger le monde. Chacun perçoit les ondes de la sincérité. Gilbert sait qu'il lui faut se purifier. Pour l'or, les scories brûlent dans le creuset. Mais pour un homme, on fait comment ? Ou plutôt, qu'est-ce qui doit se consumer ?

Le frère Victor semble lire dans les pensées.

— Il ne faut pas agir pour soi. Oui, l'idée va à l'encontre de tout. C'est même l'envers du gros bon sens. Tu sais pourquoi on dit le « gros » bon sens ? Parce qu'il est souvent épais.

Gilbert sourit poliment et attend la suite, qui ne tarde pas.

— Bon ! On apprécie peu les farces plates dans les monastères ? Ne pas agir pour soi : comment veux-tu expliquer ça à un peuple exploité ? Pour un enfant, la première image de la liberté, c'est de manger tout le sac de bonbons… à s'en rendre malade. C'est là qu'on est. On ramollit, on grossit, on rit fort, on court tout partout, tout le temps… pour rien. J'arrive pas à croire que ça va finir comme ça. Mon grand-père est arrivé sur une terre avec ma grand-mère. Ils ont coupé quatre arbres. Ils les ont ébranchés et attachés à l'horizontale aux troncs de quatre autres épinettes pour former un carré. Ils ont tendu une toile pour fabriquer un abri. Ils ont commencé comme ça. On remonte pas au Moyen Âge, là. On parle de cent ans en arrière. Quel courage ! À la fin de leur vie, ils avaient élevé onze enfants qui s'étaient multipliés à un rythme effarant. Ils avaient construit deux maisons et défriché

une terre qui aboutissait à un lac au bord duquel on pique-
niquait pour la Saint-Jean. Ma grand-mère jouait de l'harmonium – on disait qu'elle touchait l'harmonium. Quand on
rentrait en fin d'après-midi, pourchassés par les maringouins,
elle nous faisait chanter en chœur: «Quand notre Laurentie
se glisse dans la nuit/sous un ciel blanc d'étoiles/comme en un
pré fleuri/monte un bruit de prière/que le vent reconduit.»
Les hommes se rassemblaient dans la grange. Ils buvaient de
l'alcool de contrebande qui venait des îles Saint-Pierre et
Miquelon. C'était tout ce qui nous restait des Français. Une
violence terrible coulait dans les sangs échauffés. Parfois, deux
coqs se jetaient l'un sur l'autre: des histoires de femmes, de
clôtures. Au fond, pour rien; parce qu'il fallait «faire sortir le
méchant». Toute une vie de frustrations, d'impuissance trouvait là un exutoire. Mon grand-père possédait un don: il
commandait le respect. Il connaissait trois mots d'anglais:
yes, no et le dernier qu'il lançait haut et fort aux hommes qui
en venaient aux mains: «*Stop!*» Le combat s'arrêtait dret-là.
Mon grand-père portait un prénom de roi: Louis régnait sur
sa terre. Tête dure, fier, sec et droit comme un piquet, il parlait peu, fumait la pipe et crachait loin. Tout un homme!
Presque aussi solide que ma grand-mère qui, elle aussi, portait un nom de reine: Marguerite. Mais pour moi, elle avait
un nom de fleur. J'ai quatre-vingt-quatre ans. J'ai déjà vécu
plus longtemps que les deux. Je sais qu'ils étaient fiers de moi.
Ma grand-mère me l'a déjà dit. Pas lui. Et encore, ma grand-
mère m'a indirectement exprimé sa fierté. Elle a parlé au nom
de son mari: «Pepére est ben fier de toi. T'es beau comme un
pape. Il te manque juste la petite calotte blanche.»

Gilbert écoute le vieux dominicain parler de ses racines.
Celui-ci a la chance de savoir d'où il vient. Pas l'orphelin.

— Ça doit faire une grosse famille?

— Quand mes grands-parents sont morts, ils avaient
cinquante-huit petits-enfants et cent quatre-vingt-quatre
arrière-petits-enfants. Aujourd'hui, j'ai perdu le compte.

Gilbert sourit, un peu troublé.

— Pour moi, c'est vite compté : un.

— Qu'est-ce que tu en sais ? T'es probablement l'enfant de l'intolérance et d'une femme qui a pleuré très souvent. J'en ai tellement entendu en confession. J'ai donné à tant de femmes l'absolution qu'un pauvre ignorant leur avait refusée. Qu'est-ce que tu veux ? Comment un peuple écrasé comme le nôtre aurait-il pu produire autre chose qu'un clergé étroit, borné et dominateur ? Mais le Christ, ça reste le Christ, Gilbert ! C'est la racine. La prière, Gilbert ! La prière a tenu mes vieux. Ils n'auraient pas su le dire à ma façon de docteur en théologie, mais ils s'abreuvaient à la transcendance. Je ne sais pas comment le faire comprendre, mais notre peuple est le fruit d'une épopée mystique. Je revois ma grand-mère, après le souper, commandant à tout le monde de s'agenouiller pour le chapelet, en face d'une statue de la Sainte Vierge et d'un cadre de la bonne sainte Anne, éclairés par la flamme d'un lampion bleu. Mon grand-père obéissait à moitié. Il posait un seul genou sur le prélart et s'appuyait sur le dossier d'une chaise. Encore aujourd'hui, j'ai l'impression de saisir l'héritage que me confiait sa fierté silencieuse : « On s'est pas arraché le cœur pour se laisser mourir de peur. »

Gilbert comprend le succès du prédicateur. Il l'aurait écouté encore longtemps. Il cherche à comprendre où l'autre veut le conduire.

— Vous…

— Tu… Quand j'ai le front de tutoyer quelqu'un, j'ai au moins la décence de proposer la réciproque.

— Oh ! Ce ne sera pas facile pour moi.

— Pourquoi ? Est-ce que tu cherches la facilité ?

— C'est mal parti. Bon ! Entendu. Tu… tu peux me dire où ton histoire nous mène ?

— Je le sais pas. À sortir de la peur, en tout cas. Si on arrive à produire un acte simplement parce qu'on le croit juste, sans envisager un profit pour soi, on accède à ce qui s'appelle l'état transpersonnel. On l'atteint lorsqu'on dépasse de façon habituelle son moi individuel limité pour s'unir à un absolu que nos mystiques chrétiens appellent la déité ; des psychologues, le soi ; d'autres, la conscience cosmique.

— Va donc expliquer ça à un pauvre diable.

— Non, c'est toi qui vas y aller.

Gilbert, interloqué, voit s'arrêter le temps. Il sent son cœur qui bat. La fatigue engourdit ses membres. Il retire un instant ses lunettes et plonge le regard dans le nuage de l'inconnaissance.

Le quinquagénaire sort déstabilisé de la chambre du dominicain. Oui, une très vieille lassitude se manifeste enfin. On dirait un enfant épuisé. Sa peine remonte si loin. Il a livré tant de batailles, toujours vaincu par la peur. Pas cette fois. Gilbert va appliquer le conseil le plus simple : tu es fatigué, repose-toi.

Il entre dans la chapelle et s'assoit dans le chœur. Sur la trentaine de religieux du couvent, ils sont sept pour réciter l'office du milieu du jour : le frère Victor, le chantre, le très vieux père Nathanaël et trois frères qu'on dit « coopérateurs » – nouveau nom pour les frères convers. Gilbert est le plus jeune. Une impression de fin d'époque se dégage.

Quelques bouteilles de vin soulignent la fête du Canada. Pas davantage. On célèbre surtout le début des vacances. Certains frères ordonnés vont à la campagne remplacer des curés : en Beauce, au bord du fleuve et jusqu'en Gaspésie. C'est grand, le Québec. Gilbert n'a jamais mis les pieds dans la plupart des régions.

En remontant à sa chambre pour la sieste, il se dit que ce serait bien de voyager un peu. Ne serait-ce que d'aller à Québec, pour commencer. Il n'a jamais vu la Capitale. On lui a aussi parlé de l'île d'Orléans.

Il s'allonge tout habillé sur son lit. L'image du château Frontenac se brouille et le dormeur plonge dans la lumière verte.

Gilbert Fortin observe que son personnage de jésuite solidifie, de rêve en rêve, sa position d'autorité. Jour après jour, il progresse dans son projet d'une Amérique française[8]...

Dans son petit lit de vieux puceau, l'orphelin épuisé depuis sa naissance dort comme un bébé.

---

8. Voir *Le Révisionnisme onirique: Séquence 4*, page 369.

6

Le destin assumé d'un seul homme peut-il modifier la destinée collective? Du patriarche Abraham à Moïse, de Jésus
à Napoléon, d'Adolf Hitler à Jean XXIII, l'Histoire semble
bien répondre «oui».

Depuis le 1ᵉʳ juillet, Gilbert Fortin ne rêve plus. Il n'a pas
revu la lumière verte. Elle ne lui manque pas. Il n'en a pas
besoin. Pas encore. Il doit d'abord digérer, mais il perçoit que
ce n'est pas fini. Beaucoup de grands hommes consultent les
oracles pour sonder le destin. Gilbert croit que ses songes, racontant un passé modifié par l'intervention d'un seul homme,
lui tiennent lieu de signes, de présages, d'auspices favorables.
Cette lumière verte irradiant de son corps endormi agit chaque fois comme un baume. Plein de questions, Gilbert avance
tout de même avec confiance, en acceptant le mieux possible
de ne pas savoir où il va. Un pas à la fois, en marche vers l'inconnu, en direction de ce qui est juste – la justice étant aussi
la robe de l'amour –, Gilbert Fortin s'applique à embrasser
son destin.

En compagnie du frère Jaquelin et d'un dominicain français en vacances, il effectue une virée québécoise: du tour du
lac Saint-Jean à l'observation des baleines de Tadoussac, avant
de s'attarder seul à Québec. Dans la Capitale, il reste un mois
au couvent des Dominicains de la Grande-Allée. Le jeune
prieur le promène dans Charlevoix, sur la côte de Beaupré, en
Beauce et tout le tour de l'île d'Orléans. Gilbert consacre le

reste de son temps à visiter les lieux de la première présence française en Amérique et dévore tous les documents qu'on lui propose.

De retour à Montréal à la fin d'août, il reçoit la dispense de Rome. Un document officiel vient confirmer un état de fait : Gilbert Fortin a quitté l'Ordre des Cisterciens de la stricte observance. Il reste prêtre. Il ne veut toujours pas abandonner le sacerdoce. Bien au contraire, il entend l'exercer comme jamais.

En septembre, le Père abbé d'Oka facilite les démarches de l'ancien moine auprès de l'archevêché de Montréal. Son témoignage compte pour beaucoup. Avec la prudence du chat échaudé, les autorités diocésaines ne dansent pas de joie quand un ancien moine demande l'incardination. Les évêques, même s'ils manquent de prêtres, ne cherchent surtout pas à ramasser les cas problèmes.

Assez rapidement, le jugement favorable de la chancellerie de la curie diocésaine confirme l'appartenance de l'abbé Gilbert Fortin au clergé de Montréal.

On lui propose une affectation qui comble ses espérances, bien au-delà de ses attentes : vicaire à la paroisse Saint-Enfant-Jésus de Montréal, dans le Mile End où il souhaite vivre, dans l'église même qui lui a tant plu, la nuit du 21 juin. Il prend un engagement face à lui-même : se donner entièrement à toute personne franchissant le seuil du presbytère de la rue Saint-Dominique.

♣

Contrairement à bien des prêtres de son âge qui s'habillent comme des laïcs, Gilbert porte le clergyman et le col romain ; pas tant pour provoquer que pour s'identifier comme prêtre.

Le dimanche 5 octobre 2003, le nouveau vicaire célèbre sa première messe dans l'église inaugurée en 1857 par Mgr Ignace Bourget.

À la fin de l'Eucharistie, il se rend à l'arrière de l'église pour souhaiter une bonne semaine à la cinquantaine de paroissiens. Un autre groupe part en empruntant un couloir menant à une résidence pour personnes âgées, construite en annexe. Gilbert ira leur rendre visite dans l'après-midi.

Pour le moment, il serre surtout des mains à la peau brune. Une partie importante de ses fidèles est originaire de l'Amérique du Sud. Ces nouveaux immigrants viennent chercher ici un peu de consolation dans le sentiment d'appartenance. On les a invités à une meilleure existence par une participation active à la vie canadienne. Leur apport se résume pour beaucoup à torcher leur pays d'accueil. Pourtant, il n'est pas question pour eux de repartir. Ces Mexicains, ces Colombiens, ces Péruviens sacrifient leur vie pour l'avenir de leurs enfants.

Les mains douces de l'intellectuel touchent ces mains féminines plus rugueuses que les siennes. Il ne s'en rend pas compte ; elles, si. Elles prient déjà pour que leurs propres enfants jouissent d'une vie aussi facile.

Un itinérant tend à chacun une casquette crasseuse.

— *Hey!* Donne-moé vingt piastres.

Il accueille les pièces de vingt-cinq cents.

— T'es *cheap* en tabarnak.

Gilbert sent de nouveau monter la répugnance, dans la honte de son propre dégoût. Le vagabond sort peut-être du même genre d'orphelinat que lui.

Tenant tête à ses résistances, le vicaire marche en direction de l'homme, comme pour affronter un vent contraire.

— Voulez-vous que je vous fasse préparer un bol de soupe ?

— Es-tu malade ? Je *shake* ben que trop pour manger de la soupe. Donne-moé vingt piastres.

Gilbert Fortin, qui a mené des hommes pendant toutes ses années de vie monastique, sait qu'une mise au point immédiate s'impose. Ils vont se parler d'égal à égal.

— Écoute. Je viens de m'installer dans la paroisse. Chaque fois que tu vas venir ici, j'y serai aussi. Alors, faut te faire à l'idée tout de suite, je te donnerai jamais vingt dollars. À manger, oui, n'importe quand ; mais pas un sou. Jamais. Jamais. Jamais.

Un instant désarçonné, l'itinérant regarde passer le train de mots avant d'en attraper le sens au dernier wagon de jamais. Descendant les trois marches du perron de l'église, il s'immobilise au milieu de la rue Saint-Dominique.

— T'es *cheap* en tabarnak.

Une voix plus puissante que la sienne monte pour l'écraser de toute son autorité.

— *Hey !!!* Claude ! Laisse monsieur l'abbé tranquille.

Aussitôt, le vagabond se soumet.

— Marie-Elphège, voyons donc… C'est juste des *jokes.*

Un grand vieillard s'approche. Ses longs cheveux blancs encadrent une tête de patriarche aux yeux clair de lune. Impressionnant. Il porte une large veste aux manches évasées, une soutanelle bleu pâle qui se marie avec son regard, un pantalon marine plongeant dans de hautes bottes russes blanches. Sur ses épaules, une immense cape du même bleu que le drapeau du Québec s'accroche à une chaîne dorée au bout de laquelle oscille une grande fleur de lys métallique dorée. Un beau cas ! Toutefois, à n'en pas douter, une belle autorité.

Le quêteux, les poches pleines de pièces de monnaie, s'éloigne dans un bruit de « petit change ».

L'homme en bleu s'avance vers Gilbert, lui tendant la main gauche. Au même instant, Gilbert remarque la main artificielle inarticulée au bout du bras droit. L'autre le voit.

— C'est un accident de jeunesse.

Les deux hommes se serrent la main.

— Marie-Elphège Fortin.

— Ah! Drôle de coïncidence, mon nom est aussi Fortin. Gilbert Fortin.

— Je suis un Fortin de Sainte-Marie de Beauce… d'où le Marie.

— Moi, je viens de l'orphelinat.

— Comme Claude! Faites quand même attention à lui. Il est pas toujours bien. Des fois, il cherche à se faire battre, comme si ça lui manquait. Dans ce temps-là, il pourrait peut-être même devenir dangereux.

— En tout cas, on dirait bien que vous savez comment le maîtriser.

— Oh! Moi, c'est pas pareil. Il pense que je suis saint Jean-Baptiste déguisé… et qu'il m'a reconnu.

Gilbert sourit sans ironie.

— Il faut reconnaître que vous êtes pas habillé comme tout le monde.

Marie-Elphège peut lui renvoyer la balle.

— Tant qu'à ça, vous non plus.

D'abord dérouté, Gilbert réalise qu'il porte une chasuble à fil d'or et une étole assortie, sur une longue aube blanche qui balaie le sol. Il ne ressemble pas davantage à Monsieur Tout-le-monde.

♣

Marie-Elphège possède une librairie. En plus de toute une section sur l'Histoire du Québec, il dispose d'un éventail de publications spécialisées sur la religion et les sciences occultes. Craignant par-dessus tout les sectes, il propose à ses clients un rayon bien garni de documents dénonçant tous les gourous qui offrent des recettes miraculeuses et dispendieuses pour accéder au nirvana.

Baptisé Le Signe de Croix, son humble commerce, installé à côté d'un salon funéraire, au coin de la rue Laurier et du boulevard Saint-Laurent, vend aussi des objets de piété. Une partie importante de sa clientèle habite les résidences pour personnes âgées du boulevard Saint-Joseph. Toutefois, les immigrants latino-américains découvrent de plus en plus le vendeur de chapelets et de médailles pas comme les autres.

À l'arrière de sa boutique, une pièce plus grande sert de salle de réunion. Sur les murs, douze tableaux proposent à la réflexion des hommes et des femmes dont l'Église catholique reconnaît la sainteté : des évêques, des fondateurs et fondatrices de communautés ; religieux nés ici ou venus d'Europe pour donner leur vie[9]. Tout en parlant, Marie-Elphège pivote sur lui-même avant de s'immobiliser face à son auditeur pour conclure.

— Douze… comme les douze apôtres, comme les douze tribus d'Israël.

Derrière une table de conférence posée sur une petite estrade, un grand miroir encadré surmonte un seul mot : Vous.

Gilbert a suivi dans un sourire bienveillant les explications du vieillard en bleu. Il ne sait pas s'il faut rire ou se désoler. C'est tellement dépassé. « Quelle naïveté ! J'ai pas du tout envie de le blesser. » Le nouveau prêtre de la paroisse sourit silencieusement en se regardant dans le miroir. Marie-Elphège n'est pas dupe.

— Qu'est-ce que vous voyez quand vous recevez votre image ?

— Oh ! Moi, seulement moi. Et même… je ne suis pas trop sûr de qui il s'agit.

— Dieu ! Vous devez voir Dieu. On voit Dieu dans ses saints. Ils sont transparents. Quand on vous voit, on doit d'abord voir sa lumière.

Gilbert s'amuse déjà moins. Le vieil original, qui lui semble maintenant un peu détraqué, se permet de lui apprendre

---

9. Voir *Journal de Gilbert : Un beau fou*, page 435.

à vivre. Il n'est pas au bout de ses découvertes. Marie-Elphège entre à son tour aux côtés de Gilbert dans le reflet du miroir.

— Oui, je le sais que j'ai l'air d'un vieux fou. Mais ce que vous, vous avez pas compris, c'est que ça pogne. Avez-vous une idée du nombre d'enfants des écoles du coin qui passent par ici en fin d'après-midi? Ils font du bricolage, on monte des pièces de théâtre, ils dessinent puis… ils lisent, bout de *ciarge*. Ils lisent! Ils sont fous de l'Histoire de la Nouvelle-France. Les légendes amérindiennes s'apparentent à celles des petits Boliviens. Avez-vous remarqué que dans les saints que j'affiche, il n'y a pas un seul martyr canadien?

Gilbert n'a même pas noté l'absence des huit missionnaires jésuites suppliciés au dix-septième siècle à Sainte-Marie-au-pays-des-Hurons[10].

Marie-Elphège conclut sa leçon.

— Je veux pas donner de martyrs en exemples aux enfants. J'ai choisi des fondateurs, des femmes, des hommes qui ont édifié quelque chose: des bâtisseurs de peuple. Moi, j'ai pas l'instruction pour ça. Je fais le clown. Les enfants aiment les clowns; les vieux, aussi.

Même si l'originalité de Marie-Elphège ne plaît pas à tous les parents, son désintéressement et son austérité ne font de doute pour personne. Il dort sur un lit pliant, dans une toute petite pièce donnant sur l'arrière. Il possède deux ensembles des mêmes vêtements et arrive de cette façon à demeurer digne et présentable.

Gilbert comprend mal son propre intérêt pour le bonhomme en bleu.

Décidément, Marie-Elphège lit dans ses pensées.

— Vous me prenez pour un vieux fou, hein?

Gilbert plonge avec franchise dans les yeux clair de lune. Il sourit.

— Franchement, un peu, oui.

---

10. Voir *Journal de Gilbert: Une leçon*, page 436.

— Moi aussi.

Un éclat de rire vient fracasser le malaise de Gilbert. Marie-Elphège se laisse choir sur une chaise.

— « Si tu vaux pas une risée, tu vaux pas grand-chose. » Savez-vous la meilleure ?

Gilbert garde prudemment son ignorance pour lui-même, attendant la révélation qui, cette fois, le réveillera tout à fait.

— Je fais de l'argent comme de l'eau.

Pas un mot de Gilbert pendant que le phénomène inspire pour fournir une explication.

— C'est les vieux tout autour. Ils me laissent des héritages. Chacun se pense le seul à le faire. Personne parle. Moi non plus. Si vous saviez le nombre de vieux qui ont jamais de visite. Je passe une bonne partie de mon temps libre à me promener aux étages. Ils s'ennuient, c'est pas possible. Maudite télévision ! C'est un tue-monde.

Les vieux, les immigrants, les enfants… Gilbert côtoie enfin les petits, les plus pauvres, ceux qui n'intéressent personne. Se rapproche-t-il finalement de l'Évangile ? Ce mot signifie bonne nouvelle. Qu'est-ce que Gilbert veut tant annoncer ? Oh ! qu'il ne se sent pas prêt ! « Prêt pour faire quoi ? » Il ne comprend pas pourquoi une telle question surgit. Il faut avancer pas à pas. Sans savoir. Confiant. Ouvert à ce qui se présente. Oui, comme ce Marie-Elphège tout en bleu qui se relève de sa chaise.

— Je fais de l'argent comme de l'eau, mais j'ai pas une cenne. Ma devise : « Je donne tout ce qu'on me donne. » L'argent, c'est comme le fumier ; si tu le répands pas, il sert à rien.

Probablement sans le savoir, à sa façon, il a cité le grand philosophe et politicien anglais Francis Bacon.

♣

Le lundi suivant, jour de l'Action de grâce, pendant que Gilbert dort encore, le vieux frère Victor du couvent des Dominicains se lève à quatre heures, comme d'habitude. Il fête aujourd'hui ses quatre-vingt-cinq ans. La veille, il a choisi lui-même son cadeau. En religieux responsable, il s'est expliqué depuis longtemps avec son prieur. Il passe maintenant à l'action. Il nettoie à fond sa chambre, participe aux laudes, concélèbre la messe avec les autres et remonte chez lui.

À neuf heures, vêtu d'un complet bleu marine, d'une chemise blanche recouverte d'un plastron bleu foncé attaché au cou par un col romain, il traverse le chemin de la Côte-Sainte-Catherine pour marcher jusqu'au boulevard Édouard-Montpetit. Puis, à bord de l'autobus 51, une valise noire appuyée contre les genoux, il répète une sorte de mantra chrétien : « Dieu, viens à mon aide ; Seigneur, viens vite à mon secours. »

En quittant la Côte-Sainte-Catherine, l'octogénaire semble changer de vie. Il s'éloigne des maisons cossues d'Outremont. Il ne s'enfonce pas dans un quartier de misère, mais il entre tout de même dans un monde différent. Il arrive dans le Mile End pour y rester. Les Dominicains permettent ce genre d'aventure.

Le vieux prêcheur attend maintenant le feu vert, au coin des boulevards Saint-Laurent et Saint-Joseph.

♣

L'immense presbytère de la paroisse Saint-Enfant-Jésus s'élève sur trois étages. On y compte douze chambres à coucher, deux salles de séjour, une salle à manger, un oratoire et une grande pièce servant à l'accueil. Deux parloirs où l'on reçoit confidences et confessions avoisinent la réception.

Le curé frôle les soixante-quinze ans. Il prendra sa retraite dans quelques mois. Le vieux prêtre souffre de diabète et voit son propre corps le lâcher morceau par morceau. Toutefois, la tête tient bon, le cœur aussi. Le curé Bolduc a conservé le presbytère en bon état. Sans vicaire depuis vingt ans, il loge des prêtres de passage en plus de louer les quatre chambres du troisième étage à des étudiants. Ils disposent de leur propre cuisine et d'une entrée indépendante donnant sur un grand stationnement.

Le quatuor de jeunes chrétiens fréquente la Faculté de musique de l'Université de Montréal. On leur a aménagé une salle de répétition au sous-sol.

Le presbytère n'a rien d'un mouroir.

En ce lundi midi de l'Action de grâce, la grande table de la salle à manger réunit sept convives.

Même né dans la rue Sherbrooke, en face du cimetière de l'Est, l'abbé Lionel Bolduc ne renie pas ses origines. Sa grand-mère de Saint-Cœur-de-Marie, au lac Saint-Jean, lui a enseigné la prière et la tourtière au lièvre. L'immense pâté en croûte trône au centre de la grande table. Le ketchup et les betteraves marinées circulent de main en main. Le vin rouge de quelque vieux paroissien portugais facilite la descente. Cinq hommes et deux femmes, qui ignorent encore le destin exceptionnel que l'avenir leur prépare, piochent dans leurs assiettes.

Arrivé ici comme troisième vicaire à vingt-cinq ans, Lionel Bolduc y a passé sa vie. Assis au bout de la table, il rajeunit en regardant le vieux frère Victor manger avec appétit. Le dominicain ne s'attendait pas à un tel accueil. Débarqué depuis moins de trois heures, il se sent déjà chez lui.

Le frère Victor s'intéresse beaucoup aux quatre musiciens. Que font-ils là, dans la vingtaine?

Camil, le tromboniste, arrive d'Arvida. Il continue d'appeler ce quartier de la grande ville de Saguenay par son nom d'origine. Élevé dans une famille très catholique, le garçon, presque chauve à vingt-trois ans, déborde de vitalité. Le gros mangeur rit fort et boit bien. Grand amateur de jazz, il triomphe dans l'improvisation.

Les deux jeunes filles sont jumelles. Claudine et Claudette Dumas viennent de Victoriaville. Elles chantent comme des serins. Par chance, Claudette s'élance dans les aigus, en bonne soprano, et Claudine fait vibrer les basses fréquences, en alto tout aussi talentueuse. Leur mère, une ancienne religieuse, les a élevées en veillant autant sur leurs âmes que sur leurs voix. Leur médecin de père ne manquant pas d'humour, Claudine et Claudette éclatent souvent de rire au même moment, en illustrant fort à propos l'expression «rire en chœur» : on dirait qu'elles interprètent une œuvre musicale. Plutôt grassouillettes toutes les deux, pas très grandes, elles occupent une partie de leur temps libre à monter une chorale de vieux résidants des maisons de retraite du quartier.

Le dernier, mais non le moindre, approche de la trentaine. Tristan-Jacques Messier prépare un doctorat en direction d'orchestre. Crème de la crème des six étudiants admis au nouveau programme à peine vieux d'une année, il possède déjà un doctorat en composition instrumentale. Bourreau de travail intraitable, il refuse tous les compromis et vise le plus haut possible. Il pressent qu'un grand destin exige toutes ses énergies ; une tâche immense lui incombe. Le mulâtre, élevé par une maman dont la noire beauté a séduit son très catholique papa originaire de Repentigny, tient de ses parents une foi qui aspire aux cimes les plus vertigineuses. Il se répète la phrase préférée de son papa mort trop tôt : «Chaque talent commande un devoir.» Sans le chercher, Tristan-Jacques exerce sur les trois autres une influence indéniable, un ascendant naturel qu'ils acceptent volontiers. Le compositeur vit au presbytère depuis cinq ans, le tromboniste Camil y loge pour une troisième année et les jumelles Claudine et Claudette amorcent leur deuxième automne.

Au bout de la table, une chaise reste libre devant un couvert dressé. Le frère Victor saute à pieds joints dans le piège.

— Quelqu'un nous a fait faux bond?

La tablée réagit comme un groupe d'initiés. Une fois l'éclat de rire dissipé, le curé Bolduc fournit l'explication qu'il répète depuis quarante ans.

— Ça remonte à mon prédécesseur. Le curé Brochu appelait ça la place du Christ. N'importe qui peut sonner ici à l'heure du repas et s'asseoir là.

Le vieux frère Victor se demande un peu ce qu'il vient ajouter comme ingrédient à la sauce paroissiale pour une cuisine dont bien peu de Québécois veulent encore. Il se rappelle l'époque pas si lointaine où plus de cent frères dominicains habitaient le couvent, véritable ruche apostolique. Pourquoi tant de travail a-t-il produit si peu de résultats?

Le curé Lionel Bolduc semble poursuivre une réflexion du même ordre.

— Quand je suis arrivé ici, on était cinq prêtres: le curé, trois vicaires et un vieux Père blanc trop malade pour l'Afrique. C'était l'apôtre du confessionnal, comme si sa grande barbe grise et sa vieille soutane blanche toujours sale éveillaient la confiance. Cet homme-là avait connu la misère du monde; en Afrique, oui, mais presque autant ici. Il nous disait qu'en 1910 il mourait autant d'enfants à Montréal que dans la ville de Calcutta, en Inde. Le curé Brochu lui vouait un immense respect. Quand j'ai commencé ma vie de prêtre, les gens venaient sonner à la porte du presbytère autant la nuit que le jour. On n'avait pas d'heures de bureau. J'ai commencé avec tellement d'enthousiasme. C'est dur de se sentir usé par le temps… presque autant que de voir l'église vide. Le plâtre tombe du plafond, on n'arrive même plus à garder ça propre.

Le vin rouge portugais lui coule des yeux. Il sourit à Gilbert.

— C'est presque un miracle de me retrouver avec un vicaire... même si c'est un vicaire qui s'en va sur la soixantaine.

Il quitte sa chaise pour aller chercher le dessert. Un ange passe au-dessus de la table.

Puis, le trombone éclate comme un coup de tonnerre. Les jumelles attaquent en puissance et en harmonie : « Mon cher Victor, c'est à ton tour de te laisser parler d'amour. »

Le curé Lionel Bolduc pose un gros gâteau au chocolat devant le nouveau venu, qui ne cache pas son émotion. Le vieux prêcheur ne peut pas résister à la tentation de prendre la parole.

— Mes chers amis – oui, je le sais que c'est vite de vous appeler mes amis après une couple d'heures, mais, que voulez-vous ? j'ai pas une minute à perdre –, je vous avoue que je ne comprends pas trop ce qui m'a pris de sortir du couvent. Ça doit être le mauvais exemple de Gilbert qui vient de quitter le monastère après trente-cinq ans dans le cloître. Un moine qui, en plus, ne sait pas tenir sa langue... même si, dans le fond, ça me fait plaisir d'être fêté.

Tout le groupe se tourne vers l'ancien Père abbé. Comme si elles s'exprimaient en son nom, Claudine et Claudette entonnent l'hymne d'Édith Piaf : « Non, rien de rien, non, je ne regrette rien. » Gilbert approuve en acquiesçant d'un signe de tête. Le vieux frère Victor, souriant au curé Bolduc, reprend la parole.

— Monsieur le Curé, vous allez vous retrouver avec un second vicaire de quatre-vingt-cinq ans. Vous venez de rajeunir d'un coup sec.

Lionel Bolduc sent monter en lui un élan qu'il croyait disparu depuis des années.

— Vous allez m'enlever le goût de prendre ma retraite, vous.

— Je l'espère bien ! C'est une sottise, la retraite. C'est pas le temps de se retirer, c'est le temps de s'engager. Faut qu'on fasse quelque chose. On peut pas se laisser mourir comme ça. Je parle pas de revenir au bon vieux temps… qui, d'ailleurs, était pas si bon et qui, non plus, est pas si vieux. J'en peux plus d'entendre trop de monde colporter des âneries sur les années de ma jeunesse en comparant mon temps au Moyen Âge… dont ils connaissent en plus rien du tout.

Le frère Victor élève maintenant la voix, comme pour prêcher à l'oratoire Saint-Joseph.

— La Grande Noirceur ? On me dit que je viens de la Grande Noirceur ! Pauvres ignorants, prétentieux, aveugles et de mauvaise foi. C'est davantage aujourd'hui, la Grande Noirceur ! Votre amertume obscurcit le ciel. Votre incapacité à vous prendre en main vous fait rejeter la responsabilité de votre impuissance sur ceux qui vous ont permis de ne pas connaître leur misère. Vous crachez sur l'Église qui vous a donné la force de ne pas disparaître, de vous multiplier, de continuer à vivre ici, en français, sur une terre conquise par des étrangers. Et maintenant, vous osez mordre la main qui vous a sauvés de l'extinction ? La Grande Noirceur, c'est votre abrutissement, votre télévision débile, votre ingratitude envers vos vieux, votre course stupide qui ne va nulle part, votre épuisement stérile et vos enfants encore plus mous que vous.

Le frère Victor s'arrête en plein élan, prenant conscience de prêcher devant un gâteau d'anniversaire dont l'unique bougie brûle encore.

Tristan-Jacques, le mulâtre plein de talent, sait reconnaître celui des autres.

— *My Goethe !* Vous manquez pas de souffle. Avez-vous encore assez d'air dans les poumons pour éteindre la chandelle ?

Claudine et Claudette inspirent en même temps que le vieux dominicain. La flamme vient de s'éteindre et leurs voix de s'élancer : « Bon anniversaire, le temps passera/comme la rivière qui coule là-bas/bon anniversaire, le temps te laissera/ quelques rides au front qui t'embelliront. »

Le grand couteau plonge dans le chocolat et le café coule dans les tasses.

Le tromboniste Camil s'allume comme une ampoule.

— Je le sais où je vous ai vu: à l'oratoire Saint-Joseph! Vous êtes le meilleur prédicateur que je connaisse.

Habitué aux compliments et peu porté sur la vanité, le frère Victor accueille les fleurs de la même manière que les pots.

— As-tu beaucoup voyagé? En as-tu entendu tant que ça? Mon petit garçon, j'ai soixante ans de pratique. C'est la moindre des choses que je sache parler. Mais, tu vois, ça m'empêche pas de déraper. Franchement, ma diatribe, c'était tout de même un peu déplacé.

Tristan-Jacques, encore étonné par la vigueur du vieux prêcheur, ajoute une couche assez originale d'éloges.

— C'est vrai que vous aviez l'air d'une cerise sur votre propre gâteau et que, sincèrement, personne vous avait attaqué sur votre «bon vieux temps», mais... *My Goethe* que c'était bon! On va fouiller ça, cette affaire-là: la Grande Noirceur... J'ai toujours tenu ça pour acquis, moi. À l'école, à Repentigny, on mettait tout sur le dos de Duplessis, puis on refermait le livre d'Histoire.

Le vieux frère Victor ne tient pas à s'engager tout de suite dans une discussion politique.

— C'est pas si simple.

Claudine prend place devant le piano droit hérité du curé Eugène Brochu. La jumelle en joue assez bien pour s'accompagner. Claudette en fait autant à la guitare. Tout le monde se regroupe derrière la pianiste et chacun s'efforce de lire les paroles du cahier de *La Bonne Chanson*[11].

Les parents des jumelles Dumas avaient conservé précieusement les cahiers pour chanter avec leurs filles *D'où viens-tu, bergère* devant la crèche de l'arbre de Noël et *Mon*

---

11. Voir *Dossiers de Gilbert Fortin: La Bonne Chanson*, page 411.

beau sapin, dont le titre était écrit avec des aiguilles de conifère.

Claudine attaque avec force et vigueur un *V'là l'bon vent* qui permet à Camil de sortir son trombone pour improviser une tempête dont le brio coupe le souffle aux chanteurs, qui célèbrent le jour de l'Action de grâce comme jamais ils ne l'auraient pensé.

Lesté d'une bonne livre de tourtière au lièvre, Gilbert profite de la sieste pour voguer un court moment en direction de son passé. Le rêve le ramène parmi les moines, tous occupés à entretenir le monastère, le plus gros de leurs activités consistant à maintenir l'abbaye de La Ferté en état de continuer. Les frères les plus sincères se croient vraiment à l'école de l'amour dans cet espace muré, cloîtré, inaccessible, où jamais une femme ou un enfant ne pose le pied. Pourtant, aussi paradoxal que cela puisse sembler, Gilbert sait que plusieurs de ses vieux petits garçons rêveurs poussent jusqu'au bout de l'exigence leur envie de grandeur. Le monastère devient lui-même un témoignage : un lieu paisible où les meurtris côtoient à l'hôtellerie les braves gens au grand cœur qui s'activent dans les quartiers pauvres auprès des rejetés, des perdants, des ivrognes, des drogués, de ce qu'on appelle la lie de la société.

Dans le rêve de Gilbert, les moines ressemblent même à des enfants : une innocence assez naïve pour croire aux vertus de la prière. Une vie pour rien ? Non, une vie donnée… ou, plutôt, remise à son propriétaire.

« Réveillez-vous ! Réveillez-vous ! Vous êtes en train de disparaître ! »

La voix puissante envahit le cloître. Elle résonne si fort qu'elle finit par tirer Gilbert du sommeil. Il chausse ses lunettes et voit que le radio-réveil indique seize heures vingt-quatre. Par la fenêtre entrouverte, Gilbert entend distinctement la voix qui a perturbé sa sieste.

— Québécoises! Québécois! Vous allez mourir dans votre sommeil. Réveillez-vous!

Gilbert découvre la scène à travers le feuillage des arbres rougis par l'automne.

7

Debout sur un banc, Marie-Elphège Fortin harangue une douzaine de badauds qui le connaissent depuis long-temps. Les habitués du parc Lahaie viennent souvent assister au spectacle du « vieux fou » inoffensif.

Un peu plus loin, s'agitant dans sa bulle de démence, l'itinérant Claude encourage le vieil orateur tout en bleu.

— Envoye, saint-ciboire, Marie-Elphège, donnes-y la claque.

De temps en temps, le sans-abri s'interrompt pour s'élancer vers un inconnu qui presse aussitôt le pas.

— *Hey!* Donne-moé vingt piastres.

Il referme le poing et lance sa dernière flèche dans le dos du fuyard.

— T'es *cheap* en tabarnak.

Un ivrogne et un hurluberlu : Gilbert a vraiment quitté le monastère.

Une tête blanche sort de sous les pieds de l'ancien moine pour s'avancer vers le groupe de vieux. Le frère Victor s'arrête à quelques pas derrière eux.

Marie-Elphège inspire afin de s'élancer dans une de ces longues condamnations qui confirment à ce pauvre abruti de Claude que l'orateur est vraiment saint Jean-Baptiste, le bon gueulard. Le Beauceron promène son œil de dompteur de foule sur un public qu'il domine. Il pose ses grands yeux clair de lune sur une tête grise... pour aussitôt perdre ses moyens.

Sans quitter le frère Victor du regard, voilà que Marie-Elphège, comme halluciné, descend de son banc.

Dans un murmure, Claude résume la situation.

— L'heure est grave en tabarnak.

L'homme en bleu tend sa main valide vers le vieux prêtre en complet bleu et col romain.

— Vous êtes le prêcheur de l'Oratoire, vous !

Le sourire d'acquiescement du frère Victor ressemble à un mot d'excuse.

Du haut du presbytère, Gilbert observe la scène dans le parc Lahaie, baptisé du nom du curé fondateur de la paroisse Saint-Enfant-Jésus, au temps de la municipalité de Saint-Louis-du-Mile End. Le père Taraise-Thomas Lahaie venait de Dijon, en Bourgogne. L'ancien Père abbé Gilbert Fortin a vécu toute sa vie de moine à l'abbaye de La Ferté, sur la même terre bourguignonne. S'agit-il d'une de ces boucles que semble affectionner l'Histoire ?

La petite troupe du parc Lahaie se déplace en direction de la rue Laurier jusqu'au coin du boulevard Saint-Laurent pour disparaître dans Le Signe de Croix, la librairie de Marie-Elphège.

Seul, Claude le rejeté tourne en rond dans le parc ; pas qu'on ne veuille pas de lui, mais lui ne veut pas des autres.

La curiosité de Gilbert l'emporte. Il sort à peine du presbytère qu'une odeur de sac à ordures l'abat en plein vol.

— *Hey !* Donne-moé vingt piastres.

Agacé, agressé, impatient, Gilbert ne regarde même pas le quêteux.

— J'ai pas vingt dollars.

— Maudit menteux ! T'as les poches pleines. Chu t'écœuré des menteries. Tu le sais pas ce que chu capable de faire, toé. Envoye ! Donne-moé vingt piastres.

Claude suit Gilbert jusqu'à la porte du Signe de Croix. Il ne va pas plus loin.

♣

Les vieux sont regroupés dans la salle aux douze tableaux. Un projecteur éclaire le portrait de Marie de l'Incarnation, l'ursuline mystique du dix-septième siècle, morte à Québec.

Sur la modeste tribune, Marie-Elphège, un peu intimidé par la présence du frère Victor, se concentre tout de même pour remplir son rôle et continuer sa mission d'éducateur populaire.

On conclut la prière d'ouverture pendant que Gilbert se glisse sur une chaise, à côté d'une vieille dame très digne. Toutefois, son arrivée n'échappe pas à l'attention du Fortin de Sainte-Marie-de-Beauce.

— Mes amis, on a deux prêtres dans l'assemblée aujourd'hui.

Petit brouhaha fait de murmures et d'incitations sonores à garder le silence, que Marie-Elphège contrôle facilement.

— Mais… c'est surtout aujourd'hui le jour de l'Action de grâce. Et pour ça, j'ai choisi de vous parler de Marie de l'Incarnation. Pas de son histoire personnelle : sa naissance, son enfance en France, son mariage, son veuvage, son petit gars qu'elle a abandonné, sa vocation de missionnaire qui l'a amenée jusqu'à Québec pour fonder un pays en y plantant la croix, non ! C'est du fond que je veux vous parler, de son fond. Heureusement, j'ai ses lettres… parce que, en plus de se dévouer corps et âme, elle écrivait : « Ces paroles me furent dites de l'intérieur : *C'est dans la foi que je t'épouserai.* » Ça vient du livre d'Osée, dans la Bible. Je continue : « Cela me réveilla tout à fait l'esprit. […] Pour parvenir à la fin où je tendais, Notre-Seigneur voulait que désormais la seule foi fût mon soutien. […] Or, comme la foi n'est pas dans le sentiment, j'avais, gravées en ma mémoire, les paroles qui m'avaient été dites dans l'intérieur : *C'est dans la foi que je t'épouserai.* […] J'eusse voulu ne rien goûter de peur d'aller contre la pureté de cette foi. […] Les aridités ne m'affligeaient point, étant abandonnée à celui qui me nourrissait de foi, et je m'estimais plus riche en ma pauvreté spirituelle que si j'eusse eu toutes les joies imaginables.»

Silence.

Marie-Elphège laisse ses feuilles. Quelques vieux se grattent le crâne, un peu dépassés.

Le frère Victor sent un charbon ardent lui purifier les lèvres: «De l'audace, encore de l'audace, toujours de l'audace. Il faut reprendre le flambeau, le porter à bout de bras, brûler le cléricalisme qui a étouffé une telle flamme. Non pas quitter l'Église; mais la contester de l'intérieur, campé dans la position du rebelle, le fouet à la main dans le temple. Un peuple prend sa source dans le cœur de Marie de l'Incarnation.»

La voix de Marie-Elphège le tire de sa réflexion.

— Frère Victor, c'est quoi la foi?

Le vieux religieux ouvre la bouche pour s'entendre donner une réponse dont il ignore lui-même l'origine.

— La foi consiste, dans le doute, à choisir de croire que le plus grand, le plus beau, le plus sublime est possible. Si le fini peut penser en terme d'infini, c'est donc que l'infini existe.

On se gratte de plus en plus le cuir chevelu tout autour. Mais le vieux prédicateur populaire sait ramener les oiseaux dispersés vers la mangeoire.

— Autrement dit, faut faire comme si…

Soulagés par une explication qui règle la question, les vieux échangent les «me semblait» pour des «ben oui». Quelques «qu'est-ce que je disais» contre un ou deux «qu'est-ce qu'il a dit» permettent de répéter la consigne du «faut faire comme si…»

Gilbert Fortin tourne et retourne dans tous les sens cette curieuse façon de parler de la foi: «Faut faire comme si…» Vraiment, c'est moins bête que ça en a l'air. Ne pas s'attarder à vouloir analyser à tout prix, mais avancer dans l'intuition; comme si… tout avait un sens. Pourquoi une poignée de dix mille immigrants se sont-ils reproduits à ce point sur un continent perdu où on les a abandonnés? Pourquoi, parmi tous ces gens qui semblent former une immense famille, lui, un orphelin, né de parents dont il ne sait rien, se sent-il apparenté à Marie-Elphège, au frère Victor et tout autant à ce Claude malodorant qui le terrorise comme le Réginald Bérubé de son enfance, celui qui l'a humilié avec le crapaud dans son maillot de bain? Pourquoi, même à ce «Redge», se sait-il uni par une sorte de parenté?

Marie-Elphège revient à son propos pour toucher le but.

— De la même façon que, dans cette foi, Marie de l'Incarnation a écouté la voix qui semblait la conduire vers un destin extravagant, chacun de nous doit apprendre à lire les signes de sa destinée. C'est aussi vrai pour nous tous, ensemble. Chaque peuple, ainsi que chaque être humain, dispose d'une personnalité propre.

Dans la salle, une voix se lève. Un petit vieux, rouge telle une pivoine et chauve comme une boule de quille, proteste.

— Et alors? Est-ce que parce j'ai une personnalité propre, je vais m'isoler des autres? C'est pas davantage une raison pour notre peuple de se séparer du reste du Canada. Pensez-vous qu'on vous voit pas venir, les séparatistes? Vos idées, ça mène directement à l'intolérance, au rejet de la différence, au racisme.

Jude Aubin – que tout le monde appelle Judo – n'a toujours pas pardonné aux Clercs de Saint-Viateur de lui avoir enlevé la cure de la paroisse Sainte-Madeleine en 1964. Le septuagénaire défroqué, tout petit bonhomme aux yeux ronds, vêtu d'une chemise et d'un pantalon gris accroché à des bretelles noires, poursuit.

— Vous mélangez ça avec la foi, la religion et tout le tralala… Vous pouvez vous étouffer. Jamais plus, vous m'entendez? jamais plus on ne laissera à la mentalité de votre Église catholique pourrie une occasion de dominer les Canadiens français en les isolant. Vous pouvez rêver, les séparatistes. Ça nous arrivera jamais plus, ostensoir de tôle!

À ses côtés, un homme de quarante ans, les épaules carrées et le ventre proéminent, dégage une impression de grande force physique. Recalé au repêchage de la Ligue nationale de hockey de 1990, Ben Laporte, un ancien gardien de but des Cataractes de Shawinigan de la Ligue de hockey junior majeur du Québec, boit toutes les paroles de Judo. Préposé aux bénéficiaires dans la maison où vit l'ancien prêtre, il obéit au doigt et à l'œil à son nouveau *coach*. Adolescent, il tondait le gazon du futur Premier ministre du Canada.

— C'est ça que je me dis, ostie toastée.

Les deux rejetés vibrent au diapason.

Le frère Victor ne résiste pas à la tentation d'un dialogue de curés.

— Il ne s'agit pas de s'isoler, mais de s'affirmer. C'est en niant le droit à la différence que l'on sombre dans l'intolérance. Tout au contraire, il faut affirmer sa propre identité pour épouser l'altérité, dans le respect : faire comme si chacun avait le courage de plonger dans la liberté.

Une main se pose sur celle de Gilbert, que l'échange clérical ennuie. Une voix douce de femme bien éduquée lui souffle tout près de l'oreille.

— Vous me semblez rendu bien loin, monsieur l'abbé.

Dans un visage parcheminé, deux tout petits yeux gris brillent d'espièglerie.

— Voulez-vous m'aider ? On va aller chercher la collation… sur le bout des pieds.

Pendant que le frère Victor monte rejoindre Marie-Elphège sur l'estrade, la vieille dame entraîne Gilbert dans la minuscule cuisine du Beauceron, où elle semble très à l'aise.

Affable comme tout, elle lui tend un plateau de sandwiches « pas de croûte » qu'elle a dégagé d'une serviette humide.

— Je suis Mathilde DeGrandpré. Vous êtes chez moi, ici. Enfin, c'est chez Marie-Elphège, mais je suis la propriétaire de l'édifice.

— Gilbert Fortin.

— Enchantée.

— Je me demandais comment il avait pu acheter un truc pareil. Et même pour payer le loyer…

— Oh! Un dollar par mois, ça se trouve.

Gilbert réentend la confidence du vieil original: «Je fais de l'argent comme de l'eau.» Il comprend de mieux en mieux. La grande dame, élégante dans sa simplicité, achève en quelques mots l'éducation du nouveau venu.

— Je suis une sorte de bénévole. Mon père a été un des premiers généraux canadien-français de l'armée canadienne. Il a vécu toute sa vie en anglais. J'ai toujours habité à Westmount… Hélas, oui, comme une étrangère, une double étrangère: Canadienne française isolée à Westmount et Westmountaise séparée des Montréalais francophones. Le plus beau compliment que trouvait à me faire une voisine ressemblait à une insulte: «*You are not like them.*» Le plus dur, c'est qu'elle avait raison. Non, je n'étais pas comme eux. Moi, je ne manquais jamais d'argent. Je parlais anglais sans accent… comme papa. Pourtant, tout comme lui, je le savais: ils ne nous respectaient pas.

— Pourquoi?

— Mais, mon pauvre ami, parce que nous-mêmes, nous ne nous respections pas. Pas que nous ne l'aurions pas voulu; nous ne le pouvions pas.

Dans la salle, une voix s'élève, pleine d'indignation. Encore une fois, Marie-Elphège doit rassurer ceux qui craignent de ne plus recevoir leurs chèques de pension s'ils aident les séparatistes.

— Comment ça, plus te donner ta pension?

La vieille femme tient à peine debout.

— C'est Judo qui dit ça.

Le petit chauve bondit à gauche de son *bodyguard.*

— Pas une cenne pour les ingrats, ostensoir de tôle! Donne à manger à un cochon, il va chier sur ton perron.

Ben Laporte approuve.

— C'est ça que je me dis, ostie toastée.

Marie-Elphège fulmine. Il s'adresse à la pauvre vieille.

— D'abord, ils te donnent rien. C'est ton argent, le fruit du travail de toute ta vie. Sais-tu ce qu'ils essaient de faire? Te rabaisser pour que tu coures à quatre pattes vers ton auge. Fénelon, un grand Français du passé, a dit une vérité qu'il faut jamais oublier: «La patrie d'un cochon est partout où il y a du gland.»

Dans un bel élan teinté de mauvaise foi, Judo rebondit et renverse sa chaise, apparemment victime d'une trop grande indignation.

— C'est ça, l'intolérance: traiter ceux qui pensent pas pareil de cochons. Moi, le Canada, je l'aime. C'est pas une raison pour m'insulter! J'ai le droit, me semble. Jamais, vous m'entendez? jamais vous me l'enlèverez.

Ben Laporte tire sa propre conclusion.

— C'est ça que je me dis, ostie toastée.

Les deux protestataires se dirigent vers la sortie, suivis par trois vieillards outrés. L'opposition prend forme.

Marie-Elphège sait qu'un brin d'humour ne fera pas de tort.

— Je vous le demande: Est-ce que, par hasard, on serait devenus des truies? Ou juste des pas instruits?

Un bon rire secoue toujours le petit groupe quand Mathilde DeGrandpré pose les assiettes de crudités à côté du plateau de sandwiches que Gilbert apporte de la cuisine avant d'y retourner prendre les bouteilles de jus de fruit.

Le frère Victor, une branche de céleri à la main, semble diriger un orchestre du bout d'une baguette végétale. Quelques vieux se sont regroupés autour de lui. Comme s'il voulait enfoncer le clou planté par Marie-Elphège avec les

mots de Fénelon, il s'apprête à leur servir une portion supplémentaire de Lionel Groulx.

— « Les peuples, même les plus mal gouvernés, sont généralement mieux gouvernés par eux-mêmes que par les
autres. » Dommage qu'après avoir dit ça, le chanoine Groulx
ait pas pu aller jusqu'au bout de son raisonnement. Que
voulez-vous ? Il se serait fait écraser par ses supérieurs. L'Église
avait trop de pouvoir, trop à perdre. Enfin, c'est plus le cas
aujourd'hui. Je peux m'exciter tant que je veux, ça empêche
pas mon prieur de dormir.

Mathilde DeGrandpré s'approche de la demi-douzaine
de vieillards. Comme tous les fidèles qui passent par l'oratoire
Saint-Joseph, elle connaît le frère Victor.

— J'organise un thé, chez moi, jeudi prochain : un cinq à
sept. C'est une activité de levée de fonds. Accepteriez-vous
d'y prendre la parole ? Oh ! Juste une vingtaine de minutes.

En bon prêcheur, le frère Victor résiste mal au moindre
hameçon appâté d'un auditoire.

— Si je puis me permettre, madame, pourquoi ? Je veux
dire : pourquoi récoltez-vous de l'argent ?

— Pour aider Marie-Elphège à maintenir Le Signe de Croix,
mon Père.

— Ah bon ! C'est qui, ces gens qui viennent boire le thé
chez vous ?

Le sourire de Mathilde DeGrandpré achève de le désar-
mer.

— Que des veuves de Westmount ayant épousé des Anglais.
Beaucoup de belles femmes, vous verrez.

Ces femmes séduisantes et intelligentes ont toutefois eu à
payer un lourd tribut pour habiter les belles maisons accro-
chées au flanc du mont Royal. On ne les intégrera jamais tout
à fait. Leurs enfants ont maintenant pris le chemin de TMR –
Town of Mount-Royal – en érigeant littéralement une clôture autour de leur cité nouvelle. En 1960, on n'était pas en
Rhodésie ; ces femmes ne pouvaient pas se comparer aux

maîtresses noires des grands propriétaires blancs, mais toutes partageaient la même condition : l'isolement. Dans les soirées mondaines, même entre elles, les échanges se faisaient en anglais… ou alors, à mi-voix, presque dans la honte, elles revenaient au français, le temps d'une calomnie, réunies par la malveillance. À l'époque, on retrouvait uniquement sa langue… dans les bas-fonds.

Maintenant, le monde a changé. Leurs maris enterrés, elles boivent souvent davantage de porto que de thé et plusieurs vivent une sorte d'alcoolisme socialement accepté. Pas Mathilde DeGrandpré. Son histoire ne ressemble en rien à la leur. Elle possède sur les autres un ascendant qu'elle n'a pas recherché. Un sang militaire coule vaillamment sous sa peau translucide. Ce vieux fou de Marie-Elphège a séduit la vieille dame. La fierté du Beauceron à la main déchiquetée s'apparente à celle de son général de père. Elle a choisi de seconder l'original en bleu. Ce père dominicain, qui se tient devant elle, va l'aider à collecter quelques chèques.

Le frère Victor sait déjà quoi leur dire. Il s'offre une courte répétition. Question de tester ses intuitions.

— J'aimerais leur parler de la mémoire. Il s'agit de bien illustrer la juste affirmation de Jean Dujardin, un prêtre de l'Oratoire de France, spécialiste de la question juive : « Du point de vue anthropologique, la mémoire est le point d'appui identitaire par excellence. » Oui, la mémoire comme fondement. On devrait ériger un monument à l'architecte Eugène-Étienne Taché pour le remercier d'avoir ajouté, en 1883, une devise aux armoiries du Québec : « Je me souviens. » Par la suite, sans qu'aucune de ces formulations soit soutenue par l'évidence historique, on a tenté de récupérer le geste en ajoutant une suite qui faisait allusion à l'emblème anglais : « Je me souviens que, né sous le lys, je croîs sous la rose. » On ne s'est pas arrêté là. L'exercice a ensuite intégré le Canada entier : « Je me souviens d'être né sous le lys, d'avoir grandi

sous la rose et de m'être épanoui sous la feuille d'érable »…
« avant de mourir dans la poutine. » Pourquoi pas ?

Un rire général permet au frère Victor de constater qu'il n'a pas perdu son auditoire de vieux. Il s'avance encore plus loin en eaux profondes.

— Oui, la mémoire comme fondement. Tout le christianisme repose sur le devoir de mémoire. L'institution même de l'Eucharistie s'appuie sur une phrase : « Faites ceci en mémoire de moi. » Quelques mots déployés sur deux mille ans font encore chaque jour le tour de la Terre.

En disant oui à Mathilde DeGrandpré, ce lundi 13 octobre 2003, l'octogénaire ne prévoit pas dans quel engrenage il pose le pied.

Quand les derniers petits vieux franchissent la porte de la librairie pour rentrer à la maison, le frère Victor se laisse imposer une courte visite de la chapelle d'une des résidences du boulevard Saint-Joseph.

Marie-Elphège accuse maintenant son âge. La fatigue se lit trop bien.

— Je pense que je vais me coucher de bonne heure.

L'homme en bleu plaît à Gilbert.

— Vous avez eu une grosse journée, Marie-Elphège.

Mathilde approuve son nouvel allié.

— Une bonne journée, une excellente journée : une vraie journée d'Action de grâce.

Elle baisse le ton pour y aller d'une confidence enthousiaste.

— Ce frère Victor va faire des miracles. Mon groupe de femmes va l'adorer.

L'homme en bleu tourne ses yeux clair de lune en direction de Gilbert qui s'éloigne discrètement du couple.

— Puis lui ?

Mathilde pose maintenant son regard de souris savante sur le quinquagénaire.

— Lui? Il va faire le reste.

Elle quitte Le Signe de Croix en agitant les clochettes d'un petit rire chantant. Sur le trottoir du côté ouest, en face de l'ancien hôtel de ville de la municipalité Saint-Louis-du-Mile End transformé en caserne de pompiers, un Asiatique en livrée de chauffeur ouvre la portière arrière d'une Cadillac grise devant Mathilde qui disparaît dans l'habitacle.

À l'intérieur du Signe de Croix, les deux hommes suivent la scène. Marie-Elphège veut s'offrir le dernier mot.

— Quelle belle folle!

Il connaît encore mal Gilbert, qui ne manque pas souvent de sens de la répartie.

— Ça prend bien une carotte pour traiter la betterave de légume.

En marchant dans le parc Lahaie vers la maison de vieux pour la visite promise, Gilbert Fortin se sent assailli de questions. Il s'immobilise devant l'église du dix-neuvième siècle. Au fronton, on lit: «Gloire à Dieu dans les cieux et paix sur la terre aux hommes de bonne volonté.» Pourquoi des préoccupations si nobles ont-elles abouti à la domination mesquine d'un pouvoir clérical borné? Gilbert n'a jamais cru les curés. Il est devenu moine par commodité, pour prolonger l'orphelinat, le pensionnat, par un réflexe d'enfant institutionnalisé: un bon refuge pour un garçon abandonné. Pendant plus de cinquante ans, il a été incapable de s'assumer, de choisir librement sa vie. La mort toute proche l'a réveillé: pas la peur de la mort, mais bien plutôt le goût de vivre. Il faut tout risquer pour gagner. C'est ça, la «bonne volonté» qui mène à «la paix sur la terre»; pas la paix du tombeau, mais la paix, dans le sens initial du terme, selon le souhait même du peuple hébreu qui parle ainsi de la plénitude de l'être. Souhaiter à

quelqu'un la paix revient à lui dire: «Sois toi-même.»
Comment dire ça à un peuple qui ressemble souvent à Ben
Laporte? Pourquoi est-ce encore Judo qui a sa confiance?

8

Le samedi 14 février 2004, un petit vieux se lève tout doucement à quatre heures quarante-cinq. Dorila Martin embrasse la petite vieille qui lui a ouvert son petit lit. Elle dort. Sur la table de chevet, un verre d'eau repose à côté d'un somnifère. Le vieillard constate : « Tiens ! Elle a oublié de prendre sa pilule pour dormir. » Pourtant, sa nouvelle blonde dort dur comme un cor au pied.

En sortant dans le corridor, Dorila croise un préposé. Ben Laporte aime bien tout contrôler.

— Qu'est-ce que vous faites là, vous ?

— Je fais comme toi, je marche dans le passage. As-tu acheté des fleurs à ta blonde pour la Saint-Valentin ?

— Ça vous regarde pas.

— Ben ce que je fais icitte te regarde pas plus.

Le bonhomme Martin file vers sa chambre en riant.

Ben Laporte déteste ce qui se passe. Cet hiver, les vieux s'excitent trop. De plus en plus nombreux à refuser les anxiolytiques, ils s'inscrivent à toutes sortes d'activités.

♣

Depuis l'Halloween, les jumelles Dumas répètent beaucoup avec leur chorale de résidants. Encore aujourd'hui, pour fêter la Saint-Valentin, une guirlande de vieillards envahit le sous-sol de l'église. Comme d'habitude, on boit du thé, on mange des macarons à la noix de coco, on rit beaucoup, on chante faux, on reprend note par note jusqu'au moment où – oh! miracle! – on connaît la chanson par cœur. Claudine, au piano, Claudette, à la guitare: les sympathiques jumelles Dumas de Victo brassent la cage où s'agite le tromboniste d'Arvida, le Camil de toutes les improvisations qui fait l'unanimité chez les vieux.

— Y est-tu bon!

— Oui, y est pas mal bon.

— Ça, pour être bon, y est bon!

Après le chant, la danse. Tristan-Jacques Messier rejoint le groupe en portant un sac plein d'instruments de percussion. Dans tous les coins, on retombe en enfance. Une seule table semble bouder. Jude Aubin et ses trois acolytes observent le cirque et désapprouvent. Judo monte la garde.

— Y a un âge pour toute.

Le bonhomme Martin qui a quitté la chambre de sa nouvelle blonde au petit matin danse maintenant avec Agnès, sa dulcinée. Dorila réplique à Judo.

— Pourquoi tu viens icitte si c'est pour chialer?

— On est encore dans un pays libre, non? Puis compte sur moi que ça va le rester.

— Hé! Que t'es *stuck-up*!

Dix heures. En compagnie du frère Victor, l'abbé Fortin – vicaire depuis quatre mois – quitte le presbytère et marche en direction de l'église pour une courte visite pastorale et une heure de plaisir avec les vieux paroissiens. Juste comme il pose la main sur la porte du sous-sol, une voix monte.

— Gilbert! Frère Victor!

Les deux hommes se retournent.

Henri-Charles Lozeau s'approche. Manifestement, il sort d'une nuit blanche. A-t-il bu? Le visage mangé par une barbe de plusieurs jours, il pose sur eux des yeux cernés par l'angoisse.

— Ils viennent de me refuser. Je serai pas dominicain.

La nouvelle ne surprend pas le frère Victor. Il comprend mal ce que Henri-Charles est venu faire au couvent. Y chercher refuge? Quelques pauvres types tentent occasionnellement de s'inscrire sur la liste des parasites. Est-ce le cas? Pas sûr. Le quadragénaire s'exprime bien, aime discuter, joue aux cartes avec les frères après le souper, possède de l'expérience en administration, n'a pas d'enfants, pas d'attaches et connaît tous les programmes de gestion que propose l'informatique. Pourquoi les Dominicains le refusent-ils?

Gilbert comprend le désarroi du rejeté. Puisque l'homme vient vers lui, il essaie de se rendre utile. Pas en offrant du secours au nouveau venu, mais en lui demandant de l'aide.

— Tu tombes pile, j'engage! Ça paie pas gros, mais on travaille fort!

«Qu'est-ce que je raconte?» Le vicaire ne sait pas du tout quel boulot il va proposer à Henri-Charles. Parfois, la parole précède la pensée... et l'éclaire.

Le frère Victor intervient.

— Si ça te tente, j'ai besoin d'un assistant.

— Pour faire quoi?

— On ramasse de l'argent. On veut monter une fondation avec Marie-Elphège. Tu pourrais peut-être l'administrer?

Les couleurs reviennent aux joues du refusé.

— C'est ce que je fais le mieux.

Le frère Victor éclate de rire.

— Bon! On devrait peut-être remercier le Provincial de sa décision à ton sujet?

— Les voies de Dieu sont impénétrables, hein?

Le frère Victor pousse la porte du sous-sol et entraîne les autres en riant toujours.

— Les voies du diable aussi, mais ça... va donc savoir.

Au même moment, une ribambelle d'enfants déboule l'escalier. Attirés par les biscuits, les bonbons, les *chips* et la *liqueur* qu'on leur offre généreusement, les Isabella, Hugo, Kiki, Léo, Olivia et Myriam envahissent la place pour le plus grand bonheur des vieux ; en fait, surtout des petites vieilles.

Gilbert assiste à un miracle. L'angoissé Henri-Charles se transforme. Les enfants mangent dans sa main. Après une demi-heure, ils l'ont baptisé HC.

Regroupés à la même table, le frère Victor, Gilbert, Mathilde DeGrandpré et Marie-Elphège discutent. Pas long-temps. En trois mois, le frère Victor et Marie-Elphège ont amassé suffisamment d'argent pour acheter quelques ordina-teurs d'occasion.

Dans le quartier, les jeunes de la fin du primaire ne dispo-sent pas tous d'un ordinateur, surtout chez les nouveaux arri-vants, où l'on en est encore à la survie.

♣

Il faut tout au plus quatre fins de semaine à Henri-Charles pour former des adolescents, qui apprennent plus vite que leur ombre.

Le samedi 13 mars 2004, le sentiment de fierté des nou-veaux informaticiens déborde quand les premiers vieux pren-nent place auprès de leurs jeunes professeurs. Loin de perdre patience devant la lenteur de leurs élèves aux cheveux gris, les jeunes professeurs poussent des cris de joie quand une main toute ridée presse enfin sur la bonne touche du clavier.

Les mains dans le dos, Henri-Charles Lozeau savoure pleinement ce premier succès. Sa réussite lui ouvre les portes d'un nouveau défi. En compagnie du frère Victor, il s'embar-que dans une véritable croisade qui les conduira d'un bout à l'autre du Québec. On doit faire sonner le tiroir-caisse. On n'ira pas loin avec douze ordinateurs recyclés. Henri-Charles se découvre de saines ambitions. Le goût du succès ouvre l'appétit.

Il refuse de quitter le couvent dominicain. Une entente est une entente : on a convenu qu'il y passerait une année, pas question de revenir là-dessus. Il paie sa pension, conscient d'exercer ses droits. Le Provincial a-t-il commis une bêtise en le refusant ? Qu'il le regarde maintenant aller de succès en triomphe. Tant pis pour lui ! Qu'on ne se demande pas pourquoi le noviciat reste vide !

Le matin, au déjeuner, HC rejoint la communauté qui sort de la chapelle. L'administrateur ne perd plus de temps avec les bondieuseries qui n'arrivent même pas à changer le cœur de ceux qui y gaspillent tant d'heures.

Son bon Dieu à lui veut de l'action, des faits, des preuves, de l'efficacité.

Oh ! Il n'en veut pas aux Dominicains. Ils lui font pitié. Ils se pendent avec leur rosaire. Pas HC ! En fait, il l'a échappé belle.

À l'Enfant-Jésus du Mile-End, on lui fait confiance. Personne ne prend même la peine de vérifier son travail. Certains donateurs vont jusqu'à libeller leurs chèques à son nom. Peu importe. Henri-Charles Lozeau prend enfin sa place dans le monde. Et ce n'est qu'un début, il le sent.

Il en a fini avec la formation des enfants. Une femme prend la relève. Dans l'univers mental de Henri-Charles, on respecte ainsi la loi naturelle : puisque les femmes font les enfants, qu'elles s'en occupent !

♣

Marlène Jardin ressemble à un cadeau du Ciel. La brunette aux cheveux courts possède une maîtrise en sciences économiques. Jusqu'aux premières années de la trentaine, elle n'a rien trouvé pour satisfaire une aspiration sans compromis.

Personne à l'université ne partageait ce genre d'appel auquel même le cloître ne répondait pas. L'ancienne postulante a quitté le monastère de la rue du Carmel au bout de trois mois, alors qu'elle comptait y passer sa vie. Deux mois après sa sortie, il s'est présenté un homme partageant les mêmes envies. Il pouvait satisfaire les exigences de Marlène.

Le lieutenant de la police montréalaise Matthieu Guérin a épousé en justes noces l'économiste Marlène Jardin. Cependant, le Saint-Esprit ne s'est pas mêlé de leurs affaires. Au bout d'un an, tout naturellement, la semence de Matthieu a fécondé Marlène avec un succès frôlant la démesure : des triplets. Les accueillant avec un zeste d'humour, les parents ont baptisé le trio : Pierre, Jean, Jacques. Après tout, d'avoir sa famille d'un seul coup, la mère de trente-sept ans pouvait considérer cela comme une bonne nouvelle.

Ils occupent un cottage rénové de la rue Jeanne-Mance. Déjà, pendant la grossesse, en apprenant la triple arrivée, le couple était décidé à se contenter, pour quelques années, du salaire de Matthieu. Par son entrée au couvent, en dépit de sa maîtrise, Marlène avait auparavant manifesté une absence indiscutable d'ambition matérielle.

Pierre, Jean, Jacques ont maintenant marché sur quatre calendriers entiers avant de franchir les portes de leur première garderie, en route vers la maternelle. Marlène voit sa charge de travail de beaucoup allégée.

Fréquentant Le Signe de Croix, elle discute à l'occasion avec Marie-Elphège. Ils se retrouvent parfois tous les deux dans la salle aux douze tableaux. Depuis longtemps, le Beauceron sait que Marlène partage ses vues sur le sort du peuple québécois. Il lui parle souvent du grand fleuve nourricier qui a permis à ce peuple de venir au monde. Il répète à qui mieux mieux que nous sommes les héritiers du fleuve. Le lendemain de l'arrivée des ordinateurs, Marlène passe à la librairie. Le bonhomme en bleu lui résume l'initiative de

Henri-Charles avec les enfants. Elle voit enfin où elle peut s'impliquer.

— Je pourrais vous monter un site Internet.

— T'es capable de faire ça, toi ?

— Bien sûr, je suis webmestre. J'ai déjà conçu celui des Carmélites.

Dès le lendemain, elle se lance dans la création du site des « Héritiers du Fleuve ».

♣

Dans son lit de célibataire endormi, le vicaire de Saint-Enfant-Jésus du Mile End plonge dans la lumière verte.

Est-ce l'heure des comptes ? Où en est cette Amérique française qu'il construit de songe en songe depuis des mois[12] *?*

Gilbert Fortin se réveille en sursaut, comme s'il avait rêvé sa propre mort. Il sait qu'à près de soixante ans, l'heure de son propre bilan approche… Plus de temps à perdre ; c'est ici et maintenant qu'il doit réaliser ses rêves.

Ce vendredi 19 mars 2004, l'hiver desserre les mâchoires. L'Église catholique célèbre la fête de saint Joseph et le centième anniversaire de l'oratoire Saint-Joseph. Sur le boulevard du même nom, quelques religieuses trottinent en direction de l'église. Le parc Lahaie s'éveille pendant que l'autobus 55 remonte vers le nord en faisant le plein d'immigrants levés tôt pour gagner des salaires de misère. Sortant du Signe de Croix, Marie-Elphège tient à deux mains sa large cape bleue pour la coller à son grand corps maigre. Un peu frileux, il presse le pas vers l'église. Son grand allié, le frère Victor, va célébrer la messe. Ces deux vieux fous abattent un travail phénoménal depuis cinq petits mois.

Depuis le thé chez Mathilde DeGrandpré, le résultat de la rencontre du frère Victor avec les riches veuves dépasse toutes

12. Voir *Le Révisionnisme onirique : Séquence 5*, page 373.

les attentes. Un mouvement surprenant s'affirme : les « West-mountaises pour l'indépendance » prennent vie. Maintenant, on le sait aussi : le prêcheur se révèle un collecteur de fonds impressionnant. Désormais secondé par Henri-Charles, qui sait jusqu'où il pourra aller ? Stimulé par Marlène Jardin, qui progresse à grande vitesse dans le montage du site Internet, Marie-Elphège a choisi d'investir dans l'achat de matériel informatique plus performant afin de créer un réseau parallèle à celui des clubs de l'âge d'or. Les « Héritiers du Fleuve » formeront une toile qui couvrira tout le Québec. On pourra donc communiquer instantanément avec Charlemagne, Valleyfield et Senneterre…

Dans le petit matin frais du 19 mars, le parc Lahaie s'active plus que d'habitude. Les sacs à dos chargés de livres, quelques enfants dépassent en courant des petits groupes de vieux qui marchent vers l'église. Une Toyota Echo blanche venue du couvent des Dominicains s'immobilise dans le stationnement en face du presbytère.

Henri-Charles triomphe. Il emmène ses deux amis dominicains sur ses terres. Le trio agite la main en direction de la fenêtre de Gilbert. Jaquelin, Stéphane et Henri-Charles sourient à l'ancien moine. Le curé Bolduc a prévenu secrètement HC : il doit annoncer une grosse nouvelle pendant le déjeuner qui suivra la messe.

Pour Stéphane et Jaquelin, ces croyants consacrés, tout commence par une communion. Ils portent leur habit de dominicain en signe d'affirmation. Henri-Charles reste légèrement en retrait, se sentant ainsi modeste et exemplaire.

Gilbert dégringole l'escalier du presbytère et jaillit sur le trottoir, en perdant dix ans.

Le petit Stéphane, le musclé, le joyeux, le cœur simple, entonne un Brel de la première époque.

— « L'aventure commence à l'aurore/à l'aurore de chaque matin/l'aventure commence alors/que la lumière nous lave les mains… »

Le grand barbu Jaquelin le ramène sur terre.

— Embraye! Il nous reste juste le temps de passer nos étoles.

Henri-Charles gagne la nef avec les jeunes dont il s'occupait avant de les céder à Marlène. Il s'assoit entre la Colombienne Isabella et la Camerounaise Olivia, juste derrière la blonde Myriam et Hugo « le rouquin ».

On pourrait facilement croire que la résidence attenante à l'église s'est vidée par le couloir qui relie les deux bâtiments. Les têtes grises remplissent tous les bancs de la première section de la nef. Autour d'Henri-Charles et de Marlène, une douzaine d'adolescents se regroupent sur deux bancs latéraux, comme pour surveiller leurs vieux élèves.

Cinq prêtres pour une messe en semaine, les religieuses n'ont pas vu ça depuis le concile. Le frère Victor préside, entouré du curé Bolduc, du duo de dominicains et de l'abbé Gilbert Fortin, vicaire.

C'est lui qui doit lire l'évangile avant de céder l'ambon au frère Victor pour l'homélie. Le texte rappelle l'origine de Jésus-Christ. Marie, sa mère, est déjà accordée en mariage à Joseph. Elle tombe enceinte, sans le concours de Joseph. Comment le pauvre homme peut-il croire qu'il s'agit de l'action de l'Esprit-Saint? Cornard, oui; mais connard, merci! En bon gars, il choisit de la répudier sans faire d'histoire.

Dans la suite du récit, Gilbert sent passer un message qui le concerne. Un songe révèle à Joseph que sa femme a dit la vérité. Mais là ne réside pas le point majeur qui touche l'ancien moine. Ce qui le frappe concerne l'attitude de Joseph. Il prend le songe pour une révélation et se conduit en conséquence.

Pourquoi Gilbert rêve-t-il tant à son peuple? Qu'est-ce qui le concerne autant? Le constat s'impose: oui, nous allons disparaître. Si nous perdons Montréal, ce sera fini. Nous ne faisons plus d'enfants. Cette église où reviennent exceptionnellement des vieillards coupés de leur propre descendance confirme-t-elle le verdict? Un peuple mort... la bouche pleine de manger mou?

Pendant l'homélie, le frère Victor parle du rôle du père, de son propre père, un noble cultivateur propriétaire d'une grande terre fertile. L'homme a vécu de façon exemplaire: une copie de saint Joseph. Fier comme un roi, il ne devait rien à personne. Il s'était tenu droit toute sa vie. La simplicité de son existence s'appuyait sur la débrouillardise et la persévérance. Il se disait ignorant et s'était évertué à faire instruire ses enfants.

Gilbert reconnaît les confidences du vieux frère Victor qui a reçu en héritage la force de caractère de son père. Grâce à de bonnes études, il a pu développer certains traits valorisés par la culture française: la créativité et l'ouverture d'esprit.

— Pour sortir ce peuple de la misère, nous avons inventé un modèle québécois fondé sur la justice sociale, dans lequel on se préoccupe des plus démunis. Non, il ne faut pas le brader pour retomber dans les disparités scandaleuses. On dit de plus en plus que les Québécois ont un problème avec l'argent. Il faut affirmer haut et fort que le problème vient beaucoup moins des Québécois que de l'argent lui-même. L'exemple des États-Unis ne peut pas nous séduire. Une misère abjecte y côtoie une richesse vertigineuse, en grande partie accumulée par le travail des enfants des contrées les plus nécessiteuses. Oui, il faut créer un monde juste, comme notre génération l'a rêvé. C'est pas le temps de baisser les bras!

Dans l'église, les vieux rajeunissent à vue d'œil. L'esprit d'ouverture et les élans de générosité battent tous les antidépresseurs de la pharmacie.

♣

Au presbytère, on déjeune à la bonne franquette. Les six hommes de Dieu mordent avec un bel appétit dans le pain frais encore chaud de la boulangerie portugaise située juste en face du parc, sur le boulevard Saint-Laurent.

Le curé Lionel Bolduc vient de célébrer ses soixantequinze ans. Il se réjouit de pouvoir annoncer ce matin une nouvelle dont il partage le secret, depuis une semaine, avec Gilbert.

— Mes amis, ça me fait drôle de me trouver à table avec deux dominicains en tenue, un autre en clergyman… et toi, Henri-Charles, un laïc exemplaire dont les jeunes de cette paroisse se souviendront toujours. Quant au vicaire… ça, je ne l'aurais jamais cru possible. Pourtant, c'est le cadeau que j'ai reçu à l'automne. Mais ce n'était pas le dernier. L'évêché vient de m'en donner un autre en nommant mon remplaçant. Je vous présente le nouveau curé de la paroisse Saint-Enfant-Jésus du Mile End, l'abbé Gilbert Fortin.

L'ancien moine sent que, depuis son départ du monastère, la vie court de plus en plus vite, sans révéler sa destination. Il a besoin de repères et d'appui. Il sourit au curé Bolduc en se levant pour le remercier.

— Monsieur le curé, vous me laissez annoncer la meilleure nouvelle : vous avez accepté de rester ici. Entre vous et le frère Victor, je pourrai presque passer inaperçu, le temps de comprendre ce qui m'arrive. Franchement, surtout en ville, je ne sais pas si le regroupement en paroisses va tenir le coup encore longtemps. Mon idée serait d'ouvrir un centre de prière et aussi un lieu d'accueil pour les plus mal pris. Je ne sais pas au juste dans les faits ce que ça signifiera, mais…

Le frère Victor attrape le bout de phrase.

— … mais les faits eux-mêmes vont nous le dire.

Henri-Charles s'en veut presque du léger pincement qu'il ressent au cœur : Gilbert ne l'a même pas mentionné. Pourquoi cette ingratitude ? Quelqu'un finira-t-il par reconnaître l'importance de ses talents, qui le rendent indispensable ? Une chose est certaine, il vaudrait mieux que personne ne le tienne pour acquis…

9

Le dimanche 11 avril 2004, Gilbert se réveille accablé d'un mal de tête qui le ralentit. Une chape de déprime l'alourdit depuis plusieurs jours. Pendant que les membres du Parti québécois déchirent la chemise de leur chef, un gouvernement libéral majoritaire dirigé par un authentique Canadien français, en mission de sauvetage dans sa province, célèbre cette semaine son premier anniversaire. À Ottawa, deux autres Canadiens français se sont livré une lutte sans merci pour la direction du Parti libéral du Canada. Ceux qui se définissent comme Québécois se voient encore une fois réduits aux banquettes impuissantes de l'opposition. Les fédéralistes au pouvoir ne sont pas tous des imbéciles, des cyniques, des profiteurs et des menteurs ; tous les indépendantistes n'ont pas davantage le monopole de la vertu et du désintéressement. La politique restera toujours la politique. Les ambitions personnelles y occupent assidûment une très grande place. Le jeu même de la démocratie parlementaire oblige les candidats à respecter les règles d'un parti qui cherche avant tout le pouvoir, chacun étant prêt à bien des compromis.

Gilbert n'arrive pas à s'intéresser aux élections : « On n'y parviendra jamais de cette façon-là. »

Ce dimanche de Pâques 11 avril, le prêtre ne sent pas la joie de la résurrection. Il termine aujourd'hui le marathon de la Semaine sainte. À onze heures, il présidera sa première messe de Pâques comme curé de la paroisse Saint-Enfant-Jésus. Il s'est couché tard.

La tradition appelle le Samedi saint le « Silence de Dieu ». Ce matin, Gilbert se demande si l'on ne peut pas dire la même chose de chaque jour. Notre vie entière n'est-elle pas un long office des ténèbres ? Il a célébré la Veillée pascale pour une poignée de vieux, blancs de fatigue.

Gilbert a vécu pendant la nuit sa propre descente aux enfers. Cependant, contrairement au Christ, il n'est pas ensuite monté au Ciel. Il tourne en rond dans la géhenne d'un trouble sentiment d'inutilité, en pauvre type conscient de la futilité de son entreprise dépassée, surannée, désuète, démodée, archaïque et périmée. La résurrection ? Qui pourrait encore s'intéresser à de semblables balivernes ? Quand il n'avait pas la foi, il se sentait si intelligent ! Il voyait dans son athéisme une forme raffinée de noblesse. Cependant, un jour, il n'a pas pu s'empêcher de douter du non-sens. Les quelques expériences paranormales vécues en méditation, loin de l'isoler dans un mysticisme désincarné, le plongent maintenant au cœur de la ville de son enfance, dans ce rôle de curé qui n'intéresse plus personne. Sa propre génération ne peut plus sentir ses pareils. Pourtant, il doit continuer dans cette voie méprisée en y investissant toutes les ressources de son intelligence exceptionnelle, malgré sa pauvreté affective non moins remarquable.

En buvant son troisième café pour faire passer les toasts au fromage, il sort sous la pluie pour encourager l'agent de sécurité qui surveille l'îlot des techniciens au milieu du parc Lahaie. La veille, on a monté l'estrade.

Gilbert et Tristan-Jacques préparent une fête dont on se souviendra. Le mulâtre aux talents multiples a convaincu l'orchestre et le chœur de l'Université de Montréal de reprendre, devant l'église Saint-Enfant-Jésus, face au parc Lahaie, le concert donné plus tôt à l'église Saint-Jean-Baptiste. Grâce aux organisateurs de la fête de Noël qui anime déjà le parc depuis plusieurs années, on peut compter sur une structure bien rodée.

Posée sur le parvis de l'église, une grande scène surplombe le parc Lahaie. Un ami du curé Lionel Bolduc milite depuis quarante ans à la Société Saint-Jean-Baptiste. Il offre un système audio qui permettra de s'adresser à l'auditoire.

Le prétexte? Faire connaître un monument historique à l'abandon. L'église Saint-Enfant-Jésus du Mile End franchit la ligne séparant un vieux bâtiment d'un édifice en perdition. Il s'agit d'offrir un exemple. L'événement, par son originalité, attirera peut-être quelques critiques, tant des journaux que des réseaux publics de radio et de télévision.

La pluie menace de rendre inutile le travail de tant de gens. Rien pour soulager le mal de tête de Gilbert. Le relent de dépotoir qui remplit maintenant l'air n'arrange pas les choses.

— *Hey!* Donne-moé vingt piastres.

— Claude! Claude, tu me fatigues.

— Ben… ben, toi, tu m'écœures.

Le regard du gardien de sécurité suffit à l'éloigner en maugréant.

— T'es *cheap* en tabarnak.

Le nouveau curé rentre au presbytère un peu plus démoli: « Je suis même plus capable de prier. »

L'ampleur de la tâche de ce dimanche l'écrase: la messe à présider, le concert à présenter, tous ces gens à rencontrer, cet optimisme à afficher, cette foi à incarner… Il n'y arrivera pas. Si au moins le mal de tête le lâchait: « Une crise de foi doublée d'une crise de foie… ou vice versa. » La pauvreté du jeu de mots le ramène bien à sa condition de perdant: « Aujourd'hui, je me sens vraiment Québécois. » La réflexion lui claque en pleine face. Il se redresse d'un seul coup, respire en profondeur, fronce les sourcils, serre les lèvres et rentre le ventre: « Non, ça finira pas comme ça! »

À ce moment précis, la pluie s'arrête. Pourtant, le tonnerre roule dans l'escalier intérieur du presbytère. Les jumelles Dumas déboulent les marches en riant. Claudine fonce sur son curé.

— Il va faire beau, je le savais.

Claudette en fournit l'explication.

— Cette nuit, ma mère a accroché son chapelet à la corde à linge.

Le rire musical débordant de santé ramène le sourire sur les lèvres de Gilbert, qui émerge enfin de sa crise d'apitoiement.

Les jeunes musiciennes filent à toute allure pour s'assurer que personne dans leur chœur de petits vieux n'oubliera ses partitions pour les chants de la messe.

♣

À onze heures, un quatuor de cuivres dirigé par le tromboniste Camil Cyr fait trembler les vieux plâtres de l'église en piteux état.

Précédé de la jeune Camerounaise Olivia qui porte l'encensoir, d'Hugo « le rouquin », de Myriam « la blondinette », du petit Léo « le pure laine » né en Abitibi et d'une demi-douzaine d'autres garçons et filles qui fréquentent la salle aux douze tableaux du Signe de Croix, encadré par le curé Bolduc et le vieux frère Victor, Gilbert avance dans l'allée centrale, revêtu d'une aube blanche et de la plus belle chasuble de la paroisse. Il marche sur les sommets de l'année liturgique. L'essentiel du christianisme repose sur la croyance en la résurrection. Saint Paul le dit et le répète : « Si le Christ n'est pas ressuscité, notre foi est illusoire. » On l'a décapité parce qu'il croyait à la résurrection... Quel danger peut représenter une croyance aussi invraisemblable ? Quelle autre force se sent menacée par de telles élucubrations? Quelle puissance couve dans toute religion?

Gilbert arrive devant l'autel rechargé d'énergie. Le christianisme occupe enfin sa vraie place au Québec: dans la marge. On ne reviendra pas en arrière. On ne cultivera pas la nostalgie du passé. Le Québec a mieux à faire. Gilbert entend l'apôtre Paul: «Lève-toi, toi qui dors, relève-toi d'entre les morts et le Christ t'illuminera.»

La chorale des petits vieux entonne un vibrant alléluia. Gilbert promène son regard sur l'assemblée: des vieillards, des familles à la peau foncée, un petit groupe de Vietnamiens, les habitués du Signe de Croix autour de Marlène Jardin, de son époux Matthieu et du trio Pierre, Jean, Jacques. Cependant, Gilbert voit tous les bancs vides, délaissés par ceux de sa génération et leurs enfants qui se baptisent eux-mêmes la génération X.

Une forme nouvelle de colère monte en Gilbert. Il n'espère maintenant plus qu'une chose: se trouver devant un groupe de baby-boomers. Il va leur parler en pleine face. Tant de prétention ayant accouché d'une telle insignifiance l'éperonne. Un public! Qu'on lui donne un public! «Pas ici, pas dans l'église, ce matin. Je ne veux pas prêcher pour des convertis.» Il rencontre les yeux clair de lune de Marie-Elphège. Le Beauceron accompagne Mathilde DeGrandpré. Gilbert sent fortement la présence du vieux frère Victor à ses côtés, tout comme celle du curé Bolduc. L'Église va-t-elle encore une fois se mêler de politique? Faut-il se taire ou quitter le clergé? Le doute monte-t-il en fêlant Gilbert à la base? Se prépare-t-il à mélanger les genres? La même envie de rentrer en courant dans son trou resurgit: «De quoi je me mêle? Ce n'est pas à moi de faire ça. Ce n'est pas le rôle des curés de dire ces choses-là.» Pourtant, le processus semble irréversible, chaque étape le rapprochant d'un choc inévitable.

Depuis octobre, deux vieux témoins l'observent. Marie-Elphège et le frère Victor ont scruté Gilbert sous tous les

angles. Le premier constat s'est imposé rapidement : aucune
attache ne retient Gilbert Fortin. On ne peut pas imaginer
plus grande solitude. De plus, le quinquagénaire ne commet
pas un excès. Cependant, chez lui, tout semble disproportionné : la sensibilité, l'intelligence et même un potentiel
d'éloquence que les deux tribuns peuvent percevoir dans la
conversation courante. Les vieillards attendent l'explosion.
Qui ne reconnaîtra pas sa propre grandeur dans celle d'un
être aussi entier ?

♣

Vêtu de son clergyman, Gilbert regarde ses alliés mettre en
place les derniers éléments du concert. Flanqué du vieux frère
Victor qui se sent tout aussi inutile, il salue des gens, serre des
mains et s'étonne de voir tant de monde envahir le parc
Lahaie.

Le malodorant Claude a déjà ramassé plus de cent dollars.
Loin de l'apaiser, cette abondance momentanée augmente sa
fébrilité. Il ne peut pas sentir ce qu'on appelle la satisfaction,
n'ayant accès qu'à l'engourdissement que lui procure une injection de saloperies, écrasé entre deux poubelles. Ses yeux
cernés s'agitent sans arrêt ; Claude cherche à comprendre
pourquoi la Saint-Jean-Baptiste arrive aussi tôt cette année.

Très à l'aise, Marie-Elphège sort du Signe de Croix. Une
douzaine de petits vieux l'entourent. Vêtu de sa grande cape
bleue, il se dirige vers Gilbert et le frère Victor. Le curé Bolduc
s'absente pour laisser toute la place à son successeur. De toute
façon, il ne monterait jamais une entreprise de ce genre.
Lionel Bolduc n'apprécie pas les coups d'éclat ; tout le
contraire de Marie-Elphège, qui attire tous les regards. En rejoignant Gilbert, il le place sous les projecteurs. Quelques
commentaires sarcastiques illustrent l'agressivité des baby-
boomers parvenus.

— Tu trouves pas qu'il y a comme une odeur de cha-
rogne?

— Tiens! On dirait que le cadavre grouille encore.

— Les rats sortent des égouts?

Puis, sur Marie-Elphège.

— Le Bonhomme Carnaval a mangé des bleuets?

— Non, c'est le mari de la Dame en bleu!

Heureusement, une ribambelle d'enfants s'approche du
Beauceron.

— Marie-Elphège! Marie-Elphège!

Une petite Chinoise tire sur sa cape.

— Marie-Elphège, pourquoi t'as fermé Le Signe de Croix
aujourd'hui? Pour une fois que je pouvais jouer à l'ordinateur.

Les yeux clair de lune se posent sur le visage rond de la
fillette.

— Pour que tu prennes l'air et que tu entendes de la belle
musique, Kiki. On va rouvrir tout de suite après le concert,
puis il va même y avoir une belle surprise.

— O.K. d'abord.

À ses côtés, Hugo « le rouquin » rigole.

— C'est vrai que t'as besoin de prendre l'air. T'es jaune.

Kiki ne se laisse pas facilement démonter.

— Je suis peut-être un petit peu jaune, mais toi t'es complètement con.

La Camerounaise Olivia s'en mêle.

— Une carotte conne…

Hugo, pas raciste pour deux sous, ne s'en laisse pas imposer.

— *Hey!* Me faire traiter de carotte par une poule en chocolat… pas pire!

Et le troupeau de petits rigolos reste auprès du trio
d'adultes qui s'intéresse à eux, jour après jour. Ils se taquinent
sur leurs différences sans en faire tout un plat. Ils s'amusent
bien au parc Lahaie. La confiance règne. Marie-Elphège, le

frère Victor et l'abbé Gilbert ne sont pas que des beaux parleurs. Avec eux, il se passe des choses. Les jeunes le savent. Ils ont confiance dans les trois personnages qui pourraient être leurs grands-pères.

Les oisifs en fin de cinquantaine, qui surveillent leurs portefeuilles d'actions et passent des heures sur Internet à étudier des profils d'entreprises pour rentabiliser leur actif, détournent leurs regards en direction de la scène appuyée sur le parvis de l'église Saint-Enfant-Jésus du Mile End. Inaugurée par Mgr Ignace Bourget, l'entreprenant archevêque de Montréal, elle abrite des fresques d'Ozias Leduc, exécutées entre 1917 et 1919. Cet édifice que tant de touristes conservent en photo échappe aux regards de ses voisins qui ne semblent pas le voir dépérir.

Une foule impressionnante s'entasse maintenant dans le parc Lahaie.

En conversation téléphonique avec sa mère à Victoriaville, Claudine Dumas lui confirme que le soleil exauce ses prières. Elle passe ensuite le téléphone à Claudette, qui doit crier pour se faire entendre. Elle envoie plein de bisous à sa maman avant de ranger leur Fido. La foule tape déjà des mains pour saluer l'arrivée du chef d'orchestre au pupitre de direction.

À seize heures six, l'eau coule des mains du tromboniste Camil Cyr. Mais son diaphragme tout en souplesse contrôle parfaitement la lente et sublime mélodie de l'ouverture de *Tannhäuser*, de Richard Wagner. D'abord *pianissimo*, portant lourdement le poids du monde, Camil, plongé dans la musique, en alternance avec les cordes, envahit le parc Lahaie dans un impressionnant *forte*. La petite Chinoise Kiki s'agrippe à la cape de Marie-Elphège en souriant d'extase. On entre dans un univers mystérieux, un monde de légende envoûtant et secret. On suspend le cours du temps sur un solo de flûte pour revenir au trombone de Camil, qui tient bon le cap du thème principal sur un océan de gammes houleuses.

Gilbert Fortin ressemble à Lazare ressuscité sortant du tombeau, étonné d'être en vie.

Le parc Lahaie fait maintenant un triomphe à Camil, à l'orchestre, à Wagner.

Comme si le vieux frère Victor enlevait les bandelettes funéraires couvrant le corps embaumé du ressuscité, il pose la main sur l'épaule du nouveau curé du Mile End.

— C'est à toi, Gilbert.

— Pardon?

Marie-Elphège s'en mêle.

— C'est à ton tour. C'est le moment de parler de l'église.

Pendant que les membres du chœur de l'Université de Montréal prennent place derrière l'orchestre pour la pièce de résistance du concert, le nouveau curé Gilbert Fortin doit annoncer au public la campagne de financement des travaux de restauration du bâtiment.

Un terrible mal de ventre prévient Gilbert qu'il ne se limitera pas à l'amorce d'une levée de fonds. Il faut plonger sans texte. Tous ces offices de la Semaine sainte l'ont nettoyé. Les écueils de l'hésitation ne le feront pas trébucher.

Sur scène, le responsable de la programmation musicale s'approche du micro. Le mulâtre Tristan-Jacques ne porte plus à terre. Puisque le public a reçu Wagner avec autant d'enthousiasme, il jubilera tout à l'heure.

— Vous avez aimé ça?

L'ampleur du «oui» élargit encore davantage le sourire du jeune compositeur.

— Pendant que le chœur s'installe, voici celui à qui nous devons cet événement. J'ai nommé le nouveau curé de Saint-Enfant-Jésus du Mile End, l'abbé Gilbert Fortin.

On croirait entendre le «prout» d'une baloune qui se dégonfle. Dans un murmure à peine poli, l'auditoire jette un regard condescendant sur l'arriéré étouffé dans son col romain qui se campe devant le micro.

— Mes amis…

Le Claude de toutes les odeurs hurle à pleins poumons.

— Chu pas ton ami!!!

— Tu me le garantis, ça?

La promptitude de réaction de Gilbert produit l'effet imparable. Les rieurs ne regardent déjà plus Gilbert du même œil snob. On l'écoutera une minute.

— Mes… euh! Vous tous…

Nouveau rire.

— Au moment où Richard Wagner composait l'ouverture de *Tannhäuser* que vous venez d'apprécier à sa juste valeur, un Montréalais mettait aussi tout son talent et tout son cœur à fabriquer de la beauté. À cette même époque, l'architecte Ludger Lemieux composait également ici une symphonie de pierres que nos grands-parents courageux et tenaces nous ont laissée en héritage. Regardez! Ouvrez les yeux! Voyez! Qui est entré là? Qui a vu les fresques d'Ozias Leduc qui tentent de résister à l'humidité? Qui a entendu les deux orgues de cette église? Qui a vu au plafond les toiles qui se décollent et s'enroulent, près de tomber? Je ne peux pas l'accepter! Qui a dit que nous étions une race de pauvres, un peuple d'abrutis sans passé, sans histoire, sans patrimoine autre que le sirop d'érable, le pâté chinois, les oreilles de crisse et les bines à la mélasse? Le petit clan de cérébraux sans envergure, d'égos boursouflés de ma génération? Vous niez la part de ceux qui ont bâti cette église et les cent autres de la ville? qui ont lancé vers le Ciel des milliers de clochers sur toutes les terres arrachées à la misère? Vous ne voulez plus vous rattacher qu'à une langue que vous massacrez comme des incultes arrogants et bornés? Je refuse de me laisser enfermer dans une Histoire qui nie l'Histoire. Le Québec a des racines religieuses. Ce peuple est une souche chrétienne. Pourquoi confondre un fait aussi indiscutable avec les comportements en tous points regrettables d'un clergé triomphaliste mort et enterré depuis un demi-siècle? Vous les baby-boomers de mon âge, vous me révoltez! Vous avez envie de sortir cette Église de votre Histoire même?

Entendu! Expulsez donc aussi de vos grandes gueules tous les
« osties, les saint-ciboire, les crisse de câlice de tabarnak » !

Bouche bée, chacun des nombreux spectateurs observe le
silence de Gilbert.

La voix enrouée du Claude puant pète de nouveau, mais
cette fois admirative.

— Tabarnak…

— Comme tu dis ! Mais j'ai pas fini. Nous voulons désormais nous définir par la langue et l'appartenance à un
territoire qui a rétréci comme une peau de chagrin ? Nous
acceptons de rentrer dans des frontières pas plus grandes que
le nombril de la Nouvelle-France ? Je veux bien. Mais pas en
excluant la part de l'Église fondatrice. Ce que tout le monde
appelle aujourd'hui le modèle québécois – qui fait de la
justice sociale un droit inhérent à la citoyenneté – est fondé
sur les valeurs chrétiennes qui sont à l'origine même de la
Nouvelle-France. Oui, nos ancêtres voulaient les fourrures
des peaux-rouges, mais ils désiraient aussi fonder une colonie
qui permettrait aux mystiques comme Marie de l'Incarnation, Catherine de Saint-Augustin, Jeanne Le Ber de transmettre la foi qui les faisait vibrer, qui donnait un sens à leur
vie. On peut être d'accord ou pas, mais on ne peut pas nier
leur courage, leur bonne volonté, leur détermination, leur
sincérité… sans se renier soi-même. Au contraire, c'est un sujet de fierté. Je suis fier de tous ces fils aînés de nos familles
qui, le plus souvent nourris du désir de leurs propres mères,
ont, comme prêtres, donné leur vie entière pour la survie de
ce peuple que nous sommes. Refusons de disparaître ! Cessons
de nous plaindre de cette destinée de perdants qui ne correspond pas à la réalité. À l'opposé, célébrons notre joie de toujours exister. Que de ces jeunes musiciens, de ces choristes
magnifiques monte un chant de fête. Voici le triomphe de la
joie et de la fraternité sur le désespoir, composé par Beethoven
à peine un demi-siècle avant la construction de cette église.
Nous vous l'offrons au nom de tous ceux et celles qui ont

marché dans ce parc pour venir prier dans ce temple : la *Neu-vième Symphonie* de Beethoven et son sublime quatrième mouvement, l'*Ode à la Joie*. Je ferai de ses derniers mots ma plus fervente prière : « Qu'un seul baiser enlace l'univers. »

Avec un sens de l'à-propos remarquable, la musique succède aux mots, le chef d'orchestre n'ayant pas laissé de temps au public pour huer ou pour applaudir. Le musicien se demande comment on a pu le coincer dans une telle affaire de curés.

Deux critiques réputés partagent son questionnement. Le vétéran, la sommité du journal le plus lu, griffonne quelques mots : « Commencer par le curé du Mile End ». Celui de Radio-Canada s'assure que le caméraman a bien filmé le discours du curé.

♣

À dix-neuf heures trente, au Signe de Croix, on se réunit pour le lancement du site Internet des « Héritiers du Fleuve ». Tous les enfants ont accouru pour partager le buffet offert par Mathilde DeGrandpré. La bouche pleine, Isabella « la Colom-bienne » s'affiche dans une jolie robe multicolore qui contraste avec la jupe à frisons et le chemisier blanc de la très noire Olivia « la Camerounaise » et le t-shirt vert bouteille d'Hugo « le rouquin ». Tout comme eux, les autres jeunes professeurs, Myriam « la blondinette », Léo « le pure laine », la grande Souad et son frère Hassan « du Maroc'n'roll », brillent de fierté pour le travail de leurs vieux élèves et d'admiration pour leur brunette de webmestre.

Quel beau site Marlène a conçu ! À l'image d'un réseau hydraulique, il abreuve jusqu'aux confins du territoire. En moins de trois mois, la webmestre a colligé des quantités im-pressionnantes d'informations, tant géographiques, démo-graphiques, économiques, religieuses qu'historiques. La liste des hyperliens constitue une mine inépuisable pour la recherche.

Ce trésor devient disponible sur www.heritiersdufleuve.com. Dans la salle aux douze tableaux du Signe de Croix, une cinquantaine de petits vieux renversent le contenu de leurs verres de vin mousseux en applaudissant au succès de Marlène Jardin. Ils n'économisent pas leurs commentaires.

— Hé! Qu'elle est bonne!

— Oui, elle est bonne, certain!

— Ça, pour être bonne, elle est bonne!

Marie-Elphège sourit à Mathilde qui sourit au vieux frère Victor qui sourit à Marlène qui sourit à Marie-Elphège, sous le regard indéfinissable de Gilbert.

Un témoin muet constate que l'ingratitude demeure première de classe, encore et toujours... Qui remercie Henri-Charles Lozeau? Même ses jeunes élèves ne semblent plus avoir d'yeux que pour cette Marlène Jardin qui prend trop de place à son goût. Les pouces accrochés à ses bretelles noires, les lunettes rondes glissant sur son nez couperosé, le crâne chauve brillant comme un œuf, Jude Aubin observe le solitaire. Judo capte les ondes d'amertume émises par l'assistant du frère Victor. Le défroqué nourri de fiel pourrait-il recruter un allié au sein même du camp adverse?

10

— **M**audit fou ! Jamais je croirai que ça va recommencer !

L'animateur de radio hurle dans son micro.

— « Le curé du Mile End kidnappe Beethoven ». Vous lirez le reste de l'article. C'est à peine si le plus grand maniaque de musique classique de tout le Québec prend le temps de féliciter le chœur et l'orchestre de l'Université de Montréal pour la *Neuvième Symphonie* de Beethoven donnée hier au parc Lahaie, en face de l'église Saint-Enfant-Jésus. Il en a juste pour le curé du Mile End qui se serait lancé dans un discours nationaliste dégoulinant de sauce catholique. Ils sont pas morts, eux autres ? Pour les enterrer, va-t-y falloir les finir à coups d'ostensoir ? Ça a l'air qu'il arrive d'Europe, le curé. Il est revenu pour nous montrer à vivre. Il va ramener le troupeau dans son enclos. Maudit malade ! On retournera jamais en arrière. Vous pouvez vous noyer dans votre bénitier, monsieur l'abbé. Quant à Luc Gaudreau, le critique si réputé, je ne le comprends pas d'avoir trouvé le curé du Mile End « plutôt convaincant ». C'est peut-être parce que le grand journaliste a fait ses études chez les jésuites du Collège Sainte-Marie ? Sa soutane dépasse. On ne va pas en rester là, madame, monsieur. Je vais faire enquête.

Le journaliste Ghyslain Leroux se lance dans une de ces investigations qui sont sa marque de commerce. Tout y passe.

Les auditeurs en redemandent. Gilbert n'a rien à cacher. En s'exposant une première fois sur la place publique, il savait ce qui l'attendait. Le juste retour du balancier s'effectue. Après cinquante ans de silence, Gilbert Fortin a des choses à dire.

Les autorités diocésaines le laissent aller. Au réfectoire de l'archevêché, on a même entendu un membre très haut placé de la hiérarchie affirmer avec bonne humeur : « Pour une fois qu'il y en a un qui met ses culottes, on va certainement pas lui enlever ses bretelles. »

Au monastère, on observe de loin le courage de l'ancien moine. Personne ne l'envie. Il pourra toujours compter sur eux pour une retraite de quelques jours.

L'enquête du journaliste Ghyslain Leroux se penche aussi sur Le Signe de Croix. À l'apparition de Marie-Elphège, instantanément baptisé « le *dum* en bleu », le gueulard doit étouffer un fou rire. Toutefois, après dix minutes de conversation, Ghyslain Leroux veut tout connaître des « Héritiers du Fleuve ». Séduit par l'intelligence de la webmestre Marlène Jardin, presque trop ému pour parler en voyant des enfants de toutes les couleurs initier des vieillards tremblotants aux mystères de l'ordinateur, la grande gueule des médias passe à l'ennemi. Quant à Gilbert Fortin, Leroux en convient volontiers : le curé du Mile End l'impressionne. Une telle volte-face ne peut s'expliquer que par le passé de militant indépendantiste du « fou des ondes », qui retrouve le goût de croire.

— Êtes-vous fou ?

— Vous ?

Voilà une entrevue radiophonique qui démarre de façon bien inusitée. En ondes, Ghyslain Leroux éclate de rire.

— Mon invité, ce matin, l'abbé Gilbert Fortin. Son nom
ne vous rappelle rien? Mais si je vous dis «le curé du Mile
End», vous allumez? Depuis deux semaines, vous avez sans
doute suivi chaque matin l'enquête que j'ai menée autour du
parc Lahaie. Si je vous parle du Signe de Croix, vous savez
tous maintenant qu'il s'agit de la librairie d'un Beauceron
plus qu'original, Marie-Elphège Fortin, sans lien de parenté
connu avec le curé du Mile End. Vous n'ignorez pas davantage que j'ai découvert que le plus célèbre prédicateur de
l'oratoire Saint-Joseph réside au presbytère du Mile End.
Ces jours-ci, le frère Victor est à Québec. Il rencontre des
communautés religieuses et des groupes de l'âge d'or qui s'intéressent à l'organisation dont vous pouvez prendre connaissance sur Internet à www.heritiersdufleuve.com. On en
reparlera une autre fois. Oui, je vous avoue que je m'étais
rendu dans le Mile End pour faire le ménage, à la suite de
l'article de mon confrère de la presse écrite titré «Le curé du
Mile End kidnappe Beethoven». Je vais y aller d'un deuxième
aveu: je me suis fait avoir. Peut-être que oui, je suis en train
de virer fou, mais j'ai été impressionné. Il se passe quelque
chose autour du parc Lahaie. Ça m'a rappelé les premiers
temps du RIN. Tout le monde connaît mon histoire. Vous savez que j'ai participé à la fondation du Rassemblement pour
l'indépendance nationale. Je suis encore un indépendantiste,
même en n'y croyant plus depuis dix ans. Alors, je reprends
ma question à mon invité et ensuite, nous passerons à vos appels. Vous pourrez parler directement avec le curé du Mile
End. Gilbert Fortin, êtes-vous viré fou pour vous embarquer
dans une pareille aventure?

— Oui, d'une certaine façon, c'est de la folie. Mais parfois, la folie est plus sage que la sagesse. Quant à notre petit
regroupement de rien du tout: des vieillards entourés de
jeunes encadrés par une poignée de bénévoles, on aura peut-
être des surprises. À l'occasion, la faiblesse est plus forte que

la force, tout comme l'eau creuse les rochers. La folie, la sagesse, la logique… faut en prendre et en laisser.

— Qu'est-ce qu'on prend?

— Ce qui rend meilleur.

— Bon! En espérant qu'il nous rendra meilleurs, on va
prendre un premier appel : monsieur Tousignant, de Pointe-
aux-Trembles.

— Monsieur Leroux, vous me décevez énormément. Comment avez-vous pu avaler une poutine pareille? Vous vous en
souvenez pas des confesseurs qui refusaient l'absolution à nos
mères parce qu'elles en avaient assez de dix enfants?

— Mais oui, je m'en souviens, monsieur Tousignant. Madame, monsieur, si vous venez d'allumer la radio, je vous informe que je reçois ce matin l'abbé Gilbert Fortin, le curé du
Mile End. Bon! Monsieur Tousignant, vous avez une question pour lui?

— Non, je parle pas aux curés. Il peut aller chier.

— On peut pas dire que votre mère vous a bien élevé.

— Au contraire, monsieur Leroux. Elle m'a élevé à me
tenir debout, pas à passer ma vie à genoux.

Gilbert ne veut pas que ça finisse aussi bêtement.

— Vous êtes bien chanceux; moi, ma mère, je l'ai même
pas connue.

Il vient de surprendre l'auditeur, qui ne peut pas s'empêcher de commenter.

— O.K., vous m'en bouchez un coin. J'ai une question
pour vous : vous seriez pas entré en religion juste pour vous
trouver une famille?

— Vous avez raison. Vous êtes plus vite que moi, il m'a
fallu presque quarante ans pour m'en rendre compte. Mais
c'est pas de la faute de la religion, monsieur Tousignant.

— Moi la religion, j'ai pas besoin de ça pour croire.

— À quoi vous croyez?

— Aux êtres humains, pas en Dieu. En fait, je suis pas croyant.

— Monsieur Tousignant, la religion, c'est un ensemble de croyances qui définissent le rapport de l'être humain à plus grand que lui : la puissance divine ou le surnaturel. Vous, vous refusez la dimension sacrée, mais vous vous définissez quand même comme individu par rapport à l'ensemble : à plus grand que vous, quoi ! Donc, vous croyez aussi à quelque chose d'intangible. La conclusion s'impose d'elle-même : croire ou ne pas croire relève de la croyance. Dans les deux cas, il s'agit d'une façon de se définir comme individu par rapport à plus grand que soi.

L'homme de Pointe-aux-Trembles a écouté sans l'interrompre. Cependant, ça ne colle pas.

— C'est bien beau, votre explication de la religion, de la croyance... tout ça. Mais ça change rien à l'affaire. Il y aura toujours des hommes qui vont s'en servir pour contrôler les autres. Puis ça, icitte, on est plus capables. On a fait une indigestion.

— Moi aussi. Pourtant, j'ai un problème qui m'oblige à revoir ce que je pense de la religion. Préparez-vous, c'est un gros morceau.

— Chu pas un épais. Envoyez !

— Entendu. Écoutez : au centre de moi, il y a une étincelle qui jaillit comme un éclair. C'est comme une pile atomique enfouie dans ma chair. En même temps, le feu est indestructible parce que, tout en dégageant une énergie rayonnante, une sorte d'intelligence de l'ordre du spirituel, il prend lui-même son énergie dans la matière. Comment je dirais ça ? L'élément lui-même qui donne la vie, qui la nourrit pour la maintenir et la développer, c'est ça qu'on appelle le Christ.

— On est loin du petit Jésus.

L'animateur Ghyslain Leroux craint que ce bel exposé ne passe au-dessus de la tête de ses auditeurs. Pas Gilbert. Il s'accroche.

— Loin du petit Jésus ? Oui et non. Non, si on croit qu'il symbolise le feu en chacun de nous ; l'élément qui engendre la vie éternelle. Oui, si on se sert de l'histoire racontée dans les Évangiles pour manipuler les autres et les empêcher de vivre. Mais au fond, tout au fond, pour moi, le choix s'effectue selon un seul critère : je veux le plus grand. Je ne vois pas pourquoi je me couperais moi-même les ailes. Pas davantage pourquoi je refuserais de m'instruire. Savez-vous que l'idée d'un document – disons un « livre saint » – renfermant une doctrine à découvrir, révélée par un être surnaturel, se retrouve dans la tradition, de l'Égypte à la Mésopotamie, jusque dans l'Inde médiévale et au Tibet ? Tout ce qu'on appelle « religion » part de l'idée d'un contact avec ce que je pourrais appeler une « autreté ». Mais ça ne nous sort pas du réel, bien au contraire. La religion sans la passion de la justice est une contradiction dans les termes. Et ça finit par un échec.

Ghyslain Leroux peut enfin rattraper le micro.

— C'est sans doute ce qui explique l'effondrement de la religion catholique au Québec ?

— Non, son incarnation.

— Pardon ?

— Le christianisme est passé dans le tissu social. Il a été digéré. Comment expliquer autrement ce qui s'est passé ? Sans déclarer une guerre idéologique, juridique ou constitutionnelle, l'Église d'ici s'est sabordée au profit de l'État. Pourquoi des milliers de clercs, de religieuses, de religieux qui avaient consacré leur vie à ce qu'on appelait l'apostolat social – la santé, l'éducation, l'administration – ont-ils cédé leur place aux laïcs ? Comment comprendre que le passage ait pu se faire sans drame sinon en réalisant que les laïcs comme les religieux baignaient dans les mêmes eaux, qu'ils défendaient la même cause ? Une société plus forte et plus juste où chacun pourrait s'épanouir en toute liberté ?

— Vous êtes en train de nous résumer la Révolution tranquille, vous là.

— Révolution ? Vraiment ? Quelle est la différence entre le petit vicaire pointilleux au service de sa hiérarchie et le technocrate rigide encadré par son ministère ? Ce ne serait pas un bonnet blanc troqué pour un blanc bonnet ? Entre le changement et la continuité, le cœur québécois continue de balancer.

— Ce ne serait pas plutôt de la sagesse ?

— Vous trouvez ?

— Enfin, je vous suis mal, là. Où voulez-vous en venir ? Qu'est-ce qu'il vous faudrait ?

— De l'idéal, de la grandeur : un vrai risque. Il ne faut pas s'imaginer que les changements qui prétendent tout arranger par le jeu de l'organisation sont autre chose que des illusions. L'espèce de mollesse qui dégage une impression de malaise insupportable va empirer tant qu'on ne voudra pas se rappeler que si on refuse d'exiger de soi-même le moindre effort, si on n'accepte pas de renoncer à une implacable absence de volonté, si on continue chaque jour à signer une sorte de démission personnelle, incapable du moindre engagement, le gros méchant loup va nous manger.

— Le gros méchant loup ! C'est qui ? C'est qui ? C'est qui ?

Gilbert éclate de rire, content que Ghyslain Leroux l'ait suivi jusque-là.

— Le gros méchant loup qui dort en nous. Les anciens appelaient ça l'avarice : l'avidité, la cupidité, la convoitise, la rapacité, l'égoïsme, la mesquinerie, la petitesse ; bref, la peur. Et c'est là que la comparaison s'arrête. Les loups, en meute, ils s'entraident. Les hommes, en loups, ils se dévorent. Pour arriver à un monde meilleur, je ne peux pas y échapper, j'ai besoin de me rendre meilleur : les deux pieds sur terre, la tête dans les étoiles. Jamais trop grand.

Ghyslain Leroux, vieil indépendantiste que semblent réveiller les propos de Gilbert, se remémore une anecdote.

— Le chanoine Lionel Groulx rappelait la façon originale qu'utilisait un de ses amis pour éduquer les enfants : au premier acte, il faisait mettre ses élèves à genoux sur le plancher, ce qui était l'attitude de l'homme devant Dieu. Au deuxième acte, les élèves se mettaient à quatre pattes, ce qui était l'attitude des Canadiens français de la vieille génération. Au troisième acte, les élèves se dressaient debout : attitude de la jeune, de la nouvelle génération. Madame, monsieur, vous qui m'écoutez, comment décririez-vous notre attitude comme peuple, actuellement ? Sommes-nous debout ? à genoux ? à quatre pattes ? On va d'abord le demander à notre invité, le curé du Mile End, l'abbé Gilbert Fortin.

— Aucune de ces réponses.

— Ah bon ! Quelle position, alors ?

— Couché, peut-être ?

— Couché dans notre tombe ?

— C'est peut-être juste une sieste…

— Croyez-vous que nous nous sommes résignés à notre sort de minorité ?

— La résignation me dégoûte. J'ai été résigné pendant cinquante ans. Je peux en parler en connaissance de cause : c'est pas le secret du bonheur.

Un peu narquois, dans un réflexe de pudeur face à tant de naïveté, l'animateur de radio jette un regard en direction de son metteur en ondes qui lui confirme qu'il dispose encore de deux minutes.

— J'ai à peine le temps pour une dernière question. Alors, allons-y avec une grosse : qu'est-ce que c'est, le secret du bonheur ?

Gilbert s'entête à refuser toute mesure.

— Vivre libre, sous l'œil de Dieu.

Sautant sur les derniers mots, Ghyslain Leroux attaque le deuxième couplet de l'*Ô Canada* écrit par Alphonse Basile Routhier pour la Saint-Jean-Baptiste de 1880.

— « Sous l'œil de Dieu, près du fleuve géant/le Canadien grandit en espérant… »

Gilbert l'interrompt en riant.

— Nous sommes les héritiers du fleuve, monsieur Leroux.

— Canadien ?

— J'aurais bien aimé. Hélas! «Qui trop embrasse mal étreint.»

— Québécois?

— Tout à fait.

— Il nous reste trente secondes. Croyez-vous que la prochaine génération va faire l'indépendance du Québec?

— Non, monsieur Leroux. Ce sont les vieux et les jeunes, maintenant. Comme on dit en Suisse, «il y a le feu au lac». Le Québec s'emplit de nouveaux venus qui ne peuvent franchement pas s'intéresser à ce qui représente notre seule chance de ne pas disparaître. C'est à nous de nous prendre en main, de nous tenir debout, sur le seuil d'un pays appelé Québec, et de leur souhaiter la bienvenue sur toute l'étendue du fleuve.

«Un curé séparatiste et xénophobe». La première page du tabloïd montre Gilbert en face du Signe de Croix. Dans un autre journal, qui se donne pour mission la réflexion politique, un chroniqueur parle du «retour de la Grande Noirceur». À la radio d'État, on consacrera l'émission du midi à la question du rôle de la religion dans la politique. Deux députés libéraux menacent presque ouvertement les autorités diocésaines. Fier de lui-même, l'animateur de radio Ghyslain Leroux accorde des entrevues depuis la veille. Il affirme avoir découvert un nouveau chanoine Groulx ou peut-être même un second curé Labelle. Celui qu'on appelle le «Roi du Nord» a marqué la seconde moitié du dix-neuvième siècle par son implication dans la colonisation des terres nouvelles. Provoquant des réactions controversées, il comptait bon nombre d'ennemis chez les conservateurs. Cependant, des hommes comme le journaliste Arthur Buies s'étaient ralliés à sa cause. Son activité incessante l'avait mené jusqu'à un poste de sous-ministre dans le gouvernement québécois d'Honoré Mercier.

En rappelant ces faits, le journaliste Ghyslain Leroux affirme comme une prophétie qu'on parlera un jour du curé du Mile End dans les manuels d'Histoire du Québec. Jouant le rôle d'Arthur Buies, il cite en exemple sa propre réaction : l'indépendantiste endormi depuis le dernier référendum entend sonner le réveil. Il faut affirmer haut et fort que l'on veut tout simplement une chose normale : un peuple québécois formant un pays nommé Québec. Pourquoi un droit aussi légitime nous est-il nié ? On n'a rien contre les Canadiens et le Canada, mais on ne veut pas se laisser absorber. Le modèle du « melting pot » américain ne nous convient pas. Nous ne voulons pas devenir une des facettes du multiculturalisme canadien. Ghyslain Leroux reprend tous les arguments qu'il a utilisés au cours des deux campagnes référendaires de 1980 et 1995. Une différence majeure se remarque toutefois : il ne parle pas du Parti québécois comme véhicule de l'indépendance. Cette fois, ce sera au Parti à se joindre à une coalition plus large. Comment cela se produira-t-il ? Il est vraiment agacé de ne pas le savoir, mais il reconnaît volontiers ne pas en avoir la moindre idée.

Au Parti québécois, on sourit paternellement. Chez les libéraux, on rigole et à l'ADQ, on baye. À Ottawa, personne n'y croit.

♣

Dans la salle aux douze tableaux du Signe de Croix, on discute ferme, réunis autour d'une immense table – formée de trois grands contreplaqués posés sur des tréteaux – recouverte d'une longue pièce de tissu bleu. Marie-Elphège, Mathilde DeGrandpré, la webmestre Marlène Jardin, le futur chef d'orchestre Tristan-Jacques Messier, les jumelles Dumas, le tromboniste Camil Cyr, les deux dominicains, Jaquelin et Stéphane, et le pauvre Gilbert, un peu pâle, réagissent à tour de rôle au rapport que viennent de déposer le vieux frère Victor et Henri-Charles. Les deux collecteurs de fonds rentrent de Québec les poches bourrées de chèques faits au nom des « Héritiers du Fleuve » ou d'Henri-Charles Lozeau. On ne peut plus compter les petits vieux pour morts. Le frère Victor a senti une joyeuse indignation circuler dans les salles de rencontre de l'âge d'or. Le vieux prêcheur semble rajeuni.

— Ils ont pris leur retraite du travail, pas de la vie ! J'ai beaucoup entendu parler de la peur. Comme prêtre, j'ai essuyé des dizaines de reproches. Il n'y a pas deux solutions : faut reconnaître nos torts. Cette Église n'était pas un corps étranger inséré dans la chair d'un peuple ; cette Église-là, c'était son enfant, son plus raisonnable, son plus prudent, son plus timoré, son aîné qui assumait la responsabilité de la protection des autres, plus jeunes et moins instruits, en croyant qu'il lui fallait porter sa croix. Il n'y avait pas grand place pour la joie. Et c'est ça qu'il faut changer... On a tellement de travail que je ne sais pas trop par où commencer.

Gilbert se sent tout aussi dépassé.

— J'espère que tu ne comptes pas sur moi pour te le dire. Je n'en ai aucune idée. Je ne sais même pas ce qui me prend de m'afficher de cette façon depuis quelque temps. Pour dire toute la vérité, je ne m'étais jamais arrêté à réfléchir aux questions politiques. Je n'ai ni le talent ni l'envie de me lancer là-dedans. Pourtant... comment vous dire ? Ça m'apparaît une évidence. Si les Québécois ne se donnent pas un vrai pays, ils sont voués à disparaître. Comme vous pouvez le deviner, je n'ai pas beaucoup dormi la nuit dernière. C'est pas l'espèce de folie des journaux de ce matin qui va m'apaiser. J'ai essayé de comprendre ce qui m'a conduit à me mêler de cette histoire compliquée de politique nationale. D'après moi, il existe là trois raisons possibles de conflits. La première, c'est la peur de l'étranger, justement parce que c'est un étranger. Il y a déjà un journal qui m'accuse de xénophobie. Mais c'est pas vrai. Ça va vite se savoir. La deuxième concerne les rites : les coutumes, les différentes traditions, les autres mentalités. On a peur des religieux en soutane, des kipas juives ou des foulards islamiques. Loin de me terrifier, ça me semble plutôt réjouissant, comme un éloge de la différence. Alors, quelle est ma raison de croire que le Québec doit devenir un pays ? C'est tellement simple, si fondamental et bêtement concret : pour être la majorité. Il me semble que ça saute aux yeux ! Je ne comprends pas pourquoi on prend tant de détours au lieu de marteler une telle vérité. Je sais fort bien que plein de femmes et d'hommes qui connaissaient infiniment mieux la politique que moi s'y sont cassé le nez. Je ne sais pas ce que je peux faire de mieux que les autres. En réalité, tout comme le frère Victor, j'ignore comment m'y prendre.

Marie-Elphège pose ses yeux clair de lune sur le dernier rapport financier des « Héritiers du Fleuve ». Il prend le document dans sa main valide pour l'agiter fièrement.

— L'argent entre tellement vite sur le site Internet que le gérant de la caisse populaire me traite maintenant en homme d'affaires. Je sais pas quoi lui répondre quand il me demande ce que j'ai l'intention de faire avec autant d'argent. La vraie vérité vraie, c'est que, comme le frère Victor, comme Gilbert, je sais même pas ce qu'il faut faire en premier.

Mathilde DeGrandpré abonde dans le même sens que son vieil ami.

— Au dernier thé des « Westmountaises pour l'indépendance », j'ai encore recueilli une série de chèques plus gros les uns que les autres, comme si les femmes se sentaient en compétition. Heureusement, aucune ne m'a encore demandé de quelle façon les « Héritiers du Fleuve » comptaient utiliser tout cet argent… Pour le moment, bien sûr, tout le monde connaît le « pourquoi », la cause : on sait pourquoi on donne, quoi ! Mais l'exigence d'un plan précis va venir, c'est certain. Personne ici ne semble en mesure de répondre à la question du « comment ». Moi non plus. Par où et par quoi commencer ?

Marlène les rassure.

— On n'est pas dans le feu. Dans les téléthons, le monde donne aussi sans savoir précisément comment on va utiliser l'argent. C'est pareil pour les « Héritiers du Fleuve ». Ils connaissent la cause, ça leur suffit... pour le moment.

Le silence accablant de la misère des riches déploie ses ailes diaphanes pour tourner en rond au-dessus de la grande table improvisée.

Tout autour, sur les murs, les bienheureux encadrés observent la perplexité muette si pleine de bonne volonté.

À neuf heures quarante, un rayon de soleil frappe le grand miroir au-dessus du mot « Vous » et ricoche dans l'œil de Tristan-Jacques Messier. Le mulâtre rempli de talents, le compositeur plein d'imagination, le surdoué préparant un doctorat en direction musicale se lève, inspiré.

— Il nous manque quelqu'un.

Les « quoi ? », les « qui ? » et les « qu'est-ce que tu veux dire par là ? » se bousculent. Comme s'il attendait que les musiciens aient tous accordé leurs instruments, Tristan-Jacques inspire. Dans le silence revenu, il agite la main droite pour battre la mesure.

— Il nous manque un chef d'orchestre, une tête d'organisation.

L'idée rebondit dans la tête d'un des deux alliés dominicains. Le frère Stéphane, le petit musclé, l'enthousiaste inépuisable, connaît beaucoup de monde. La chapelle des dominicains du chemin de la Côte-Sainte-Catherine voit passer des gens de tous les milieux. Plusieurs voisins y possèdent de belles maisons, des gens d'affaires à la retraite habitent un complexe résidentiel pour millionnaires. On fait volontiers baptiser ses petits-enfants par un dominicain célèbre. Des vedettes de la télévision, du théâtre et du cinéma y donnent un dernier spectacle le jour de leurs propres funérailles. Parfois, des parents fortunés viennent y pleurer la perte d'un enfant. Ce jour-là, certains y retrouvent la foi, comme un besoin de consolation et même de réconciliation. Alors, ils deviennent fidèles. On les voit chaque dimanche à la messe de onze heures. Lavée de sa colère par les années de prière, la douleur imprime des rides de dignité sur les visages régénérés. L'enthousiasme inné du frère Stéphane y puise un motif de vocation. Le jeune dominicain souhaite devenir un agent de cette paix. Il lève la main, comme à l'école.

— Je crois que j'ai l'homme qu'il nous faut.

Henri-Charles Lozeau se demande bien pourquoi on ne pense pas à lui. Il ne dit rien pour ne pas s'imposer, mais il entre déjà profondément dans les terres du ressentiment. Ce sera donc toujours pareil? Il s'arrache le cœur et quelqu'un d'autre en profite? Pas cette fois! Ils sont mieux de se réveiller, autrement, ils vont le regretter. Il regarde tout autour de lui; personne ne semble le voir. Il enrage.

11

L'homme marche lentement sur le chemin de la Côte-Sainte-Catherine. Ça sent le printemps. À soixante-sept ans, Gilles Larivière s'éteint lentement, sans envie de secouer les braises pour entretenir le feu. Depuis plus de vingt ans, Gilles Larivière vit branché sur son passé. Il nourrit un gros sentiment d'échec sans s'apitoyer sur son sort. Le 27 juillet 1981, Gilles Larivière a perdu le goût de vivre. Auparavant, le producteur de spectacles le plus important du Québec s'était agité pendant vingt ans afin de bâtir un empire, préparer un héritage pharaonesque pour sa fille. En plus de diriger les carrières des artistes les plus populaires du Québec, il produisait leurs disques, leurs spectacles tout comme ceux de la plupart des artistes étrangers qui mettaient les pieds sur une scène québécoise. L'activité de Gilles Larivière débordait la légalité : il finançait aussi une partie importante du commerce de la drogue. Dans ce dimanche matin orageux de la fin de juillet 1981, sur une route du lac Saint-Jean, l'élan de Gilles s'est brisé au moment où l'arbre de direction de la MGB de sa fille Luane a traversé la poitrine de la jeune femme. Anéanti, le producteur s'en est remis à sa femme Louise. Comme ils habitaient la rue Courcelette, à Outremont, elle avait choisi la chapelle du couvent des Dominicains pour les funérailles de Luane.

♣

Ce jour-là, tout le monde concentrait son attention sur la principale vedette de Gilles, ce Stan Jutras qui partageait l'habitacle de la MGB le matin de l'accident funeste. Dans la grande salle où Louise Larivière recevait les amis et les connaissances ayant assisté à la cérémonie funéraire, personne ne semblait voir Gilles, assis seul dans un coin. Autour de la grande série de tables débordantes de victuailles, on se racontait tout plein d'anecdotes, on palabrait sur la fragilité de la vie et sur l'absurdité de la mort. Parfois, Louise se tournait vers son mari.

— Ça va, Gilles ?

Il acquiesçait d'un signe de tête. Ses proches eux-mêmes s'intéressaient davantage à la jeune vedette miraculeusement protégée. Pourtant, le chanteur avait occupé ce qu'on appelle le siège du mort. Cette injustice tuait Gilles. Il coulait dans son amertume quand une main tenant un verre de vin rouge était entré dans son champ de vision rapproché.

— Tenez ! Je vous l'offre ; c'est vous qui payez.

Sans attendre que Gilles l'y invite, il s'était assis, sans ajouter un mot.

Les deux hommes entendaient la rumeur des conversations. À droite de Gilles, le père Nathanaël buvait lentement le vin rouge. Par mimétisme, Gilles portait le verre à ses lèvres chaque fois que le dominicain levait le sien. Tout le rythme intérieur du producteur en détresse semblait ainsi s'ajuster à celui du religieux qui avait présidé la cérémonie funèbre. Dans cet îlot de silence, au cœur d'un buffet d'enterrement, une amitié venait au monde à petites gorgées.

Les soixante-dix ans du père Nathanaël ne se voyaient pas. Il commençait à peine sa vie de dominicain. L'aventure de son admission au noviciat avait été rocambolesque. Refusé deux fois en raison de son âge et d'une santé chancelante, il s'était entêté à poursuivre le prieur provincial de qui relevait la décision. Il avait finalement eu raison de la résistance du supérieur, qui croyait bien que le temps lui donnerait le dernier mot. Or, pour le plus grand plaisir du responsable de la province lui-même, on avait assisté à une résurrection. L'ancien conservateur du Musée d'art contemporain était passé à travers les études de théologie au même rythme que ses trois jeunes confrères et il lui restait même du temps libre pour jouer aux échecs.

Ordonné prêtre depuis trois ans, le nouveau septuagénaire occupait un créneau qui le distinguait de beaucoup de ses pairs. Il possédait le don de réussir les enterrements. Ses grandes qualités d'esthète jouaient en sa faveur. Les cérémonies respiraient la beauté. Le muséologue connaissait le pouvoir de l'art. L'ancien disciple du Refus Global, le diplômé des Beaux-Arts s'était converti au christianisme de façon plutôt caricaturale. À Paris, des amis l'avaient entraîné à une messe de minuit, un soir de Noël, au début des années soixante-dix. Que s'était-il passé pour que Nathanaël Lamirande se transforme en un nouveau Claudel? Comme l'écrivain qui s'était converti, à demi dissimulé derrière une colonne de la cathédrale Notre-Dame au cours d'une nuit de Noël, Lamirande avait ouvert les yeux sur une autre dimension. Il aurait jugé la situation ridicule s'il ne s'était pas senti aussi bien. Les paroles d'une des premières chansons de Jacques Brel avaient silencieusement envahi la nef du Sacré-Cœur de Montmartre. Le petit Nathanaël de huit ans remontait pour les entendre dans la tête du directeur de musée en vacances: «Dites, dites, si c'était vrai/S'il était né vraiment à Bethléem, dans une étable [...]/Si c'était vrai tout ce qu'ils ont écrit, Luc, Matthieu/Et les deux autres [...]/Si c'était vrai tout cela/Je dirais oui/Oh, sûrement je dirais oui/Parce que c'est tellement beau tout cela/Quand on croit que c'est vrai.»

En sortant du Sacré-Cœur, dans la nuit de Noël parisienne, Nathanaël Lamirande s'avançait déjà sur le chemin qui avait conduit Charles de Foucauld jusqu'au désert en confessant: «Aussitôt que je crus qu'il y avait un Dieu, je compris que je ne pouvais pas faire autrement que de ne vivre que pour lui.»

Pendant le réveillon, entre les huîtres et le homard, Nathanaël riait chaque fois qu'un bout de son cœur de pierre volait en éclats.

Puis il rentra à Montréal, mais l'anticléricalisme primaire des intellectuels de sa génération le provoquait de plus en plus. Pourquoi ne voyaient-ils pas plus loin que le verre de leurs lunettes sales? Lors de la dernière exposition sous sa responsabilité, il avait entendu l'artiste affirmer fièrement: «Moi, je suis une païenne!» Tous les invités s'étaient esclaffés avant de lui faire un triomphe dans un interminable applaudissement. Nathanaël marchait à contre-courant, illustrant les paroles de François Mauriac: «À mesure que le monde retourne au paganisme, le christianisme, lui aussi, remonte à sa source.»

Nathanaël voulait parler, témoigner de ce qui montait en lui. Comment s'y prendre pour canaliser cette énergie qui surgissait, de plus en plus puissante? Il n'en revenait pas de l'aveuglement des gens pourtant si sensibles de son milieu artistique. Le nouveau converti tenait dans sa main un diamant qu'il ne savait pas comment tailler, que son entourage ne voyait pas. Le même François Mauriac rencontrait parfois ces convertis: «Il faut comprendre leur stupeur de ce que personne autour d'eux ne soupçonne l'existence du trésor qu'ils ont découvert.»

Pendant l'été, Nathanaël Lamirande s'était senti appelé. À la mort de sa sœur, la messe de funérailles avait permis à l'imbécile en aube blanche qui présidait la cérémonie de battre le record Guinness du plus grand nombre de conneries proférées en cinq minutes. Pourtant, la propre vulnérabilité de Nathanaël, exacerbée par la peine, permit au nouveau converti d'entrevoir une ouverture. Il devait apprendre à enterrer les morts. Il fallait savoir parler, en ayant d'abord bien écouté. Un souvenir d'esthète avait guidé son choix. Dans la célèbre série télévisée *La Famille Plouffe*, le comédien Guy Provost interprétait le Révérend Père Alexandre, un dominicain. La grande chape noire posée sur l'habit blanc était imprimée dans l'inconscient de l'amoureux de la beauté. Maintenant, depuis son ordination, il enchaînait les enterrements, tout au service des familles endeuillées, disponible pour partager son trésor si quelqu'un l'entrevoyait du fond d'un œil gonflé de larmes.

Cet après-midi de l'enterrement de sa fille, le producteur Gilles Larivière partageait le vin rouge et le silence avec son futur partenaire aux échecs.

♟

Maintenant, depuis plus de vingt ans, deux fois par semaine, ils s'assoient ensemble devant l'échiquier en buvant du porto.

Gilles y trouve une paix sépulcrale. Cependant, en face de lui, le dominicain Nathanaël Lamirande croit à la résurrection des morts. Aujourd'hui âgé de quatre-vingt-treize ans, il semble tout autant affirmer l'éternité de la vie.

Le jeune frère Stéphane admire le vieillard. Le petit costaud connaît l'histoire de Gilles Larivière.

Ce dimanche matin d'avril 2004, il marche à sa rencontre.

♟

Les murs tapissés de cuir ébène créent une impression de richesse, de chic et de bon goût. Le repaire de Gilles Larivière dispose d'un grand écran télévisé, d'un îlot informatique et de larges canapés qui encadrent trois côtés d'une table basse. Du temps de la gloire de Gilles, un artiste qui accédait à ce

saint des saints pouvait y voir une consécration. Depuis la
mort de Luane, le producteur n'y a reçu personne pour une
question pouvant ressembler à une proposition d'affaires.

La veille, le frère Stéphane s'est présenté à lui avec tant
d'enthousiasme et une si énergique envie de convaincre que
Gilles n'a pas trouvé le courage de le renvoyer sans espoir. En
acceptant de rencontrer le curé du Mile End, il ne s'est engagé
qu'à l'écouter.

Vingt-quatre heures plus tard, Stéphane accompagne
Gilbert, Marie-Elphège, le frère Victor et la webmestre
Marlène Jardin chez l'ancien producteur de la rue Courcelette.
Personne n'a pensé à Henri-Charles, qui se promet déjà de le
leur faire payer.

À son grand étonnement, Gilles voit que, comme pour la
conduite d'un vélo, ça ne se perd pas : il sait encore diriger
une réunion, même informelle. Dans le quintette qui envahit
son refuge, personne ne lui déplaît : un bon point en leur faveur. Gilles n'a pas la moindre intention de s'investir dans
quoi que ce soit. Il ne ressent donc aucune tension particu-
lière. Le vieillard tout en bleu arrive même à l'amuser par sa
seule présence. Gilles adore les excentriques. On ne peut pas
donner vingt ans de sa vie au show-business sans aimer les
fous. Le frère Victor l'impressionne depuis longtemps. Quand
le prédicateur s'installe dans la chaire pour commenter l'évangile du jour, le producteur à la retraite retrouve le bonheur
jadis ressenti devant la performance d'un artiste accompli.
Seulement de voir le frère Victor, les poings plongés dans
les poches, sa tête d'aigle animé d'un grand feu, se lancer
dans le vide, sans texte, confiant dans le souffle de l'inspiration… cela seul suffit déjà à procurer un peu de paix à Gilles.
Cependant, il reçoit davantage. La joie profonde qui habite
le frère Victor creuse chaque fois un peu plus profondément dans la peine de Gilles et atténue sa souffrance pendant
quelques minutes. Il lui arrive même de retrouver ses vieux

réflexes et de murmurer, à la fin d'une homélie : «Y était bon en maudit!»

Quant à Marlène Jardin, il s'agit de tout autre chose. Elle atteint le fond secret de Gilles. La beauté de la mère de famille en début de quarantaine lui plante une flèche ardente dans le cœur. Il voit sa Luane toujours vivante. Il imagine les enfants de sa fille installés dans ce bureau pour visionner en sa compagnie une émission de télévision qu'il aurait produite. Une émotion puissante le réveille. Il veut parler avec Marlène, l'entendre raconter leurs samedis matin à la maison, lui décrire la décoration de leurs chambres, leurs jouets préférés. Des questions de grand-père montent en Gilles Larivière. Son intérêt pour Marlène peut ouvrir une porte. Gilbert le sent.

Comme Stéphane a surtout parlé de lui à Gilles, il faut que l'ancien moine agisse en conséquence. Il doit remplir la fonction de chef de délégation.

— Je présume qu'on peut projeter les images de notre site Internet sur votre grand écran?

— Bien sûr.

— Je propose qu'on commence par là. C'est le dossier de Marlène.

Elle sourit à Gilles qui fond.

— Comment dire non à Marlène?

En moins d'une minute, l'émotion de Gilles grimpe d'un cran. Marlène contrôle déjà la situation, car elle maîtrise l'équipement technique avec une aisance qui rappelle au vieil endeuillé l'efficacité de sa fille. Le contenu du site Internet des «Héritiers du Fleuve» manifeste le même talent. L'idée de s'adresser aux vieux stupéfie Gilles. Les vieillards représentent la portion négligée par les mouvements indépendantistes. Depuis les années soixante, on se concentre sur les artistes et les étudiants. On touche peu de gens d'affaires. Les familles débordées par le quotidien n'ajouteront pas un problème supplémentaire en bouleversant un équilibre politique qui se maintient sans provoquer leur intérêt ni susciter de grandes inquiétudes. Québec et Ottawa se chicanent depuis le commencement. On peut même y voir une certaine continuité presque rassurante. Les Québécois croient retirer le meilleur des deux mondes : la Belle Province du «plus meilleur pays au monde». Gilles sait bien qu'il s'agit d'une illusion. Seule une bonne dose d'aveuglement permet de nier l'érosion de la présence française en Amérique. Les plus de six millions de Franco-Américains déjà perdus, le million de Canadiens français habitant le reste du Canada n'arrivant plus à enseigner une langue inutile à leurs propres enfants, la chute dramatique de la courbe des naissances au Québec accélérant la cadence, il faut un sursaut énergique, un renversement des tendances, un bouleversement des consciences pour imposer davantage qu'une prudente résistance par la ruse et la pensée magique. Prendre les vieux par l'Histoire ; oui, l'idée se défend. Intéresser les enfants, créer à l'aide des grandes figures historiques des personnages pouvant servir de modèles, utiliser le fleuve comme emblème… Pourquoi pas ?

Pendant que Marlène poursuit la présentation du site, Gilles Larivière se remet à rêver. La seule présence de la webmestre bat tous les arguments. Marlène Jardin fait du bien à Gilles. Il se demande même déjà comment l'aider. Avec une adresse qui finit de le séduire, Marlène réussit une parfaite bascule d'éclairage à la fin de la projection pour créer dans la pièce une ambiance tamisée favorisant les rapprochements. Sans forfanterie, mais avec l'assurance que produit chez un être talentueux le sentiment d'avoir investi tout son cœur dans son travail, Marlène offre à Gilles un sourire humble et lumineux.

— Voilà.

— C'est du sacré beau boulot, bravo !

— Je vous connais de réputation. Vous allez me faire rougir.

— C'est déjà fait. Vous êtes plus belle qu'une tomate.

La pomme d'amour éclate de rire, entraînant à sa suite la grappe entière des visiteurs en mission chez Gilles.

Il passe les quatre hommes en revue : trois religieux et un vieil excentrique déguisé en « Superbleu ».

— « Cherchez la femme ! » Pour une gang de curés, vous connaissez le tabac !

♣

Gilles a maintenant invité son épouse à se joindre à eux. Louise Larivière incarne l'élégance et le bon goût. Sa fine chevelure bouclée de blonde cendrée encadre un beau visage où une seule ride profonde accuse entre les sourcils harmonieux une grande blessure cicatrisée. Cette petite femme plaît énormément à Gilbert Fortin. Cette Louise Larivière à peine plus âgée que lui représente pour l'orphelin l'image de la mère : une Marie sexagénaire.

Le curé du Mile End se lance donc de bon cœur dans le récit de son cheminement jusqu'au parc Lahaie, parlant de l'état de liberté fébrile dans laquelle il a retrouvé son peuple après plus de trente ans d'absence, de son bonheur de voir son Église débarrassée du pouvoir abusif qui l'avait muée en génie noir, en Antéchrist produisant un contre-témoignage. Il faut maintenant rappeler qu'elle n'est pas que cela. Toute la générosité des milliers de femmes et d'hommes nourris de foi qui ont donné leur vie pour que ce peuple s'enracine ici, il est temps de se souvenir aussi de ça. De plus, il n'y a pas d'un côté les bons Québécois et de l'autre les méchants Canadiens, ou vice versa. Pas question d'être contre qui et quoi que ce soit, mais il faut proclamer l'indépendance comme on affirme une évidence. Promouvoir le courage, le dépassement, la fierté, faire l'éloge de la différence, du respect, de l'ouverture et de l'intégrité. Se lever, marcher seul, prendre le risque de la liberté.

Louise Larivière écoute un Gilbert enflammé dans son col romain. À l'époque, la femme de Gilles représentait le plus grand atout de l'ancien producteur. Avant tout le monde, la reine des dépisteurs du show-business québécois découvrait depuis toujours les nouveaux artistes particulièrement doués. En terminant, Gilbert s'appuie le dos au canapé. Louise ne le lâche pas des yeux.

— Vous êtes convaincant, monsieur l'abbé.

Le ton employé par son épouse pénètre Gilles, provoquant une véritable cardioversion, comme une décharge électrique au cœur, utilisée par le médecin pour replacer le rythme cardiaque d'un patient. La vague franchit déjà la digue quand Gilles pose ses yeux mouillés sur la femme en pantalon noir et chemisier de lin écru.

— Loulou…

— On a-tu trouvé un nouveau fou, mon Guilou?

Elle éclate de rire en voyant enfin son homme au bord des larmes.

Gilles Larivière passe la main sur ses lèvres, se gratte le front, renifle un bon coup.

— Eh bien, ça… J'aurais jamais cru, hein Loulou?

— Quoi?

— Un curé pour faire l'indépendance. Remarque, Bourgault a fini en vieux jésuite laïque entouré de chouchous, d'anciens élèves et de disciples.

Personne n'ose parler. On vit une heure décisive. Louise Larivière sourit. Gilles Larivière renaît. Il marche de long en large, agité. Il se tourne vers Gilbert.

— Savez-vous dans quoi vous vous embarquez? Vous pouvez y laisser votre peau!

— Je n'y tiens pas tellement.

— Vous êtes sérieux, là, vous…

Gilles ne pose pas une question. Il fait un constat effarant. Ce curé sera inattaquable: un incorruptible. Il croit au désintéressement de Gilbert. Il faut pourtant vérifier.

— Pourquoi maintenant? Je veux dire: pourquoi pensez-vous que ce serait possible d'arriver aujourd'hui à faire l'indépendance?

— Parce qu'on est devenu un peuple adulte.

— Bingo! Bonne réponse! On risque tout de même d'avoir un gros problème avec l'argent. Je pense...

Marie-Elphège l'interrompt fièrement.

— Pensez pas! On a de l'argent pour les fins pis les fous... J'exagère à peine.

Gilles s'informera plus tard des détails. Il poursuit autrement.

— Autre question: pourquoi je devrais m'embarquer dans une aventure pareille?

Gilbert monte au filet et frappe la balle.

— Parce que vous êtes l'homme qu'il faut et que vous n'avez aucun intérêt personnel à le faire.

— Faux! Et vrai... Non, je n'ai pas besoin de me lancer là-dedans et je n'en attends rien. Par contre, c'est la première fois en vingt ans que quelque chose me tente. Loulou?

— Moi, j'ai déjà dit oui.

— On dirait bien que moi aussi.

Le frère Stéphane ferme les yeux pour une fervente prière d'action de grâce et aussi pour une prière d'intercession. Oui, les voies de Dieu se révèlent insondables. En tout cas, elles ne suivent pas souvent les autoroutes. On a avantage à conduire un tracteur plutôt qu'une Jaguar. Car on ne les laissera pas bouleverser l'équilibre géopolitique de l'Amérique du Nord sans réagir. Il sait que la séparation de l'Église et de l'État ne constitue que la première étape du processus de purification du pouvoir politique. Où en est la séparation des grandes entreprises capitalistes et de l'État? celle de l'armée et de l'État? Stéphane connaît la mise en garde formulée par l'ancien général américain Eisenhower, à la fin de son mandat présidentiel, au sujet du pouvoir désormais constitué par le complexe militaro-industriel[13].

· Depuis près de cinquante ans, sous la pression du complexe militaro-industriel, le boy-scout américain accélère sa mutation. Les vieilles civilisations à l'origine des principaux mythes de l'imaginaire humain en font maintenant le « grand Satan », surnom donné aux États-Unis depuis la révolution iranienne. Le Québec vit dans le cœur du monstre. Depuis quelques années, le Canada entier vend des morceaux de son âme aux grandes corporations américaines. Le jeune dominicain trouve dans ce puits de questions une source inépuisable de réflexions. Comment éviter la violence ? Il ne suffira pas d'un producteur de spectacles, même le plus habile, pour mener ce peuple à l'indépendance. Seule une rigueur morale fondée sur l'intégrité et le désintéressement pourra affronter par la persévérance les forces réunies de la cupidité, de l'insécurité et de l'indifférence. Stéphane tourne la tête en direction de Gilbert. Le curé du Mile End remplit la première condition : personne jamais ne réussira à l'acheter ; pas à vendre, l'ancien moine. Évident ! La persévérance ? Un séjour de trente-cinq ans dans le même monastère manifeste tout de même une certaine stabilité. Mais pourquoi en est-il sorti ? Comme Mère Teresa ? Pour répondre à un engagement social entendu dans le silence du cloître ? Un homme en mission ? Il faudra vérifier. Du charisme ? Indubitablement. Dans le repaire de Gilles Larivière, on ne voit que lui. Possèdera-t-il le même pouvoir sur les foules ? Au parc Lahaie, ça semblait évident. Son magnétisme s'exercera-t-il à travers l'écran de télévision ? Stéphane comprend où Louise et Gilles Larivière se dirigent. Ils feront une vedette du curé du Mile End.

Gilles interrompt le flux de questions intérieures du jeune dominicain en s'adressant à Gilbert.

---

13. Voir *Dossiers de Gilbert Fortin : Le complexe militaro-industriel*, page 413.

— Avez-vous déjà vu quelqu'un faire une omelette sans casser des œufs?

— Non. Pourquoi?

— Parce que pour l'omelette que vous voulez, l'œuf, c'est vous.

Louise Larivière approuve son mari.

— Au Québec, un curé politicien se condamne au pilori.

Le vieux frère Victor voit les choses autrement.

— Ou à la croix…

Gilles Larivière ne perd pas facilement le sens pratique.

— De toute façon, vous allez finir sur scène. Seul.

Marlène Jardin s'inscrit en faux.

— Non, pas tout seul, jamais. La différence est là. Quand on pousse ses racines assez profondément pour atteindre la couche du fond, on accède à une conscience de solidarité qui exclut l'isolement. L'illusion de la différence entre soi et les autres se dissipe. Je suis Gilbert. Il est moi.

Le vieux frère Victor comprend ce langage.

— Je suis Marlène. Elle est moi. Dans l'échange, j'ai tout de même l'impression de sortir gagnant.

Louise Larivière regarde Marie-Elphège qui ne dit rien.

— Et vous?

— Oh, moi! Je suis un vieux fou. Mais en les entendant, je ne me sens vraiment pas le seul.

Loin d'effrayer Gilles, cette tornade de délire mystique confirme au grand organisateur qu'une force irrationnelle nourrit ces «Héritiers du Fleuve» qui bouleversent sa vie. Par expérience, il sait que seul un être profondément déséquilibré veut se lancer à l'assaut de la gloire. Il faut vouloir combler le vide d'un immense cratère de manque d'amour pour avoir faim du monde entier. Louise donne déjà tout ça à Gilles. Pourtant, ils ont accouché d'un monstre. Leur fille Luane était dévorée par l'ambition dès les débuts de sa courte carrière. Malgré leur peur pour elle, tous deux l'admiraient. Sa mort les a tués, mais ils sont tout de même vivants. Pour la première fois, une énergie aussi forte les atteint. Cependant, il s'agit d'une ambition tout autre. Gilles Larivière n'en revient pas.

— Comme ça, on va libérer un peuple ?

Bondissant du fauteuil, comme si un ressort le poussait au derrière, le Beauceron excentrique tend le poing en riant.

— Lève-toi, Québec !

Gilles Larivière éclate à son tour.

— Oui, « Superbleu » !

Marlène Jardin s'esclaffe.

— Ça va te rester, Marie-Elphège. Oui ! Oui ! On va te créer un personnage sur le site : « Superbleu ».

Tout en riant, Gilles Larivière revient aux choses pratiques.

— Avez-vous un bureau pour moi ?

Les visiteurs se regardent : l'homme ne perd pas de temps.

Mathilde DeGrandpré sourit.

— On va vous en monter un très beau.

Gilles Larivière n'attend jamais.

— Non, non, pas dans quelques semaines : demain.

Gilbert Fortin pense vite.

— Un petit trou, pour commencer, ça pourrait aller ?

Gilles conclut.

— Après tout, c'est l'idée, non ? On veut sortir du trou…

12

Quand Gilles Larivière s'embarque dans un projet, il ne remet jamais son implication en question. Le producteur assume ses choix jusqu'au bout et ne se permet aucune tergiversation. Il a choisi d'assister Gilbert Fortin, jamais il ne le laissera tomber. Toutefois, le curé du Mile End vient de s'associer à l'exigence elle-même. Gilles Larivière va le pousser au bout de ses possibilités, sans compromis.

Il monte la rue Saint-Dominique après avoir tourné à gauche sur Saint-Joseph. Devant l'église, un mendiant fait la manche. Gilles longe le presbytère sur la droite et laisse sa Mercedes noire dans le grand stationnement.

Il marche maintenant vers l'entrée du presbytère.

L'itinérant a remarqué la berline allemande.

— *Hey!* Donne-moé vingt piastres.

Gilles s'arrête et dévisage l'effronté.

— *Hey!* T'auras jamais une cenne de moi.

— T'es *cheap* en tabarnak!

— Tu pues en sacramant!

— Tu sais pas ce que chu capable de faire, toé.

— Toi non plus, mon homme, t'as pas la moindre idée de ce qui pourrait t'arriver si tu m'écœures.

Le pauvre Claude en perd même son agressivité. Cet homme-là lui fait peur: «Un ostie de fou!»

— J'te parlerai plus jamais, toé.

— C'est une promesse, ça?

Par la fenêtre du bureau d'accueil, Gilbert regarde la scène. Il sourit en voyant Claude s'éloigner avec des allures de chien battu.

En ouvrant la porte à Gilles, le prêtre rit.

— Je vois que tu as eu droit au comité d'accueil.

— On peut pas dire que c'est la classe, hein?

— Non! C'est la vie… Tu veux un café?

— Un thé vert, s'il vous plaît. Cinq fruits et légumes par jour, une heure de marche, deux verres de vin… Je veux vivre vieux. On a une grosse job à faire.

Ils entrent dans le grand salon. Une dame âgée les attend. Gilbert fait les présentations.

— Mathilde DeGrandpré, je vous présente Gilles Larivière. Gilles… Mathilde.

— Enchanté, madame… DeGrandpré? Êtes-vous parente avec l'ancien général DeGrandpré?

— C'était mon père, monsieur. Enchantée.

Sous cette courtoisie convenue, un petit courant plein d'humour circule à toute vitesse. Ces deux-là sont faits pour s'entendre. Gilles sait reconnaître les êtres forts. La fille de général repère vite les officiers appelés à de brillantes carrières. Gilles apprécie la fermeté de la main qu'elle lui tend.

— Je crois que vous allez bien vous entendre avec mon épouse.

— Ça ne m'étonnerait pas. C'est probablement une femme de goût.

Mathilde porte une longue jupe noire et un chemisier dont le gris pâle s'harmonise avec ses cheveux roulés en un chignon aristocratique plein d'élégance. Le compliment lui étant d'abord adressé amuse Gilles.

— Venant d'un tel modèle de bon goût, le parfum des fleurs monte encore plus délicatement.

Chacun range son fleuret courtois en riant.

Gilles se réjouit de pouvoir compter sur une fille de militaire haut gradé. Mathilde DeGrandpré pourra éventuellement calmer quelques excités haut placés. En apprenant l'existence des « Westmountaises pour l'indépendance », il croit d'abord à une plaisanterie. Mathilde peut cependant déjà aligner douze noms de veuves. Gilles ne demande pas d'explication. Il comprend la motivation de ces femmes. L'argent ne rend pas tout le monde idiot. Créer un nouveau pays : tout de même, quel beau défi ! Cette pénétration – même timide – d'une couche sociale aussi favorisée constitue une donnée importante. Cela servira à Gilles. Dans ces domaines, son intuition ne le trompe guère souvent.

Mathilde DeGrandpré salue, elle aussi, l'arrivée de Gilles Larivière. La fille d'officier sait que tout tient à l'organisation. Les meilleures idées brouillonnes demeurent des ébauches. Il faut de l'ordre, de la coordination, des structures, un système, un plan de développement, un échéancier, un suivi d'étapes, des moyens importants. La grande amatrice d'opéra pense qu'en termes musicaux on parlerait de bons musiciens, d'au moins une grande vedette et d'un excellent chef d'orchestre. Le maestro se tient devant elle.

L'escalier intérieur du presbytère se remplit de bruits de pas accompagnant des voix rieuses. Mathilde DeGrandpré sourit à Gilles.

— Ah ! Jeunesse...

Le quatuor musical fait irruption dans la pièce. La réputation de Gilles Larivière a traversé l'épreuve du temps. Dans les reportages sur les grands artistes des quarante dernières années, son nom revient plus souvent que tout autre. Sa sortie tragique du show-business ajoute une aura de mystère. Pour Claudine et Claudette Dumas, pas question de savoir le grand homme si proche sans entrer en contact avec lui. Pour Tristan-Jacques Messier, il faut serrer la main du premier producteur de chansons populaires ayant eu l'audace d'utiliser sur un même disque un orchestre symphonique, des musiciens de variétés et un chœur de chant grégorien. En 1981, Gilles Larivière s'est inscrit à jamais dans le livre d'or personnel du compositeur mulâtre en produisant l'album *Hurler* de Stan Jutras, un tout jeune homme monté en flèche au firmament : la grande étoile d'une époque. Un monument de l'histoire artistique du Québec respire le même air que Tristan-Jacques dans le presbytère du Mile End. Camil Cyr ne connaît pas le nouveau venu. Mais quand Tristan-Jacques lui apprend que Gilles Larivière a déjà produit le grand tromboniste de jazz Carl Fontana à la Place-des-Arts, le Saguenayen se lance dans l'escalier à la suite des autres.

Cette jeunesse agit comme un baume sur le cœur de Gilles.

— C'est pas l'image que je me faisais d'un presbytère.

Gilbert éclate de rire.

— Moi non plus.

Les cloches du rire de Claudette Dumas sonnent à toute volée.

— Vous venez faire la révolution, monsieur Larivière ?

— Non, vous la faites ; moi, je l'organise. D'ailleurs, je propose qu'on se mette à l'ouvrage.

Gilbert jette un rapide coup d'œil sur l'horloge.

— Oui, on a une rencontre au Signe de Croix dans cinq minutes.

Chacun des jeunes musiciens souhaite une dernière fois la bienvenue au sexagénaire avant d'être rappelé à l'ordre par Tristan-Jacques, qui connaît par cœur les horaires d'autobus.

— Le 51 passe dans quatre-vingt-dix secondes.

Le quatuor court dans le parc Lahaie en saluant un Claude désœuvré qui tourne en rond sur le trottoir de la rue Saint-Dominique : «C'est ça, riez de moé, gang de chiens.»

♣

Dans la salle aux douze tableaux de la librairie de Marie-Elphège, douze petits vieux s'activent sur les claviers.

Le sourire du bonheur s'avance vers Gilles ; Marlène Jardin lui tend la main.

— Bonjour, monsieur Larivière. Ça me fait plaisir de vous voir.

— Bonjour, Marlène. Je sais bien que j'ai l'âge de ton père, mais je te demande pas de m'appeler papa. Est-ce qu'on peut s'entendre pour Gilles et pour un gros «tu» bien québécois?

— Pas de problème. J'aime autant ça. Y a juste Mathilde. Je ne pourrais jamais la tutoyer.

La belle dame sourit.

— Moi, j'ai toujours vouvoyé mes parents. Alors, je vous comprends.

Marlène rit en revenant à Gilles.

— Vous… tu vois? Elle-même me vouvoie.

L'arrivée de Marie-Elphège, portant un bac à récupération de plastique vert frappé du sigle de la Ville de Montréal où s'étalent trois mots : «Le défi déchets», hausse encore d'une coche la bonne humeur de Gilles.

— Voici «Superbleu» dans «Superpropre»!

Marie-Elphège ne se laisse pas mettre en boîte sans réagir.

— Oui, monsieur. On ramasse tout ce qui peut encore servir. J'ai même récupéré un vieux producteur de spectacles, cette semaine. On le recycle en bâtisseur de pays. C'est «Superbleu» qui vous le dit!

Tout autour, les petits vieux rigolent comme des enfants en récréation.

Ils viennent d'attirer l'attention du nouveau venu.

— Qu'est-ce qu'ils font?

Marlène marche déjà dans leur direction. D'une voix forte, elle présente son équipe.

— À gauche, la section «courriels»; on répond à toutes les demandes de renseignements : Marie, Marthe, Benoît, Juan, Mireille, Jocelyne. À droite, deux sous-groupes. Les mises à jour du site: Denise, Ginette, Jules; les créateurs: Gontrand, Gisèle, Albert. Une équipe le matin; une autre l'après-midi; une dernière en début de soirée… Et ils sont tous meilleurs les uns que les autres.

Gilles n'en revient pas.

— Ça vaut une fortune, ça.

Gisèle Galland, une des «créatrices», s'égaie de voir la tête de la nouvelle recrue. L'ancienne maîtresse d'école occupe déjà une place importante dans l'organisation. Et elle dispose encore d'une bonne réserve d'énergie. Elle éclate de rire et confirme à Gilles que la chance lui sourit.

— Puis on coûte pas une cenne.

Rire général.

♣

— Jérusalem de gériboire, vous venez vraiment de m'embarquer dans une entreprise de fous.

Gilles Larivière retrouve déjà ses tics de langage de producteur. Il examine une carte du Québec criblée de petites croix. La base en forme de flèche indique une communauté masculine et celle se terminant par un plus, un couvent ou monastère de religieuses.

Le vieux frère Victor semble fatigué. Tout de même, il rit.

— Le plus beau, c'est que je connais au moins une personne dans chacun de ces endroits-là. Plus de soixante ans de tournées de prédication, de retraites fermées, de carêmes en paroisse, de neuvaines de la bonne sainte Anne… Je suis passé et repassé partout.

Une semaine après la prise de contact de Gilles Larivière avec les «Héritiers du Fleuve», il achève sa mise à jour des dossiers.

Le vieux frère Victor et Henri-Charles sont rentrés de tournée en début de soirée. En plus d'une impressionnante pile de chèques à l'ordre des « Héritiers du Fleuve », le religieux offre à Gilles Larivière sa propre toile du Québec. De façon désormais anonyme, un réseau solide demeure bien vivant à la grandeur du territoire. Des femmes et des hommes rament toujours dans la barque de l'Église. Un petit reste, oui ; mais une présence réelle dans tous les coins. Après plus de trente ans d'angoisse et d'agonie, ces religieux – passés du triomphalisme à une discrétion proche de l'anonymat – finiront-ils par s'éteindre sans mener à terme la mission à laquelle tant des leurs se sont consacrés : assurer la survie de ce peuple sur cette terre ? Qui est mieux placé que le frère Victor pour leur rappeler la richesse de leur passé ? Qui peut mieux réaffirmer que, pour le chrétien, tout, toujours, finit par ressusciter ? Qui sait mieux, au plus profond de son être, que dans le bateau secoué par une tempête d'un demi-siècle, le Christ tient encore le gouvernail ? Le frère Victor, pressé par l'urgence, devient encore plus convaincant pour les vieux. Aux quelques jeunes qui montent à bord, il rappelle le mot de Paul Claudel : « La jeunesse n'est pas faite pour le plaisir ; elle est faite pour l'héroïsme. »

L'expérience confirme la réflexion de l'ancien postulant bénédictin devenu diplomate et homme de lettres renommé. Les communautés religieuses aux plus fortes exigences s'en sortent mieux que les autres.

Installé dans un bureau provisoire, dans la chambre des visiteurs d'où l'on n'a même pas retiré le petit lit, Gilles Larivière semble entamer sa carrière une seconde fois. Il campera ici pendant quelques semaines, le temps qu'on aménage son bureau à l'étage du Signe de Croix. Mathilde DeGrandpré assume le coût des rénovations sans toucher à l'argent des « Westmountaises pour l'indépendance ». L'édifice lui appartient ; alors, elle paiera. On doit assurer une gestion irréprochable. Des gens d'Église ne peuvent prêter le flanc à la moindre éventuelle critique relative à un conflit d'intérêt financier. Les premières manifestations publiques de Gilbert offrent déjà de belles opportunités aux anticléricaux primaires, tant chez les tenants du Canada que dans les cohortes souverainistes qui n'arrivent à s'unir que pour s'opposer à une menace, réelle ou fictive. Ils adorent manger du curé. L'opposition entre la bourgeoisie, formée d'une partie des membres des professions libérales, et la hiérarchie de l'Église remonte au moins à la conquête du Canada par les Anglais. Exacerbés par l'aventure des Patriotes tombés dans le piège des commerçants britanniques du début du dix-neuvième siècle, par la prise de contrôle de la société par une organisation cléricale tentaculaire, par l'incapacité de l'opposition à s'organiser de façon cohérente, par les condamnations inquisitoriales de certains prélats bornés, les antagonismes semblent rendre impossible la réconciliation de la Croix et du Lys. Pourtant, la croix blanche et les fleurs de lys sur fond bleu représentent le Québec depuis plus d'un demi-siècle. On ne peut pas s'offrir un pareil conflit et accoucher en même temps d'un pays.

Assis dans cette chambre de presbytère aménagée en bureau provisoire, Gilles Larivière qui, avant de devenir producteur, a travaillé pour Hydro-Québec, discute au sujet d'une carte du territoire déterminant un réseau de religieux, en compagnie d'un vieux prédicateur et d'un autre prêtre à peine plus jeune que lui, le curé du Mile End.

Gilles doit évaluer la filière possible.

— Tout ce monde-là dispose d'Internet ?

Dans sa fatigue, le frère Victor sourit de l'ignorance de Gilles.

— Bien sûr ! Il y a là une partie importante de celles et de ceux qui ont instruit le Québec. Tout ce monde-là a toujours été curieux, Gilles. Et puis, ils ont rien que ça à faire, se renseigner. Ce sont les meilleurs qui sont restés… et les pires. Mais bon, on dirait bien que tous les corps doivent nourrir des parasites. Gilles, mon cher Gilles, il y a là-dedans des femmes qui s'y entendent aussi bien en affaires que beaucoup de tes amis producteurs.

— Ça, c'est pas difficile…

— En plus, dans la presque totalité des cas, elles sont honnêtes.

— Là, c'est pas pareil…

— Qui plus est, dotées d'une conscience sociale et d'un souci environnemental ; c'est en partie ces femmes-là qui sont à l'origine du mouvement d'investissement responsable.

— Mais ça fait pas de vieux os à la Bourse de Toronto.

— Justement, elles s'en rendent compte. Vois-tu la porte que ça ouvre ?

Gilles voit. Gilbert s'anime.

— Il faut offrir un projet, Gilles. On s'imagine que l'Amérique, c'est les États-Unis, le Canada, le Mexique et quelques pays mal pris. Le continent américain, c'est trente-deux États. Alors, pourquoi pas trente-trois ? On pourrait pas se prendre en main comme l'Uruguay, le Venezuela, la Jamaïque, le Honduras ? Même un peuple comme les Haïtiens, aussi mal gouverné qu'il puisse l'être, ne voudrait pas renoncer à l'indépendance. Une île remplie d'esclaves a réussi sa libération, Gilles. Dans le trouble, mais chez eux. On ne peut pas imaginer qu'un jour il n'y aura plus d'Haïtiens. Est-ce qu'on peut honnêtement affirmer que dans cent ans, au rythme où vont les choses, le Québec ne sera pas une nouvelle Louisiane ? C'est maintenant que ça se passe, Gilles. De Lennoxville à Saint-Benoît-Labre, elles sont pas folles, les sœurs dans leurs couvents. De Dolbeau à Marieville, ils sont pas fous, les frères. Le Canada, tel qu'il existe aujourd'hui, nous mène à l'extinction. C'est bien ? C'est mal ? Non ! Simplement un fait. Écoute, Gilles Larivière. Moi, Gilbert Fortin, un Québécois qui ne connaît même pas son père ni sa mère, qui ne se sait aucune famille, je refuse de nous voir crever. Le Québec ne va pas « péter au frette », comme on disait dans mon enfance.

Gilles Larivière et le vieux frère Victor reconnaissent déjà l'arbre dans la graine qui germe ce soir dans le modeste cabinet de travail transitoire. Il faut passer à l'attaque, lancer

Gilbert à l'assaut des foules, organiser une véritable mission de sauvetage, stimuler la conscience de l'urgence de la situation, de la proximité de l'échéance. Il faut sonner le réveil: Gilbert leur rappelle qu'il reste dix ans, peut-être même pas. La démographie parle d'elle-même. Ou bien ce peuple aura le courage de s'affirmer comme nation, dans tous les sens du terme, ou bien il s'écroulera.

Pourquoi Gilbert Fortin ressent-il aussi profondément la douleur du mal qui ronge l'âme de son peuple? Qui de mieux placé que cet enfant abandonné pour offrir à ses pareils un cœur brisé s'obstinant à battre, où ils pourront se reconnaître? Brûlé jusqu'au fond de l'âme par le fer rouge de la religion, sans ambition personnelle, instruit, rationnel, méthodique, intense, manifestement éloquent, éclairé d'une lueur mystique qui fascine, Gilbert Fortin réunit les plus belles qualités de Louis Riel, sans manifester le déséquilibre du martyr de la révolte des Métis de l'Ouest canadien pendu à Regina le 16 novembre 1885. Le paria d'alors, devenu aujourd'hui un héros, s'était touché la poitrine au cœur, avant de mourir: «Je n'ai, pour tout bien, que ceci et je l'ai donné à mon pays...»

Gilbert sent le regard des deux hommes. Il sait où il va.

— Dix années, mes amis. C'est tout ce qui nous reste.

Le vieux frère Victor grimace.

— Je sais pas si je pourrai tenir jusque-là: quatre-vingt-quinze ans...

Gilles s'avance.

— Va falloir que vous *toffiez*. On a besoin de vous.

Le vieillard semble subitement accuser son âge.

— On a un problème...

On attend la suite qui vient péniblement.

— On a perdu Henri-Charles... et une poignée de dollars.

On explique à Gilles ce que faisait Henri-Charles. Le producteur ne perd pas de temps.

— On peut rien faire… surtout pas le poursuivre. On va pas semer la panique parmi les donateurs.

Le frère Victor s'inquiète.

— J'aime pas ça.

Gilbert en rajoute.

— Moi non plus.

Gilles ferme le dossier.

— Écoutez. Disons qu'on lui paie son salaire, c'est tout. Si on peut pas gérer entre nous une question aussi simple qu'une défection, autant abandonner tout de suite.

♣

Ce soir-là, en se couchant, Gilbert pressent une nuit agitée. La fatigue l'accable à l'avance. Il voit bien ce que Gilles Larivière prépare. Il le fera parler, parler, parler.

Le problème ne concerne pas l'argumentation. Il ne pourra que répéter ce que disait déjà au dix-neuvième siècle le journaliste Jules-Paul Tardivel à ceux qui rêvaient d'une co-habitation dans la Confédération canadienne: «Une minorité de quarante pour cent gouverne difficilement un pays.»

À vingt-trois heures, Gilbert ne dort toujours pas, la tension nerveuse le tenant éveillé. La trahison de Henri-Charles le désole. Un peu frileux, il se lève et se rend à la fenêtre. Dans le parc Lahaie, le vent agite les arbres. Il vit dans le Mile End depuis plus de six mois déjà. Tout va si vite et pourtant, il garde l'impression étrange que rien n'avance. Comment peut-on se laisser mourir sans réagir? Assis à sa table d'écriture, il ouvre son journal[14].

Levant la tête, il laisse flotter son regard un moment.

Sur un banc, le pauvre Claude gesticule. Un conflit terrible l'oppose à l'Homme invisible. Il lui hurle ses récriminations. Claude poursuit maintenant l'adversaire jusqu'à l'abri

---

14. Voir *Journal de Gilbert: Tardivel*, page 437.

d'autobus, au coin de Saint-Joseph et Saint-Laurent. L'ennemi s'y réfugie. Claude ne se contentera pas de demi-mesures. Il faut détruire le repaire de l'Homme invisible. Le vengeur recule à toute vitesse jusqu'au milieu du boulevard Saint-Joseph afin de mieux foncer sur l'antre de la bête dissimulée dans une autre dimension. Le vagabond s'élance. Au même moment, un hurlement sauvage monte pour le terrasser d'effroi. Au milieu de la rue, le psychotique hallucine devant les phares lumineux de la voiture de police. Deux jeunes gens en uniforme braquent sur lui de longues lampes de poche en forme de matraques. Le malheureux désigne l'abri.

— Y est là. Amenez-le en dedans! Il m'a volé mon vingt piastres, l'ostie de sale. Il se cache.

Claude s'élance sur l'abribus.

— Tu vas aller au poste, mon tabarnak. Envoye, donne-moé mon vingt piastres.

Sans s'énerver, le couple de policiers rejoint le pauvre type. Ils le connaissent depuis longtemps: il vaut mieux ne pas le contredire. Le grand policier noir se tient maintenant à portée de matraque de l'itinérant.

— Il veut pas te rendre ton argent?

Claude n'en revient pas: un allié vole à son secours.

— Ouais, y a mon vingt piastres, le tabarnak de chien.

La trentenaire aux hanches fortes et au . cou puissant abonde dans le même sens que son collègue en appuyant le malheureux.

— Tu devrais porter plainte.

Claude éclate d'un grand rire hystérique en direction de l'Homme invisible.

— Ouais, c'est ça! M'en vas porter plainte, mon tabarnak.

Le policier embarque dans le jeu en engueulant le voleur invisible.

— Tu veux pas lui redonner son vingt piastres? O.K.! Tant pis pour toi! On s'en va au poste pour enregistrer sa plainte, puis on revient.

Le doute saute sur le sans-abri.

— C'est-y sûr ça, qu'on revient?

La policière le rassure.

— Bien voyons donc! Tu reviens pas tout le temps ici, toi?

— Hein? Ouais… c'est vrai. Mais lui, s'il se sauve?

Marchant en direction de l'auto, et déclenchant un effet d'entraînement qui agit sur le plaignant, le grand Noir rigole.

— Où est-ce que tu veux qu'il se cache de toi? Il va être invisible partout. Facile à trouver.

La portière arrière de la voiture se referme sur l'enfant perdu. Les policiers entrouvrent les vitres du véhicule avant de démarrer. Ils espèrent que l'aliéné acceptera de passer sous la douche et de changer de vêtements. On le conduit à l'urgence psychiatrique où les médicaments l'apaiseront pendant quelques heures. On ne peut rien d'autre.

Gilbert sait tout ça. Un lourd sentiment d'impuissance ajoute son poids de déprime à la fatigue. Dans le parc Lahaie, l'Homme invisible souffle insolemment sur la tête des arbres.

En frissonnant, Gilbert s'abrie jusqu'au cou. Il faut prier. Il y arrive de plus en plus mal: «Dieu, viens à mon aide. Seigneur, viens vite à mon secours.» Gilbert craint parfois de s'adresser à Dieu comme Claude parle à l'Homme invisible. Claude et Gilbert, aussi esseulés l'un que l'autre, vivent-ils uniquement dans leur tête? Claude, à la recherche d'un billet de vingt piastres inexistant, et Gilbert, en quête d'un pays pour le moins improbable, se mirent peut-être tous deux dans le même miroir aux alouettes?

Allongé, la nuque tendue, le bas du dos bloqué par un début de sciatique, Gilbert tient les yeux fermés, mais reste attentif à l'air remontant de son diaphragme pour soutenir les battements réguliers du sang dans son crâne. La conscience de son ignorance l'accable. Pourquoi réussirait-il là où des générations se sont relayées dans la course à l'échec? La respiration du curé du Mile End ralentit enfin. Juste avant de s'endormir, il ressent l'impression du malade en salle d'opération, à l'instant où il s'abandonne à l'anesthésie : une soumission à la fatalité.

Au couvent dominicain, dans la chambre 67, Henri-Charles Lozeau se ronge les ongles. Pour la première fois de sa vie, il a commis un vol. Les quelques milliers de dollars le torturent. Il se sent tellement seul, si injustement ignoré par ses alliés. Personne ne reconnaîtra donc jamais ses compétences ? Il essaie de se justifier. Non, il n'a pas volé : « Je me suis payé, pas plus. » Tout ce temps consacré gratuitement aux « Héritiers du Fleuve » pour voir la place qui lui revenait prise par un sexagénaire issu du show-business, c'est révoltant ! Si c'est ça, leur Québec libre, ils vont trouver quelqu'un sur leur route.

DEUXIÈME PARTIE

1

Quel bonheur! Près d'un an plus tard, le dimanche des Rameaux 2005, le 20 mars, en ce début du printemps, les songes reviennent. Cette conscience de vivre un rêve n'enlève rien à l'importance de ce que Gilbert ressent. Il ne dévalorise pas le sommeil, pas davantage la vie onirique qui constitue une réalité tout aussi crédible que l'état de veille. Le dormeur retrouve avec un infini plaisir la lumière verte qui le plonge dans un songe tout neuf. Il ne s'agit pas d'une suite, mais d'un tout autre commencement. Dans les rêves, on naît, on meurt, on peut même ressusciter… Le lendemain du songe, Gilbert effectuera une longue recherche pour clarifier une période de l'Histoire qui semble pour le moins obscure[15].

Au fond du petit lit de sa chambre de curé du Mile End, Gilbert Fortin rêve. Il le sait.

Dans son sommeil, il ouvre les yeux pour voir sa propre main refermer un guichet de bois[16]…

À cinq heures trente-cinq, le curé du Mile End ouvre les yeux. Chargé de questions et plein de vie, il s'étire dans son lit.

— Oh! Que j'ai bien dormi.

Le retour des songes le réjouit.

---

15. Voir *Dossiers de Gilbert Fortin: Autre point de vue sur 1837-1838*, page 415.
16. Voir *Le Révisionnisme onirique: Séquence 6*, page 377.

Quand il entre dans la cuisine du presbytère, le frère Victor discute calmement en compagnie de l'ancien curé Lionel Bolduc. Gilbert se sert un café avant de s'asseoir avec eux. Cette vie paroissiale lui plaît. Cependant, les offices monastiques lui manquent.

— J'aurais bien envie de chanter les laudes, ce matin.

Le frère Victor s'amuse.

— Ne t'inquiète pas, tu vas passer la journée dans une église.

Grâce au frère Victor, la rencontre diocésaine de la Journée mondiale pour la jeunesse va peut-être permettre à Gilbert de franchir aujourd'hui une nouvelle étape. Plusieurs centaines de jeunes s'assembleront cet après-midi dans la crypte de l'oratoire Saint-Joseph pour une catéchèse suivie d'une liturgie de la Parole avant de descendre de la montagne jusqu'à la cathédrale Marie-Reine-du-Monde. L'archevêque de Montréal les y attendra. Quand les responsables de l'événement ont voulu s'assurer les services du vieux prédicateur dominicain qu'ils aiment, le frère Victor a tout de suite pensé à Gilbert : il faut le mettre en contact avec cette jeunesse.

Le vieux frère Victor sait-il qu'il offre, en ce dimanche des Rameaux, une garde rapprochée à Gilbert ? Le lendemain de la fête de saint Joseph, cette JMJ diocésaine, célébrée sous le thème « Le Christ au cœur du monde », ne restera pas ignorée.

Dans la crypte de l'Oratoire, Gilbert prend feu devant plus d'un demi-millier d'adolescents et de jeunes adultes. La fresque historique de l'aventure de la Croix française plantée sur les rives du Nouveau Monde que brosse le curé du Mile End prend des airs de défi à relever.

— Au début du vingtième siècle, cet Oratoire sur la montagne a rassemblé autour d'elle un peuple entier. En ce début de vingt et unième siècle, repartons d'ici: injectons dans le sang de ce peuple en voie de libération l'énergie d'une jeunesse québécoise pleine de confiance et d'ardeur. Nos ancêtres ont puisé ici de la force. Pour ne pas disparaître, les Québécois ont besoin vous! Pour ne pas mourir, le Québec a besoin de toi! Que cette force soit avec vous! Que la force soit avec toi!

Une vague enthousiaste emprunte ensuite le chemin de la Côte-des-Neiges en direction du centre-ville. Entre les chants catholiques, on entend des groupes scander: «Le Québec aux Québécois». On ne sera pas content à l'archevêché en apprenant cela.

Chargés d'encadrer une innocente procession religieuse, les policiers se regardent, incrédules. Sur la chaîne du trottoir, un trio surveille la manifestation. Henri-Charles Lozeau observe Jude Aubin, que Ben Laporte pousse du coude.

— Judo, ostie toastée, tu dis rien?

HC appuie Ben.

— Fais de quoi, Judo!

Le petit bonhomme révolté s'approche de l'officier de police responsable de la sécurité publique. Il voit tout de suite que l'autre enrage aussi. Alexandre Lebœuf posera la bonne question aux bonnes personnes: «Qui mélange les cartes de la religion et de la politique?» Judo lève la tête en direction du géant blond.

— Ça a-tu du bon sens!

Un courant de sympathie circule entre les deux hommes.

♣

La cathédrale Marie-Reine-du-Monde déborde. Plusieurs centaines de jeunes doivent s'asseoir par terre. Le comité responsable de la liturgie utilise toutes les ressources du temple. Aux quatre coins, les estrades surélevées accueillent des musiciens et des chœurs. Des comédiens amateurs jouent le Dernier Repas où un jeune prêtre barbu, vêtu de rouge, incarne le Christ venu mourir et ressusciter au cœur du monde. Les vieux prêtres retrouvent leurs yeux d'enfants du matin de Noël. En bon moine qu'il restera toujours un peu, Gilbert a proposé qu'on termine la cérémonie sur un moment d'adoration soutenu par des chants monastiques.

La grande nef plongée dans la pénombre concentre toute son attention sur l'unique faisceau lumineux qui encercle un ostensoir portant l'hostie consacrée où le croyant voit « le Christ au cœur du monde ». À la fin de l'oraison chantée, pendant que l'or de ce qu'on appelait autrefois la monstrance se reflète dans l'œil de chacun des adorateurs, un silence impressionnant confirme à un Gilbert transporté qu'on vit un de ces instants que l'on appelle l'état de grâce.

Quand on y a goûté, on ne veut plus s'en passer. L'élan mystique battrait-il toutes les drogues à plate couture ?

À la suite de l'événement, les laudes inaugurées par le curé du Mile End dans son église depuis le début d'avril remportent déjà un joli succès.

En ce bon matin de printemps, de chaque côté du chœur, une trentaine de personnes s'appuient sur les jumelles Dumas, dont les voix justes et puissantes gardent la prière chantée dans la bonne tonalité.

Puis, comme chaque jour où il se pointe à la prière, Gilles Larivière sort le premier, déjà prêt à foncer au travail. Ses irruptions sur le parvis de l'église provoquent toujours la fuite de ce pauvre Claude, qui l'identifie au Bonhomme Sept Heures... du matin.

Il progresse, Gilles Larivière.

Le milieu du spectacle se réjouit de le savoir de retour, surtout dans un rôle où il ne fait pas concurrence aux producteurs installés sur le terrain devenu disponible après son départ au début des années quatre-vingt.

De le voir consacrer un si grand talent à une cause aussi désintéressée donne à chacun le goût de l'aider. Ce sacré Gilles ouvre encore une fois la route. Son alliance avec les curés confirme à plusieurs que la religion demeure bien pratique pour donner une raison de vivre à celui qui porte un trop grand deuil. Toutefois, quand Gilles présente le curé du Mile End à ces sceptiques si sûrs d'eux-mêmes, il s'amuse à les voir confondus.

♣

— Y a juste toi pour l'animer, Ghyslain.

Gilles Larivière prépare le 24 juin. Il discute avec Ghyslain Leroux, l'animateur de radio converti à la cause de Gilbert Fortin.

Derrière ses grosses lunettes noires, sous sa vieille casquette des Expos, Ghyslain Leroux remonte l'avenue du Parc dans sa voiture décapotable ouverte au soleil de fin d'avant-midi. Cependant, pour celui qui se voit dans le rôle que jouait Arthur Buies auprès du curé Labelle, le roi du Nord, quelque chose ne va pas.

— Je veux bien, mais je n'y crois pas, Gilles. T'as pas les moyens pour te faire voir. Le parc Lahaie, ça va rester une fête de quartier, pas plus importante que la rue Saint-Viateur. À côté des plaines d'Abraham et du show du parc Maisonneuve, on fera pas le poids… De toute façon, j'arrive. On va se parler entre quatre yeux.

Ghyslain, le téléphone cellulaire à la main, conduit sa nouvelle Saab 9-3 Cabriolet, un bijou de voiture suédoise. Ghyslain Leroux jouit de la vie.

Le fou des ondes pourra-t-il enfin faire connaître un peu mieux le curé du Mile End? Il n'a toujours pas trouvé la bonne porte pour lui ouvrir l'espace public. Pour une fois que se présente une personnalité forte et désintéressée, on ne doit pas rater l'occasion. Il s'agit peut-être de la dernière. Les statistiques le hurlent: notre poids démographique chute d'année en année.

Ce mardi 26 avril 2005, l'air de Montréal sent le printemps.

— Je suis là dans cinq minutes, Gilles. Laisse-moi regarder les filles qui rentrent de McGill par la montagne. Je vais assimiler les Anglaises une par une.

Grand homme à femmes, le beau parleur referme le combiné sur les salutations de Gilles.

♣

En compagnie de Marie-Elphège, de la webmestre Marlène Jardin, de Mathilde DeGrandpré, présidente des «Westmountaises pour l'indépendance», du nouveau docteur en direction d'orchestre Tristan-Jacques Messier et du vieux frère Victor, Gilbert écoute Gilles Larivière confirmer la participation de Ghyslain Leroux au projet d'animation du 24 juin au parc Lahaie. L'animateur de radio exprime sa réserve.

— On a un malaise.

Personne ne réagit. On sait que Ghyslain Leroux va enchaîner.

— Je ne vois pas comment on peut se démarquer.

Marie-Elphège participe à ces fêtes du parc Lahaie depuis plusieurs années.

— On peut pas; c'est impossible. Déjà, que Ghyslain Leroux accepte d'animer la soirée, c'est un gros gros plus.

Flatté, Ghyslain Leroux n'en perd pas pour autant le jugement.

— J'aurais beau danser en collant rose avec un tutu bleu puis une fleur de lys en tôle dorée sur la tête, ça resterait une fête de quartier.

Gilles Larivière ajoute encore une couche de déprime.

— J'ai du mal à trouver des gros noms. Tout le monde est déjà *booké* depuis l'année dernière. Je vais vous dire, ce serait plus facile d'organiser la fête du Canada.

Gilbert, qui mijote son plan depuis plusieurs semaines, voit enfin s'ouvrir la porte qu'il attendait.

— C'est ce qu'on va faire.

Pas de « pardon », de « quoi », de « hein »… juste le silence que l'incompréhension épaissit pendant que Gilbert sourit comme un enfant espiègle.

— Le 1er juillet, c'est la fête du Canada, mais c'est aussi le jour du déménagement pour bien du monde. On va organiser un déménagement: le Québec déménage du Canada.

Gilles Larivière éclate d'un rire qu'il n'a pas entendu monter de son ventre depuis près d'un quart de siècle.

— Jérusalem de gériboire, ça prend juste un curé pour être aussi tordu.

Ghyslain Leroux frappe la table à coups de casquette des Expos.

— On va avoir la ville à nos pieds.

Le frère Victor commence à saisir le mode de fonctionnement de Gilbert. Depuis plus d'une année qu'il le regarde évoluer, il le voit prévoir au moins un coup d'avance, à la manière des joueurs d'échecs.

— Qu'est-ce que tu créerais comme événement?

Gilbert se lance.

— Bon! Le 1er juillet, c'est un vendredi cette année. Je prendrais toute la fin de semaine… un peu comme le Vendredi saint, le Samedi saint et le dimanche de Pâques. On pourrait offrir une grande fresque historique sur trois jours. Le vendredi, la Nouvelle-France avec les débuts, les promesses, les trahisons de la France, notre bêtise et nos bons coups avec les autochtones, les conflits avec les colonies du Sud… jusqu'aux plaines d'Abraham où Montcalm meurt sans que tout le peuple en fasse autant. On ferait déjà percevoir la résurrection dans une veillée aux flambeaux. Puis, le samedi, on veille le corps: entre la Conquête de 1760 et le début de la Révolution tranquille. On passe à travers l'Acte de Québec de 1774, puis 1791, les Patriotes, l'Acte d'Union, la Confédération où, chaque fois, on se fait de plus en plus f… berner, devenant de moins en moins nombreux d'un océan à l'autre, tout en sortant lentement de notre ignorance impuissante. Puis, dans la nuit, on enchaîne les premières grandes réalisations à partir d'Hydro-Québec, en passant par l'assurance maladie, la Caisse de dépôts, la loi 101; des étapes comme la défaite référendaire de 1980 avec quarante pour cent des voix, l'échec de l'accord du lac Meech en 1987, la défaite du second référendum avec plus de quarante-neuf pour cent des voix en 1995… On finit par une promesse de résurrection. Le dimanche, on organise une super méga fête où le Québec proclame son indépendance. Le dimanche 3 juillet, on invite Gilles Vigneault, Mes Aïeux, la Bottine Souriante, les Cowboys Fringants, Gregory Charles, on ressort Diane Dufresne, on ressuscite les Colocs avec les frères Diouf. Et Tristan-Jacques nous monte une vraie fanfare pour prendre la tête d'une belle parade qui va emprunter le boulevard Saint-Joseph jusqu'à l'avenue du Parc pour aller rejoindre les tam-tam au pied de la montagne. On va tous les ramener en créant un immense scandale. On fait pas d'omelette sans casser des œufs? Entendu. Je propose qu'on casse la douzaine d'un seul coup.

Le frère Victor vient de se raviser: «C'est pas un coup d'avance qu'il a, c'est douze.»

Mathilde DeGrandpré a l'impression de participer à l'une de ces réunions d'état-major dont son père avait le secret. Marlène Jardin cherche des moyens d'exploiter tout ça sur Internet. Marie-Elphège se voit avec bonheur dépassé par un plus jeune et plus fou que lui. Tristan-Jacques Messier griffonne des noms de musiciens dans son cahier de notes. Ils vont s'amuser comme des enfants en jouant à la fanfare.

Ghyslain Leroux ne tient plus en place.

— Y a-t-il quelqu'un qui a du chocolat? Je pense que je vais faire une baisse de sucre. J'ai jamais été aussi énervé depuis mon quatrième divorce.

Gilles Larivière lance une tablette de chocolat Toblerone bourrée de miel, d'amandes et de nougat en direction du journaliste.

— Jérusalem de gériboire, Gilbert. J'ai pas vu aussi ambitieux depuis vingt-cinq ans. J'ai trouvé le nouveau nom pour ton Québec indépendant: la Mégalomanie.

Le vieux frère Victor se demande si Gilles Larivière vient de débarquer.

Le grand rire de Marie-Elphège cache aussi une grosse crainte.

— Venant d'un peuple né pour un petit pain, ce serait une vraie résurrection, ça.

Les deux vieux se regardent, incertains. Non, le projet ne manque pas d'ambition.

Gilbert renvoie la balle à son ami producteur.

— Quelle est la patronne de la Mégalomanie? Notre-Dame de l'Efficacité, dont le représentant sur terre se nomme Gilles Larivière.

Le grand organisateur ne remet pas son engagement en question à tout moment. Quand il dit oui, c'est oui. Il passe maintenant aux choses sérieuses.

— O.K., qui fait quoi? Quand? Comment?

Tristan-Jacques lève sa grande main gauche chocolat au lait.

— La fanfare, pas de problème. J'aurai jamais eu autant de fun depuis l'école, quand je pétais la gueule aux petits gars qui me traitaient de nègre.

♣

Ghyslain Leroux se lance dans une campagne de propagande radiophonique comme lui seul en a le talent et les moyens. Les lignes ouvertes s'enflamment. On s'engueule. On rit à gorge déployée du coup fourré qui prend les organisateurs de la fête du Canada par surprise. En fait, on parle déjà davantage du week-end du Mile End que du spectacle dans le Vieux-Port. En réaction, un même mépris condescendant semble réunir les divers partis politiques fédéraux, du plus rouge au plus bleu. Quant aux souverainistes, quelques remarques paternalistes résument leur suffisance : le retour des catholiques... vraiment ! Il y a de quoi rire ! Même pas méchamment...

Depuis la fin de mars, à la suite de la JMJ diocésaine, la troupe des jeunes qui participent aux laudes a fait des petits. Ils forment maintenant un groupe d'intervention artistique. À quarante, le GIA ne manque pas de ressources pour secouer l'indifférence.

Chaque soir, pendant les mois de mai et de juin, le sous-sol de l'église Saint-Enfant-Jésus ressemble à une fourmilière. Gilbert se voit dans l'obligation d'ouvrir aussi l'église. La fanfare de Tristan-Jacques, où le tromboniste Camil Cyr se lance dans des improvisations d'un style jamais entendu pour ce genre de musique, alterne avec la chorale des petits vieux dirigée par les jumelles Dumas.

Marie-Elphège, alias Superbleu, prépare des capsules d'information historique à propos des divers personnages exposés sur les murs de la salle aux douze tableaux, dans lesquelles il exalte leur courage, leur abnégation. Il lance aux internautes le défi d'en faire autant. Marie-Elphège remporte un énorme succès dans son personnage de Superbleu. On sait enfin d'où lui est venue l'idée de cet accoutrement. Il ne l'enlèvera que le jour de l'indépendance du Québec. Il le porte comme une protestation permanente et muette. Sous son allure farfelue, on découvre un impressionnant spécialiste de l'Histoire du Québec « de ses origines à nos jours », pour reprendre l'expression consacrée.

Le groupe de jeunes comédiens issu de la JMJ de mars 2005 puise au Signe de Croix les anecdotes historiques qui apportent à leur fresque théâtrale un « je ne sais quoi » d'authentique qui accrochera les spectateurs.

Aussitôt qu'il profite d'un congé, Matthieu Guérin, le mari de Marlène Jardin, s'amène en compagnie d'un ami policier de sa promotion. Muni d'une caméra, Alexandre Lebœuf filme des bouts de répétition avant de passer au Signe de Croix pour enregistrer des images de l'activité incessante dans la salle aux douze tableaux, où les vieillards et les enfants jouent dans la même cour.

La baisse de consommation de médicaments antidépresseurs n'effraie plus les responsables des maisons de retraite du boulevard Saint-Joseph. Même dans les premières chaleurs, on voit des vieillards engloutir avec appétit les vichyssoises et les gaspachos, les sandwiches aux œufs, les pains fourrés au jambon haché et les petites quiches au fromage. On mange mou, mais on travaille dur... et on rit fort !

Les policiers Matthieu Guérin et Alexandre Lebœuf circulent en toute liberté, caméra à la main. Leur statut de lieutenants de la police de Montréal facilite l'accès à bien des lieux où les autres devraient montrer patte blanche et lettre d'autorisation.

Le soir, en rentrant chez lui, le lieutenant Alexandre Lebœuf copie tout le matériel filmé afin de se créer des archives personnelles dont personne ne soupçonne rien.

Depuis un mois, la rumeur circule sur Internet : le site des
« Héritiers du Fleuve » pète le feu.

Sur tout le territoire québécois, les salles d'ordinateurs
des clubs de l'âge d'or, des bibliothèques municipales et des
nombreuses résidences pour personnes âgées restent bran-
chées sur www.heritiersdufleuve.com. Des vieillards demandent à leurs petits-enfants de les initier à l'informatique. À
plusieurs endroits, on parle de former des chorales. Certaines
vieilles religieuses ressortent les cahiers de la Bonne Chanson.
On n'enterrera pas les vieux encore vivants.

Malgré une fatigue grandissante, le frère Victor accepte
toutes les invitations. Il connaît dans son entier le réseau
d'autocars du Québec. En deux mois, il a parcouru des milliers de kilomètres et rapporté encore davantage de dollars.

Personne ne remplace Henri-Charles. L'angoissé habite
désormais un sous-sol meublé dans le quartier Villeray. C'est
là que se retrouvent parfois Jude Aubin, Ben Laporte et
Alexandre Lebœuf. Les « Héritiers du Fleuve » ne soupçon-
nent pas ce qui se prépare. Chaque vendredi midi, Henri-
Charles se rend au comptoir alimentaire et travaille comme
bénévole. Il accueille les nouveaux arrivants et note les informations personnelles pour le fichier de l'organisme. Sur un
calepin noir, il inscrit certains noms et numéros de téléphone.
Forme-t-il sa brigade ?

Gilles Larivière s'amuse comme un enfant. Sa femme,
Louise, l'entend chanter sous la douche avant de le voir sauter
sur son téléphone cellulaire en fonçant vers sa Mercedes, une
tasse Thermos de café dans l'autre main. Il lui raconte tout…
puisqu'il n'a rien à cacher. Plus il avance dans l'entreprise,
plus il y croit. D'ailleurs, les dons sur le site continuent à augmenter. Les gens sentent que personne ne travaille là pour
son intérêt personnel. On réussira peut-être à reprendre
possession de la cause de l'indépendance du Québec, identi-
fiée depuis trente ans à un parti politique où l'on se déchire
entre orthodoxes, « étapistes » et amants du « beau risque » ?

Comment pourrait-on remettre le sort d'un peuple entre des mains aussi fébriles?

Ce que craignait Gilles Larivière se règle avec une facilité déconcertante. Quand Gilbert a proposé sa parade avec fanfare sur le boulevard Saint-Joseph jusqu'au pied du mont Royal en plein dimanche, Gilles s'est tu, mais il n'y croyait pas, assuré qu'on n'obtiendrait jamais l'autorisation des responsables du Service de police. Il s'en est alors ouvert à Marlène Jardin en partageant une des salades aux crevettes à la sauce tamari dont elle détient le secret. Il l'a vue sourire paisiblement. Matthieu et Alex y verraient. Effectivement, les lieutenants de police savent contourner les difficultés pour soulager les organisateurs des tracasseries administratives. Les deux hommes conjuguent une action qui sert des intérêts bien différents.

De son côté, depuis quelques semaines, Mathilde DeGrandpré s'évertue à rétablir des contacts négligés depuis trop longtemps. Elle invite ses amies de jeunesse à des concerts de musique de chambre qu'elle organise depuis des années dans son immense salon où le piano à queue reçoit chaque lundi matin la visite de l'accordeur. Mathilde DeGrandpré veut établir un climat de confiance préalable… au cas où. Ces femmes d'officiers de l'armée pourront éventuellement calmer leurs maris et leurs fils. La plupart de ces séances musicales se résument à un récital, mais toujours par un grand artiste dont le cachet respecte la renommée. Comme le regroupement des «Westmountaises pour l'indépendance» demeure une société dont on ne révèle le secret qu'à une personne à la fois, cela demeure pour beaucoup de ces belles Westmountaises cultivées et ouvertes une manière d'amusement pour femmes riches un peu désœuvrées… comme Mathilde DeGrandpré: un jeu sans conséquence. Cependant, toutes ses anciennes connaissances se réjouissent de la retrouver si alerte et si amusante. Des rumeurs circulent sur sa relation avec son chauffeur coréen, le fils d'un soldat revenu de la guerre de

Corée avec le général DeGrandpré. On s'excite un tantinet, les amours ancillaires ayant toujours titillé plusieurs de ces femmes négligées. Le parfum oriental que dégage la possible aventure avec le fils de militaire bridé ajoute encore une piquante saveur exotique. Bref, Mathilde DeGrandpré a tout pour plaire. On lui envie encore ce cachet si typiquement français dont on déplore l'absence chez tant de ses concitoyennes canadiennes-françaises. Une rencontre lui fait particulièrement plaisir. Elle a retrouvé Évangéline Wright, née Lebœuf. Son frère Germain a dirigé la première brigade anti-émeute de la police de Montréal. La tradition familiale se poursuit à travers son fils Alexandre, qui monte rapidement les échelons du corps policier. Évangéline reçoit son neveu préféré au moins une fois par semaine. Ils se disent tout.

Quant à Gilbert, il se sent comme une femme enceinte. Sa petite idée, lancée au bon endroit au moment favorable, germe de façon surprenante. On surmonte toutes les difficultés avec une aisance inouïe. La pensée d'organiser la parade de la fanfare l'illustre de façon réjouissante. Non, tout n'arrive pas facilement. Il faut travailler dur. Des conflits d'horaires rendent chaque entreprise fragile. Cependant, tout tient le coup depuis deux mois.

Gilbert doit parler pendant cette fin de semaine du «Grand Déménagement». «Sortir du Canada pour aller où?» Gilbert n'est pas plus en mesure de répondre que Moïse ne le pouvait en entraînant son peuple hors d'Égypte. Ils avaient erré dans le désert pendant quarante ans, guidés à certains moments par une nuée lumineuse, mais le plus souvent effrayés à l'idée de mourir de faim. Et Dieu leur envoyait la manne. Ils craignaient de succomber à la soif? La puissance de Dieu donnait à Moïse le bâton pour frapper un rocher qui s'ouvrait. Le peuple entier en voyait jaillir de l'eau. Pour chaque épreuve, Dieu utilisait Moïse, et le peuple poursuivait sa marche. Cependant, il fallait avoir la foi, ce qui n'est pas donné à tout le monde… Beaucoup rêvaient de retourner en Égypte, où une bonne soupe d'esclaves, un bouillon chargé d'oignons et parfumé de fines herbes, ne faisait jamais défaut.

Judo, Ben, Alex, Évangéline et Henri-Charles alimentent le feu sous la marmite.

2

Depuis le vendredi soir 1er juillet 2005, le site Internet des
«Héritiers du Fleuve» diffuse des images. Les caméras
ont rapidement déserté la fête du Canada au Vieux-Port pour
retransmettre sur les réseaux d'information de longues séquences du «Grand Déménagement».

Les organisateurs canadiens minimisent l'événement:
encore un feu de paille, comme tout ce que font les séparatistes. Les souverainistes sourient avec une bonhomie condes-
cendante. Les autonomistes haussent les épaules: ils n'y voient
aucune menace.

♣

Dans le Mile End, beaucoup de jeunes gens dorment dans le
parc.

Le lieutenant de police Matthieu Guérin s'est vu confier
le mandat de la surveillance policière. Il a bien préparé ses
collègues. Les agents travaillent deux par deux. Matthieu
forme des équipes mixtes; il sait que les policières tempèrent
parfois leurs confrères, souvent victimes de leurs hormones.
Non, la police ne mettra pas le feu aux poudres. On surveille
les excités et on les retire le plus discrètement possible en uti-
lisant d'abord les policiers en jean et t-shirt, mêlés à la foule.
Peu d'uniformes sont visibles. Aussitôt qu'ils ne sont pas en

service, les deux officiers s'habillent eux-mêmes en civil. Lorsque Matthieu se repose, Alexandre assure la direction. Le lieutenant Lebœuf a rejeté l'idée de Jude Aubin. Judo voulait organiser une contre-manifestation procanadienne. Alex lui a fait comprendre que ça servirait les intérêts du «Grand Déménagement», qu'on y verrait un signe d'intolérance. Valait mieux jouer le jeu et pénétrer dans le cœur de l'ennemi… comme un ver.

Quand les flammes du charbon de bois des barbecues s'éteignent et que l'odeur du gras animal montant en fumée se dissipe, un nuage de cannabis s'élève dans la nuit caniculaire. Le parc reste calme. On a trop chaud pour s'énerver.

Montréal vibre au rythme du parc Lahaie.

On observe quelques petites vieilles que des jeunes gens s'amusent à faire fumer du pot. Pour plusieurs, il s'agit d'une première excursion en dehors du monde des «Export A». Si le goût déplaît aux plus réticentes, quelques septuagénaires plus aventurières semblent apprécier le nouveau tabac.

— Y est pas mal bon!

— Ça, pour être bon, y est bon!

— C'est ça que je me dis: quand c'est bon, c'est bon.

Parfois, une dissidente s'exprime.

— Coudon, moi, ça me fait rien pantoute.

Elle parle, la bouche pleine, en enfilant la moitié d'un paquet de biscuits Oreo.

Le lieutenant de police Matthieu Guérin ne se formalise pas de cet écart de la loi: «S'il fallait qu'on arrête tous ceux qui vendent de la drogue aux vieux, on viderait les pharmacies.» En bermuda, chemise hawaïenne et sandales, ayant tout autant l'air de s'amuser, le lieutenant de police Alexandre Lebœuf filme les groupes de fumeurs en riant.

Le frère Victor a du mal à s'isoler occasionnellement pendant cinq minutes pour satisfaire des besoins naturels. Un essaim bruyant de têtes grises et de crânes d'œuf s'égaie chaque fois qu'il ouvre la bouche.

Le journaliste Ghyslain Leroux ressemble à un récent converti. Il ne parle plus, ne discute pas davantage ; il prêche. Heureusement, sa directrice des programmes, toujours disponible pour voler au secours du succès, lui donne accès aux ondes plus souvent qu'à son tour. Toutefois, pas question de le payer davantage ; Ghyslain ne veut pas d'argent, il se croit en mission. Il a perdu le sens critique du journaliste. Il le sait. Loin de le déplorer ou de s'en excuser, il s'en vante.

La ribambelle de jeunes adolescents — formée d'Isabella « la Colombienne », de Kiki « la Chinoise », d'Hugo « le rouquin », de Myriam « la blondinette », du petit Léo « le pure laine », d'Olivia « la Camerounaise », de Souad et Hassan « du Maroc'n'roll » et compagnie — quitte le parc le plus tard possible et réapparaît dès le réveil. Ils font même des disciples : on trouve maintenant des Péruviens, des Vietnamiens et toute une équipe de jeunes Haïtiens qui se reconnaissent fièrement dans Tristan-Jacques Messier.

Le dimanche matin — depuis soixante-douze heures —, Marie-Elphège signe encore des autographes. On voit la Cadillac de Mathilde DeGrandpré effectuer un tour aux allures de visite touristique. On aperçoit Évangéline Wright, née Lebœuf, à ses côtés. Persuadée que l'ambiance bon enfant plaide en sa faveur, Mathilde veut rassurer la nouvelle adepte des « Westmountaises pour l'indépendance ». Alexandre Lebœuf échange un regard innocent avec sa tante préférée. La connivence plaît au chauffeur coréen, que les choix inattendus de la fille du général DeGrandpré scandalisent. Son patron, si dévoué au Canada pendant toute sa vie, approuverait-il Mathilde qui envoie la main à l'énergumène tout en bleu ?

Ben Laporte se mêle aux fêtards. Quand on lui offre une *puff*, il lève sa bouteille de bière et décline.

— J'aime mieux ma 50 : « Y a rien qui Labatt ! » Mais on est dans un pays libre, hein ?

Sa présence rassure Gilbert. L'absence de Judo ne l'inquiète pas. Au contraire, le vieux *chialeux* ne pourrait pas s'empêcher de provoquer.

Dans un sous-sol du quartier Villeray, Jude Aubin et Henri-Charles Lozeau mettent à jour une liste de noms.

♣

En fin d'après-midi, le dimanche 3 juillet 2005, une foule extraordinaire déborde du parc Lahaie. La parade de la fanfare de Tristan-Jacques Messier remplit si bien sa mission qu'on risque maintenant de sombrer dans une cacophonie étourdissante. Le tromboniste Camil Cyr, monté sur scène, se sert de l'amplification sonore pour souffler sur la masse de musique informe afin de ramener le silence.

À dix-neuf heures, le curé du Mile End plonge sur le micro et joue le reste de sa vie d'un seul coup.

— Nous sommes les enfants d'un peuple qui ne veut pas disparaître. Nous avons défriché ce pays. Nos ancêtres étaient des habitants entêtés, insoumis et tenaces : un peuple de propriétaires où chaque famille régnait sur sa propre terre. Puis ici, en ville, nous sommes devenus des locataires, des journaliers, des manœuvres doublement aliénés par la technique qui nous dépersonnalisait et par le pouvoir des contremaîtres anglophones qui nous dénationalisaient. Dans notre bêtise impuissante, nous avons fait d'un Dieu qui libère un instrument d'aliénation. Puis, dans notre ignorance, nous lui avons substitué une pensée magique selon laquelle les politiciens pourraient tout régler en nous encadrant d'un monstre bureaucratique ; mais ce monstre veut d'abord assurer sa propre survie. Qu'est-ce qui aliène le plus ? Un Dieu qui parle d'amour ? Une machine écervelée qui nous pousse à sacrifier notre humanité pour une surproduction que doit maintenir une surconsommation, comme un chien qui court après sa queue ?

Qui est-ce qui nous pousse à une telle vie de fous? Un Dieu qui se présente comme le plus pauvre des pauvres? Ou une corporation immorale qui instaure une dictature du marché ne répondant qu'à une seule loi: que la compagnie fasse le plus de profits possible, quelles que soient les conséquences? Si un seul d'entre nous agissait comme une de ces corporations, on l'enfermerait dans une prison-hôpital comme psychopathe asocial dangereux. Vous ne voyez donc pas que nous sommes en train de nous vider le cœur et l'âme? La question brutale du poète Claude Péloquin mérite qu'on la répète à un peuple qui s'est arraché le cœur: «Vous êtes pas écœurés de mourir...?» Laissons faire pour les insultes.

Ça hurle, on siffle, les tam-tam appuient chaque phrase de Gilbert.

Qu'est-ce qui se passe au parc Lahaie? On a l'impression de reculer au début des années soixante-dix. Comme si Gilbert lançait trente ans plus tard la révolte qu'il anesthésiait alors dans la peur de ses vingt ans. Une indignation toujours intacte surgit. Trop d'injustices l'étouffent depuis trop longtemps.

Ce dimanche soir 3 juillet, il préfèrerait mourir foudroyé sur scène plutôt que se taire.

Depuis trois jours, ce retour sur l'Histoire de son peuple met à nu l'enchaînement d'injustices et de fourberies qu'il a subies. Gilbert mord dans les mots.

— Ça suffit. Non, on ne va pas disparaître, se laisser égorger comme des moutons trop gras, trop mous. Il faut rentrer au bercail, revenir à ce que nous sommes: un peuple fier, héritier d'une mission civilisatrice en Amérique du Nord. On ne laissera pas les immenses réserves d'eau du territoire tomber dans les mains des rapaces qui achèvent de pomper le pétrole du monde entier. On a donné notre fer pour que les enragés du profit le transforment en usines à bombes; ça s'arrête là. Des responsabilités nouvelles nous incombent. Le réchauffement climatique rendra habitable une énorme portion nouvelle de nos terres. Il ne faut pas en fermer l'accès par peur de ployer sous le nombre d'étrangers. On doit faire du Québec un vrai pays, maintenant : donner au monde un pays nouveau, une terre d'accueil, ouverte, libre et de langue française.

La foule suit toujours Gilbert.

Sa chemise blanche collée au corps, une douche de sueur ruisselant de sa tête pour couler sous son col romain, le curé du Mile End vient de brûler tous les ponts derrière lui. Il ne peut désormais que marcher droit devant, en espérant qu'une nuée lumineuse lui indiquera le chemin.

Il conclut par les paroles historiques de Charles de Gaulle, calmement prononcées par le général, du haut du balcon de l'hôtel de ville de Montréal en 1967.

— Vive le Québec ! Vive le Québec libre !

La foule plonge en plein délire. On doit éviter toute violence ; aucune distraction ne détourne le curé du Mile End de son obsession : le « Grand Déménagement » ne peut pas finir sous les matraques.

Pour y arriver, il a demandé à Gilles Larivière de prévoir un événement de clôture qui ramènera le calme afin que la foule se disperse sans faire d'histoires. Le producteur en a discuté avec sa femme Louise. Elle s'est rappelé le grand succès remporté au milieu des années quatre-vingt-dix par la dernière grosse vedette de Gilles, ce Stan Jutras qui partageait l'habitacle de la MGB de leur fille Luane le jour de sa mort. Dans une légendaire série de spectacles présentés à la basilique Notre-Dame, il chantait un rap ressemblant à une chanson à répondre complètement inusitée : *Veux-tu changer le monde avec moi ?*

Oui, la foule du parc Lahaie connaît ce classique de la musique québécoise.

Tristan-Jacques Messier admire Stan Jutras depuis l'enfance. On a confié l'épilogue du « Grand Déménagement » au nouveau docteur en direction d'orchestre.

De chaque coin du parc, un chœur de petits vieux et de jeunes du groupe d'intervention artistique s'avance dans la foule en chantant une version negro-spiritual du succès de Stan Jutras. Les musiciens de la fanfare de Tristan-Jacques Messier redeviennent ce qu'ils sont vraiment pour la plupart, des artistes de jazz. Le mulâtre de génie crée d'un seul coup une ambiance sereine de messe de minuit.

Gilbert reste longtemps sur scène après son discours. Toute cette foule reprenant avec les musiciens et les chœurs la belle chanson de Stan Jutras l'emplit d'émotion. On dirait que c'est à lui que des centaines de personnes demandent : *Veux-tu changer le monde avec moi?* Oui, Gilbert veut bien. il serre des mains, remercie tout le monde, accepte les félicitations en disant simplement merci.

Ses yeux brûlent. Plus il se calme, plus sa chemise trempée de sueur le glace. Malgré la nuit chaude, il remet son veston en se demandant ce qui sent si mauvais.

— *Hey!* Donne-moé vingt piastres.

Claude se tient tout près de lui, les yeux égarés, les lèvres blanches, les cheveux gras collés au front.

Gilbert a envie de pleurer.

— Tiens, Claude.

Il lui tend un billet de vingt dollars.

Surpris de ne pas subir le rejet, le sans-abri change du tout au tout.

— Non, non, c'est juste une *joke.* Garde-lé, ton vingt piastres. C't'une tabarnak de gang de fous : j'ai les poches pleines. M'a te dire rien qu'une affaire : tu l'as en tabarnak! Non, non, c'est vrai. T'es correct, toé.

Il devient encore plus gluant et demeure aussi puant. Gilbert ne souhaite surtout pas en faire un disciple.

Un ange exauce le vœu du curé du Mile End qui souhaite que Claude s'éloigne. L'itinérant s'écrase à ses pieds, victime de trop d'alcool et de stupéfiants. Claude finira la nuit à l'urgence psychiatrique, comme d'habitude. Les ambulanciers

l'emportent, toujours inconscient, nullement en danger, protégé par le bon Dieu des ivrognes. Gilbert comprend pourquoi cet homme le touche autant. Peut-être parce qu'il aurait
bien pu finir comme lui… Les deux garçons sortent probablement des mêmes orphelinats, aussi abandonnés l'un que
l'autre. Ils représentent les deux solutions possibles. Peut-on
penser que le peuple québécois, cet enfant trahi et abandonné,
se trouve face à la même alternative? Se perdre dans l'étourderie de la surconsommation insensée en y vidant son âme
ou se lancer dans l'aventure que l'Histoire lui propose depuis
près de quatre cents ans?

Après le discours de clôture de Gilbert, le dimanche soir,
Ghyslain Leroux compte les heures qui le séparent de son
émission du lendemain. Le fou des ondes a-t-il trouvé
l'homme qui nous conduira à l'indépendance? Un curé, oui.
Pourquoi pas?

Au poste de police, le lieutenant Matthieu Guérin achève
paisiblement la rédaction d'un rapport d'activité des plus
favorables à son équipe. La manifestation politico-culturelle
du Mile End a pris fin dans le calme. On s'est discrètement
occupé des quelques excités que le mélange d'alcool, de haschisch et de chaleur rendait trop instables. Autrement, le lieutenant Guérin a même eu le temps de donner un rendez-vous
coquin à sa femme Marlène.

Le succès va si bien à son épouse. Dans sa bonne fatigue,
elle dégage une sensualité de femme mature qui éveille en
Matthieu des appétits qu'une nuée de phéromones encouragent. Le partage du bonheur de ce couple s'approche de la
vraie communion. Marlène et Matthieu s'endorment assommés de fatigue et satisfaits du devoir accompli.

Il manquera toujours à Gilbert cet équilibre que procure une vie de couple réussie. Pourtant, il faut qu'il en soit ainsi.

Cependant, pour Marlène, il ne s'agit que d'un début. Son travail de webmestre prend de plus en plus d'importance. Le site se développe dans tous les sens. Le réseau branche instantanément tout le territoire québécois, à la façon d'une taupe creusant ses galeries souterraines. Pourquoi personne n'a pensé aux gens du troisième âge avant eux? On a négligé toute cette armée disponible, en tenant pour acquis leur attachement aux montagnes Rocheuses. Bien sûr qu'elles sont belles, mais elles ne s'envoleront pas le jour de l'indépendance. Tout comme l'Angleterre a rapidement compris que son propre intérêt n'était pas dans la rupture des relations avec ses colonies américaines qui devenaient indépendantes, le reste du Canada – après s'être débarrassé des Canadiens français hystériques qui auront échoué à entrer de force l'amour du Bouclier canadien dans le cœur des Québécois – reviendra à des sentiments plus mesurés et constatera vite que le départ du Québec le libère tout autant. Le sens pratique et l'esprit matérialiste anglo-saxon finiront par s'accommoder. Les Québécois n'ayant jamais eu envie de s'approprier les grandes fortunes montréalaises, on en viendra à se faire une raison. Surtout si le mouvement québécois trouve quelques appuis internationaux. Oui, on rêve dans la nuit du 3 au 4 juillet 2005 dans le Mile End montréalais.

Cette nuit-là, Gilbert ne soupçonne pas ce qui se trame quand il referme la porte du presbytère de la paroisse Saint-Enfant-Jésus du Mile End, à deux heures trente-huit.

Ses nerfs se détendent enfin.

Il ferme à peine les yeux que, déjà, la lumière verte monte.

Son personnage de prêtre français royaliste travaille à convaincre l'évêque de Montréal de participer à un mouvement qui les dépasse par sa grandeur morale[17]...

Le curé du Mile End dort comme un moine.

♣

« Québec libre ! Québec libre ! »

Gilbert ouvre les yeux. Quelqu'un crie dans le parc.

Claude, lavé, vêtu de nouveaux habits, gesticule, debout sur un banc.

— Québec libre ! Québec libre !

On vient de le relâcher après l'avoir nettoyé, une fois de plus.

Le soleil, déjà haut dans le ciel, informe Gilbert : on arrive au milieu de l'avant-midi. Des impressions laissées par le rêve le rendent songeur. Tout comme dans le songe précédent, un lien solide avec la France – ou tout au moins une grande puissance – semble nécessaire pour faire l'indépendance. Il ne s'agit pas de s'isoler, mais d'assumer pleinement ses responsabilités. Il en parlera avec les autres. Qui contacter ? Que peut-on espérer ? Gilbert sait que le songe se poursuivra. Il en recevra des informations utiles. Il apprendra peut-être à éviter les erreurs commises à l'époque ?

Quand il entre dans la cuisine du presbytère pour boire un café, il trouve un billet sur le comptoir : « Bien dormi ? Nous sommes au Signe de Croix. Fr Victor ». Gilbert ne se souvient pas d'avoir jamais manqué l'office des laudes. Il fallait vraiment une grosse fatigue pour qu'il ait retrouvé un aussi profond sommeil d'adolescent.

Gilbert met à peine le nez dehors que Claude fonce sur lui.

---

17. Voir *Le Révisionnisme onirique : Séquence 7*, page 381.

— Québec libre ! Québec libre !

— Tu veux pas vingt piastres, toi ?

Secoué par la question, Claude semble pendant quelques secondes chercher ses repères.

— Ouais ! Envoye, donne-moé vingt piastres.

— T'as refusé hier, mon Claude. Trop tard !

Gilbert, de bonne humeur, se dirige vers le Signe de Croix. Claude ne le lâche pas.

— T'es *cheap* en tabarnak.

— Bon ! Là, je te reconnais. J'aime mieux ça.

3

La porte du Signe de Croix s'ouvre sur Gilles Larivière qui a observé la scène depuis son bureau. Son apparition chasse Claude, qui répète pour lui-même : « Québec libre, Québec libre. »

Gilles sourit à Gilbert.

— T'as fait une conversion ?

Gilbert le suit dans le Signe de Croix. Personne dans la librairie, pas même Marie-Elphège. Il faut passer par la salle aux douze tableaux pour emprunter l'escalier menant au bureau de Gilles.

Il pousse la porte séparant la librairie de la salle. Un énorme cri de joie fond sur Gilbert. Une cinquantaine de collaborateurs semblent participer au concours du plus grand sourire.

Entourée d'une douzaine d'adolescents excités, l'attachée de presse Charlène Mailloux remporte la palme, une pile de journaux dans les bras.

— On fait toutes les premières pages : *Le Devoir, La Presse,* le *Journal de Montréal, Le Soleil* de Québec et je ne sais pas encore pour tous les hebdos en province, mais ta photo est partout, Gilbert.

Gilles Larivière envisage tout sous la lorgnette de l'homme de spectacle. Il tient une vedette. Il a tiré de sa retraite son attachée de presse préférée. Ils partagent la responsabilité de la mise au monde des plus grands artistes nés ici depuis le début des années soixante-dix. On devra gérer un agenda qui se remplira rapidement. Un curé en politique, sans parti, lancé en mission pour créer un pays du Québec, un orateur flamboyant dont l'histoire personnelle fascinera les journaux à potins, ça demande de l'organisation. La cause ? Oui, bien sûr, Gilles Larivière et sa vieille alliée Charlène Mailloux y adhèrent ; ils ont toujours été en faveur de l'indépendance du Québec. Mais là ne se trouve pas pour eux le plus important. Ce qui prime se résume à une seule idée : montrer et faire entendre le curé du Mile End au plus grand nombre de gens possible, dans le plus court laps de temps possible et aussi longtemps que possible. Gilles et Charlène partent en campagne. Elle s'installe au-dessus du Signe de Croix quand elle ne travaille pas à la maison.

La webmestre Marlène Jardin sourit presque autant.

— Si ça continue, notre serveur va exploser ! Le nombre de visiteurs qu'on reçoit, la quantité de demandes de renseignements qui entrent, le tas de compliments qui s'empilent, la masse d'insultes qui grossit… J'imaginais même pas qu'on en arriverait là un jour. On a droit à des commentaires de membres de tous les partis politiques. Ça va des encouragements les plus enthousiastes aux injures les plus grossières : PQ, Bloc, libéraux, ADQ, solidaires ; c'est comme sur le pont d'Avignon, on y danse, on y danse… tout en rond.

La bande de jeunes – formée d'Isabella « la Colombienne », de Kiki « la Chinoise », de Pedro et Lolita « de Lima », d'Hugo « le rouquin », de Myriam « la blondinette », du petit Léo « le pure laine », d'Olivia « la Camerounaise », de Souad et d'Hassan « du Maroc'n'roll », et des nouveaux venus Henri « le Français » et Jeanne « du Plateau » – se lance dans une interprétation loufoque de la chanson folklorique en tournant autour des ordinateurs.

Le vieux frère Victor sait que Gilbert aura besoin de lui. Il le voit encaisser toutes ces nouvelles comme autant de coups reçus par un boxeur dans l'arène. Au milieu de la cacophonie, il remet les choses en perspective.

— Nous sommes seulement des serviteurs, Gilbert.

Ce vieux bonhomme possède le don de calmer l'ancien moine. Oui, il doit simplement accomplir les actes l'un après l'autre, jour après jour… comme un serviteur. Sous le regard de l'Éternel, agir dans la joie! Toute cette bonne humeur qui l'accueille en cet avant-midi ne mérite pas qu'on la boude.

Les voix s'apaisent, remplacées par le silence plein d'affection qu'observe une personne qui vient d'offrir un cadeau et qui contemple, dans un mélange de bonheur anticipé et de déception redoutée, les mains aimées déchirant le papier d'emballage. Instantanément, à la vue de tous ces bons regards posés sur lui, Gilbert se remplit de gratitude.

— Hé! Que j'ai passé une belle fin de semaine!

Tout le monde éclate de rire.

Au-dessus de la masse sonore pourtant imposante, un tsunami vocal déferle.

— Où est-ce qu'il est?

Le journaliste Ghyslain Leroux sort à peine du studio, nimbé du succès de son émission. Il saisit Gilbert dans ses bras et lui administre une puissante accolade qui emporte la casquette des Expos du «fou des ondes».

— T'es parti pour la gloire, mon frère! Puis on va tous te suivre.

Le cri enthousiaste entraîne une approbation déferlante, surgie du cœur de l'équipe assemblée.

Gilles Larivière lance un regard plein de connivence en direction de l'attachée de presse Charlène Mailloux. Ils se comprennent sans parler. On utilisera les talents de rassembleur de Ghyslain Leroux pour réchauffer les salles où Gilbert prononcera des discours. Ça prend forme…

Ému, Marie-Elphège s'avance en compagnie de Mathilde DeGrandpré.

— Je t'aime comme un fils, Gilbert.

Une larme perle dans le sourire muet de Mathilde.

Ce Beauceron excentrique déguisé en Superbleu et cette belle dame incarnant la dignité offrent à l'instant même leurs vieux cœurs, conscients de la vulnérabilité qu'engendre l'arrivée d'un enfant dans une vie. Dans leurs yeux si bons, Gilbert trouve la confiance. Il y puise la sécurité paradoxalement fragile que procure le regard de parents aimants.

Mathilde lui sert le plus beau compliment qui puisse se former sur ses lèvres tutoyant si rarement.

— Mon père t'aurait aimé.

La mention de l'ancien militaire sonne le clairon dans la tête du producteur Gilles Larivière.

— Bon, bon, bon! C'est le 4 juillet aujourd'hui: le jour de l'Indépendance américaine. C'est pas notre fête. Il doit bien se trouver quelqu'un qui a de l'ouvrage, ici?

Un grand rire lui confirme que le travail ne manque pas.

Gilles entraîne Charlène, Marie-Elphège, Mathilde, Ghyslain Leroux, Marlène Jardin, le vieux frère Victor et Gilbert jusqu'à l'escalier.

La direction disparaît dans le bureau de Gilles. Les équipes en service replongent sur les ordinateurs. Les personnes en congé hésitent entre un bingo ou un pique-nique au parc Jeanne-Mance. La majorité vote pour le grand air. Ils s'installeront dans le coin du bassin d'eau qu'ils appellent la barboteuse. La vue des petits pieds pataugeant dans un concert de flip flap les amuse toujours. C'est pour assurer un avenir à ces enfants qu'ils ont trouvé un troisième souffle. Ils leur laisseront un pays en héritage.

Isabella, Kiki, Hugo, Myriam, Léo, Olivia, Souad, Hassan, Pedro, Lolita, Henri et Jeanne foncent à La Ronde, tous invités par Louise Larivière.

♣

Ce lundi matin, à l'archevêché de Montréal, derrière des portes closes, chacun dans son coin, on épluche les journaux. Tout y passe. Pendant que certains insultent les curés, d'autres encensent un prêtre qui ne parle pas la langue de bois, un homme qui reste enraciné dans son peuple. Certains affirment que le curé du Mile End finira de vider les églises. D'autres se réjouissent de cette conscience nouvelle qui s'exprime enfin chez un prêtre québécois à qui l'on ne craindra pas de confier l'éducation de ses enfants. Des gens de gauche cherchent le coup fourré sous cette intrusion imprévue d'un ancien moine sur les terres nationalistes dont ils jouissent depuis longtemps de la propriété exclusive. Un éditorialiste exprime fort bien la position des «réalistes» qui entretiennent l'idée paradoxale que jamais les Québécois n'accepteront de renoncer à être des Canadiens: «Il suffira de rappeler aux évêques catholiques leur devoir de réserve. Aussi raisonnables que la sagesse populaire, les hommes d'Église comprendront encore, comme toujours, nous n'en doutons pas.»

À la pause de dix heures, on parle de tout... et rien ne se dit sur le sujet qui préoccupe tout le monde.

À l'heure de midi, au réfectoire de l'archevêché, chacun repart vers sa place habituelle à l'une des grandes tables, son plateau dans les mains. On attend de savoir dans quel sens soufflera le vent.

Le membre du haut clergé responsable du dossier de Gilbert sort du peuple et s'en souvient. Mgr Luc de Bôpage a tout sacrifié à cette vie de prêtre. À la fin des années soixante, pendant que ses confrères abandonnaient le navire par toutes les issues, Luc s'est accroché. Cette détermination le sert. Il y puise un esprit de liberté plutôt rare dans le milieu ecclésiastique. Son sens éprouvé de l'organisation l'a tiré vers le haut de la pyramide. Luc de Bôpage tient sa devise de saint Augustin: *Dilige et quod fac vis.* Oui, il suffit d'aimer et de faire ce que l'on veut. En fait, dans son for intérieur, le précepte qui mène la vie du prélat se traduit rarement en latin : « Bien faire et laisser braire. » On ne peut jamais deviner de quel bord penchera l'homme d'Église.

Aussi, chacun mange sa crème de champignons, son pain de viande, ses carottes et ses patates pilées sans se compromettre. « Heureusement, l'Église ne couche plus avec le pouvoir », pensent les uns. « Il faut laisser à César ce qui appartient à César », concluent les autres.

Dans la tête du haut responsable, les deux idées cohabitent : l'Église ne se soumet pas au pouvoir civil et aux intérêts de ceux qui profitent du statu quo, mais « laisser à César ce qui appartient à César » ne veut pas dire regarder passer le train. Pourtant, il n'a pas envie d'intervenir. Pourquoi ne pas laisser aller pour l'instant ?

Dès leur première rencontre, cet ancien moine – devenu par son choix personnel le nouveau curé du Mile End – lui a plu. Le prélat aime les personnalités fortes et ne déteste pas les surprises. L'abbé Gilbert Fortin lui en offre une bien grosse qui montera peut-être jusqu'à Rome. On verra « dans le temps comme dans le temps ».

Ainsi, chacun finit sa pointe de tarte au sucre sans pouvoir orienter sa girouette. Qui aura le courage d'exprimer une opinion personnelle ? Qui osera prendre position ? Dans certains milieux, on regrette l'époque bénie où, de haut en bas de la hiérarchie ecclésiastique, on s'abreuvait à la pensée unique. Aujourd'hui, elle fleurit davantage chez les anciens contestataires dont les idées ont fait recette.

En s'allongeant sur le petit lit de sa chambre de célibataire, pour le quart d'heure de sieste rituel, Mgr Luc de Bôpage ne cache plus son sourire : quelqu'un se réveille !

Le prélat s'endort.

♟

Dans le bureau de Gilles Larivière, la réunion a duré plus de deux heures. Une idée s'est dégagée du remue-méninges. Elle concerne l'action concrète, sur le terrain. Marlène Jardin a repris en résumé les principales suggestions reçues par courriel.

— L'idée qui revient le plus souvent, c'est de faire du porte-à-porte, comme les Témoins de Jéhovah. Gisèle Galland, une de nos bénévoles du service de création, a pris l'initiative d'un sondage Internet dans les résidences pour personnes âgées, d'un bout à l'autre du Québec. C'est un sacré numéro, la Gisèle : une vieille maîtresse d'école qui voit un élève en chacun. Elle aurait même dû s'appeler « gère-mène ». En tout cas, elle assure qu'on aurait du monde partout. Ils demandent qu'on prépare un dépliant pour expliquer que, sans la majorité, tu ne peux pas gouverner, avec quelques chiffres qui démontrent qu'on est en train de disparaître. Ils veulent qu'on mette la photo de Gilbert et aussi celle de Superbleu. Désolé, Marie-Elphège, c'est comme ça que tout le monde t'appelle sur le Web.

Le « fou des ondes » se tourne vers Gilbert.

— J'ai pris un engagement pour toi. Je t'ai annoncé comme invité pour l'émission de demain matin.

— Est-ce que j'ai le choix ?

— Non, mais tu peux me dire merci. Tu le veux, ton Québec libre, ou pas ?

♣

Après l'émission de Ghyslain Leroux, le journaliste ramène son invité à bord de sa superbe Saab décapotable. La chaleur du soleil et la fraîcheur du vent détendent Gilbert. Le vétéran journaliste s'évertue à le faire rire. Il sait que l'homme n'aura plus beaucoup de repos. Le curé du Mile End ne semble pas encore prendre conscience qu'on ne le laissera pas si facilement continuer dans une voie qui contrecarre de très gros intérêts. On lui bloquera le chemin d'ici peu. On ne réalise pas si aisément l'indépendance d'un peuple.

En entrant au Signe de Croix, Ghyslain Leroux n'est même pas surpris de ce qu'il voit : les étagères renversées, la documentation dispersée et les affiches arrachées.

Mathilde et Marie-Elphège travaillent déjà à tout replacer. Le Beauceron ose à peine regarder Gilbert, pour ne pas pleurer.

— C'est rien, ici. Allez voir de l'autre bord.

Comme si on venait de l'appeler, la webmestre Marlène Jardin apparaît dans le cadre de la porte en compagnie de son mari et d'Alexandre Lebœuf.

— On a pour des dizaines de milliers de dollars de dégâts.

Matthieu Guérin constate.

— On trouvera jamais les coupables.

Alex approuve.

— Ça fait l'affaire de bien du monde, trop de gens y ont intérêt.

Le lieutenant Lebœuf n'est pas du tout content : les vandales ont travaillé en amateurs.

Le téléphone cellulaire sur l'oreille, Gilles Larivière pénètre dans Le Signe de Croix en concluant la conversation.

— Entendu, vous prenez vingt-quatre heures, pas plus. C'est beau ? Merci !

Accompagné de l'attachée de presse Charlène Mailloux, le directeur général des Héritiers du Fleuve dégage une énergie féroce. Il regarde autour de lui. Marie-Elphège se sent responsable comme s'il avait failli à son devoir en dormant au presbytère depuis que Gilbert a exigé qu'il quitte le coin du Signe de Croix où il manquait d'air.

— Si j'avais continué à habiter ici, rien de ça serait arrivé.

Alex ne veut surtout pas que le Beauceron revienne dormir là.

— Peut-être bien que si tu avais été ici, on aurait un meurtre sur les bras, ce matin…

Nullement consolé, Superbleu se remet déjà au rangement.

Gilles l'interrompt.

— Non, Marie-Elphège, touche plus à rien, Jérusalem de gériboire. On va le retourner contre eux, leur coup de cochon.

Charlène Mailloux donne les explications.

— Les photographes du *Devoir*, de *La Presse* et du *Journal de Montréal* arrivent. Les Québécois ont toujours aimé les victimes. C'est plate, mais c'est comme ça.

Au même moment, deux membres du GIA entrent, webcam à la main. Charlène poursuit l'explication.

— Je les ai appelés. Aussitôt que le système va fonctionner de nouveau, on va diffuser les images sur le site et les offrir à *You Tube*.

Ces deux professionnels du spectacle savent que l'on peut tout utiliser. Il suffit de retourner les événements en sa faveur.

Gilles Larivière sourit à Matthieu Guérin.

— Ta femme est une petite vite ; on n'a pas perdu une donnée. Je ne me féliciterai jamais assez d'avoir dit oui à son système de sécurité.

Marlène, tout près de son mari, retourne la balle à Gilles.

— Comme on pourra jamais trop te remercier de nous avoir aussi bien assurés.

Le journaliste Ghyslain Leroux éclate de rire.

— Encore un peu et vous allez me faire croire qu'ils viennent de nous rendre service en nous vandalisant !

Charlène Mailloux se retourne au même moment pour accueillir le photographe du *Devoir*.

— Bonjour, Jacques. C'est probablement dans l'autre pièce que tu vas faire ton bonheur.

Tout le monde suit le faiseur d'images dans la salle aux douze tableaux.

Le photographe voit la possibilité d'une scène évoquant le *Radeau de la Méduse* de Géricault.

Les petits vieux et les quelques enfants, désemparés au milieu des écrans brisés et des tables renversées, offrent une image pitoyable. Il suffira à l'artiste de choisir le bon angle et d'utiliser en fond d'image la série des saints québécois alignés sur le mur.

Les vieillards, tout en se laissant «prendre en portrait», échangent des commentaires sur le photographe du *Devoir*.

— J'ai déjà vu ses photos.

— Il est ben bon.

— Il est ben ben bon.

— Ça, pour être bon, y est bon.

Le petit Léo «le pur laine» se tourne vers Henri «le Français».

— C'est-tu pour le *Journal de Montréal*, ça?

— Tu m'étonnes! C'est *Le Devoir*.

— *Le Devoir*, comme les leçons à l'école?

— Tu déconnes?

— C'est-tu un vrai journal, comme le *Journal de Montréal*?

— C'est le journal préféré de papa.

— Ton père, ça doit être un Français aussi, hein?

— Léo, parfois tu me scies!

— Comment ça, je te scie? Henri, t'es fin, mais maudit que t'es dur à comprendre. Ça peux-tu se guérir, ton accent?

Des collègues d'autres journaux s'activent à leur tour en captant toute l'attention des deux amis, comme de Myriam «la blondinette», d'Olivia «la Camerounaise» et d'Hugo «le rouquin».

Matthieu Guérin se tient entre Gilles Larivière et Gilbert.

— Vous le savez que c'est juste un avertissement, ça, hein ? Il va falloir que vous pensiez maintenant en termes de sécurité.

Marie-Elphège s'avance.

— Je vais revenir coucher ici, c'est tout.

Tout de suite, Alex désapprouve.

— Mauvaise idée, Marie-Elphège. Excuse-moi de te le dire aussi directement, mais tu fais pas le poids.

Matthieu poursuit dans la même veine.

— Bon ! Je vais m'arranger pour que nos équipes fassent attention pendant leurs rondes, mais je pense pas que ce sera suffisant.

Gilles Larivière les interrompit.

— J'ai déjà commandé un système de surveillance électronique. De toute façon, c'était ça… ou plus d'assurances.

Marlène Jardin demeure sceptique.

— Il faudrait quand même quelqu'un ici, la nuit, non ?

Étienne, un des deux membres du GIA, prend la chose en main.

— On va s'en occuper, nous autres. On va dormir ici à tour de rôle, un cellulaire à notre portée.

Le lieutenant Guérin approuve.

— Bon ! Ça c'est réaliste. Je vais vous donner un numéro de téléphone que vous allez garder pour vous autres.

Alex se tait.

Mathilde DeGrandpré n'a pas ouvert la bouche pendant toute la scène. Elle semble plongée dans une profonde réflexion.

— Avez-vous remarqué ? Ils n'ont pas touché aux douze tableaux.

La présidente des « Westmountaises pour l'indépendance » y voit une protection du Ciel. Elle ne l'affirme pas catégoriquement, mais elle sent que les saints fondateurs de la Nouvelle-France ont repris du service.

Marie-Elphège la comprend, les petits vieux l'approuvent en silence. Pendant quelques secondes, une odeur de sainteté flotte au-dessus des têtes.

Une sonnerie de téléphone crève le nuage de béatitude.

Une première journaliste veut parler au curé du Mile End, connaître sa réaction, discuter de la présence d'un prêtre en politique, de ses appuis dans la hiérarchie de l'Église, des alliances possibles avec un parti et de son parcours personnel depuis le monastère français jusqu'à la cure montréalaise.

Jusqu'en début d'après-midi, Gilbert se prête aux diverses entrevues téléphoniques.

Les casseurs ne sont pas montés à l'étage. On n'a rien touché dans le bureau de Gilles Larivière. À quel saint doit-il une telle protection? L'ancien producteur de spectacles que rien n'arrêtait du temps où la fin justifiait les moyens ne voit qu'un protecteur possible: le bon larron, le bandit crucifié à la droite de Jésus mourant. Cependant, il songe davantage à remercier le serrurier qui l'a convaincu d'acheter cette serrure incassable et d'installer une porte aussi solide.

Alex enrage. Bande d'amateurs! Ils n'avaient qu'à trouer le mur, à un mètre de la porte. C'est bien la peine de s'appeler Ben Laporte!

En fin d'après-midi, les étagères du Signe de Croix s'alignent en ordre. On termine le classement des documents et des dossiers. Hassan, Souad «du Maroc'n'roll», Kiki «la Chinoise», Lolita et Pedro «de Lima», absents le matin, se font raconter une fois de plus par Marie-Elphège à quel point on a été protégé dans le malheur.

Marlène Jardin, seule dans la salle aux douze tableaux maintenant nettoyée, termine la préparation du plan de réaménagement du lendemain. L'efficacité de Gilles Larivière suscite chez elle une admiration permanente: tout le nouveau matériel entrera avant le milieu de l'après-midi.

Le lendemain matin, au réveil, dès l'aube, l'attachée de presse Charlène Mailloux se jette sur son ordinateur pour lire les grands titres des journaux : trois sur trois ! Elle gagne partout. *Le Devoir* titre « Qui veut le faire taire ? » ; *La Presse* « À qui la faute ? » et le *Journal de Montréal* « Un sermon de trop ? ».

Trois titres en forme de question.

Au téléphone avec Gilles Larivière, l'attachée de presse cherche à quelle occasion les trois principaux quotidiens ont, en même temps, posé une question en titre de première page. Les deux vieux professionnels ne trouvent pas de précédent. Gilbert interpelle bel et bien ses concitoyens. Même le très fédéraliste journal *La Presse* – dont certains éditoriaux rappellent parfois les pages sombres d'Étienne Parent en dépression après la crise des Patriotes – s'indigne de l'utilisation de la violence. L'éditorialiste se demande tout de même jusqu'à quel point un curé se permettant de prêcher pour l'indépendance du Québec ne constitue pas en soi une provocation. *Le Devoir*, qu'on a enfin pu extirper des jupes de l'Église, ne peut pas louanger la présence d'un membre du clergé dans le débat. Toutefois, Gilbert Fortin accroche les journalistes ; sa probité et son désintéressement se voient comme un bouton sur le nez. Quant au *Journal de Montréal*, on y affiche tout personnage coloré, nettement défini, provoquant des réactions qui peuvent entretenir une controverse. De plus, dans ce quotidien sans équipe éditoriale, le vieux cœur du fondateur décédé continue à battre. On y aime les rebelles. Un curé en faveur de l'indépendance du Québec, ça leur plaît, aux journalistes de la rue Frontenac.

Dans un sous-sol du quartier Villeray, on engueule l'ancien gardien de but des Cataractes de Shawinigan. Judo rugit.

— C'était le plus important, le bureau de Larivière, ostensoir de tôle !

— Je le savais-tu, moi, ostie toastée !

Alexandre Lebœuf croit halluciner.

— Parce qu'il te l'avait pas dit ?

Judo se justifie.

— Il me semble que ça allait de soi.

Henri-Charles Lozeau parle lentement, en appuyant sur chaque mot. Il entretient un tel ressentiment envers l'usurpateur qui a pris la place qui lui revenait. Il rage.

— Y a jamais rien qui va de soi, Judo. On a payé mille dollars pour une opération qui se retourne en leur faveur. Si c'est pas *loser*, ça… je sais plus comment je m'appelle.

Ben Laporte ne se laissera pas traiter de *loser*.

— La prochaine fois, donnez-moi donc des gars qui parlent français ! Deux latinos pis un nègre qui jappent en espagnol, c'est pas fort, ostie toastée !

4

Dans la troisième semaine de ce mois d'août 2005, les jumelles Dumas rentrent de leurs vacances à Victoriaville. Elles ont convaincu leurs parents. Les nouveaux indépendantistes ont exigé qu'elles transmettent un message : surtout, ne pas confier la cause à un parti politique. Les soucis électoralistes rendent la tâche impossible aux politiciens. On doit susciter une vague de fond. On ne met pas un nouveau pays au monde en se querellant sur le nombre de voix. Il faut une détermination populaire explicite.

Le vieux frère Victor entend le même genre de commentaires dans toutes les communautés religieuses où on l'invite. Une sœur de la Congrégation Notre-Dame l'a bien résumé : «La question de l'indépendance est trop grosse pour qu'on la laisse aux soins de ceux qui doivent rechercher le plus petit commun multiple pour se faire élire. Seuls des gens désintéressés peuvent s'engager au service du plus grand dénominateur commun : sauver ce peuple. Surtout, n'emprisonnez pas la cause du Québec dans les querelles partisanes. En ce sens, plus le spectre des choix politiques s'élargira, mieux ça vaudra. L'idéal serait un gouvernement minoritaire.»

Le tromboniste Camil Cyr, revenu d'Arvida, confirme que sa terre natale demeure résolument souverainiste. Il suffira d'une bonne campagne d'information, bien en profondeur, pour arriver à parler de nouveau d'indépendance. La fierté des gens du Royaume fera le reste.

Tristan-Jacques Messier, dont la mère haïtienne organise
des camps d'été pour les enfants défavorisés de sa communauté, rentre de trois semaines d'enseignement musical à
Saint-Donat. Si un peuple peut comprendre les Québécois,
c'est bien le sien. On fera facilement des indépendantistes
québécois de plusieurs de ces bilingues qui parlent le français… et le créole.

Pour le frère Victor, la notion de vacances n'existe pas. Le
religieux ne travaille pas ; il participe à une mission. Que l'intégrité de sa vie témoigne par elle-même de sa foi ; sa bouche
dira à chacun qu'à moins de créer un pays, ce peuple s'éteindra-
dra. Il se sert du passé pour illustrer l'avenir. Il a concocté un
bref cours d'histoire démographique qui résume la situation :
« De 1871 à 1901, un million cinq cent mille immigrants sont
arrivés au Canada. Pendant la même période, comme chassés
de chez eux, deux millions de francophones ont quitté le
Québec pour les États-Unis. En 1900, un million deux cent
mille Canadiens français vivaient en Nouvelle-Angleterre et
un million six cent mille au Québec. En 1901, on trouvait
autant de Canadiens français hors du Québec que sur le territoire. Au sud de la frontière, un siècle plus tard, tous leurs
descendants, complètement assimilés, parlent anglais. Les
cadres paroissiaux, que l'Église canadienne s'est évertuée à
mettre en place pour maintenir la religion et la langue, ont
éclaté partout. Au bord du fleuve, le mouvement d'assimilation s'étend sur une plus longue période, simplement parce
que nous sommes plus concentrés. Désormais, de plus en
plus rapidement, la loi du nombre joue contre nous. Pour
continuer, ce peuple a besoin de courage, de grandeur. Nous
qui sommes endormis dans la mollesse depuis si longtemps,
il nous faudra réapprendre la vertu et la fierté. Il faut un projet à un peuple. »

Quand il s'éloigne de Montréal, le vieux prêcheur sent
mieux le désir de bouger. On lui parle d'une création théâtrale jouée dans une petite salle du Vieux-Québec : *Le salut*

vient du 418. La pièce, écrite par une jeune dramaturge, tient l'affiche depuis six mois.

Le frère Victor en ressort enthousiaste. Il prend des notes : « Il faut écouter le Québec. Tout n'est pas joué. On oublie qu'un an après la fondation du Rassemblement pour l'indépendance nationale, en 1961, à peine quinze pour cent des Québécois se disaient indépendantistes. En 1995, on avait donc plus que triplé la proportion... en moins de trente-cinq ans. Il ne faut pas se décourager. On doit se rappeler l'histoire du prospecteur qui abandonne sa concession minière après dix ans de forage, à quelques pouces d'un immense filon d'or... »

Le frère Victor veut, espère convaincre tout le monde, y compris lui-même, parce que, bien sûr, il a ses peurs comme tous les autres.

Avec Gilbert, tant de précautions s'avèrent inutiles. Il fonce. Charlène Mailloux effectue un remarquable travail d'attachée de presse. On attend Gilbert sur le plateau, pour la rentrée d'automne de l'émission qui bat des records d'audience depuis sa mise en ondes. Il reste encore trois semaines pendant lesquelles Gilbert continuera les rencontres individuelles avec les journalistes.

Toutefois, le curé du Mile End ne néglige pas ses proches. Chaque matin, la journée s'ouvre par les laudes, qui attirent de plus en plus de monde. Il y lit un court commentaire des textes liturgiques du jour. Le billet ressemble à ces citations qu'on trouve en exergues dans certains agendas.

Puis, sans précipitation, les heures courent le marathon.

Le soir, Gilbert se retire dans sa chambre. Il plonge rapidement dans le sommeil. Parfois, après quelques minutes, la lumière verte remonte.

Le prêtre français qu'on appelle le père Gilbert vit à Montréal, auprès d'Ignace Bourget, l'archevêque de Montréal depuis l'automne 1841. Les deux hommes vont prendre en main la destinée de ce peuple berné, battu, méprisé et menacé d'extinction[18]...

♣

Dans le jour naissant de ce début d'automne, Gilbert ouvre les yeux. Ses incursions à travers les siècles le perturbent. Il en comprend mal le sens. Il sait qu'un enseignement lui parvient à l'aide des songes. Cette nuit, le religieux qu'il incarne s'activait pour placer Henri V sur le trône de France. Le rêveur ne voit pas bien ce que le rétablissement de la royauté française à la fin du dix-neuvième siècle peut signifier au début du troisième millénaire.

Comme il le fait depuis trois semaines, Gilbert passe par la cuisine, prépare un demi-pamplemousse, remplit une théière d'eau chaude et monte vers la chambre de son prédécesseur. Le curé Lionel Bolduc s'éteint rapidement. Il a refusé les traitements de chimio et de radiothérapie. Le cancer achève son travail. On doit conduire le curé Bolduc dans une maison de soins palliatifs dans l'après-midi.

Depuis qu'il passe ses journées au lit, Lionel Bolduc explore les archives de la paroisse. Il y puise du réconfort. Le sentiment de participer à la grande chaîne de l'Histoire donne de l'importance au modeste rôle de maillon que chacun est appelé à remplir. Gilbert le suit. L'abbé Eugène Brochu avait précédé Lionel.

Ce matin-là, quand Gilbert dépose le plateau sur la table de chevet du malade, les grandes mains sèches du prêtre alité tournent les pages d'un album de photos du curé Brochu.

Une image vient d'attirer son attention.

— Tu ne m'avais pas dit que tu étais venu ici plus jeune, Gilbert.

---

18. Voir *Le Révisionnisme onirique : Séquence 8*, page 385.

Le nouveau curé du Mile End sourit de compassion pour le malade, qui tombe peut-être lentement dans la confusion.

— Non, non, je suis jamais venu ici avant. Je m'en souviendrais.

— Pourtant, j'ai devant moi la preuve de ta visite.

Il présente l'album de photos à Gilbert.

L'image désignée fascine Gilbert : c'est lui ! Il a du mal à balbutier...

— On dirait...

— Si c'est pas toi, c'est ton jumeau !

L'adolescent photographié au parc Jeanne-Mance au milieu des années soixante lui ressemble de façon ahurissante. Il se tient au centre d'un groupe de jeunes comédiens costumés pour un spectacle, en face d'une roulotte.

Cette fois, Gilbert n'arrive plus à élaguer son cœur de toutes ces émotions qu'il a jugées inutiles depuis la fin de l'enfance. On ne guérit donc jamais du sentiment d'abandon ? On garde toujours la nostalgie d'une famille absente, inconnue, inlassablement espérée ? On ne se remet pas de ces années d'orphelinat où personne ne vous prenait dans ses bras ?

Les larmes aux yeux, le vieil orphelin regarde le jeune homme. Un espoir fou osera-t-il se lever ? Le cœur de Gilbert bat si fort qu'il fait mal.

Lionel Bolduc observe son successeur dont il connaît l'histoire.

— Tu vas essayer de le retrouver ?

Tout se fige dans la tête de Gilbert.

— Je sais pas... C'est l'heure des laudes. À tout de suite. Je reviens.

Resté seul, Lionel Bolduc sort son chapelet. Premier mystère glorieux : la Résurrection.

Désormais incapable de se lever, Lionel Bolduc se débat avec un sentiment de colère : il ne craint pas vraiment la mort, mais il veut continuer à vivre. Il a besoin de croire à la résurrection. Toute sa vie, il s'est convaincu que la domination de

l'âme par l'instinct animal représente l'essence de la crucifixion sur la croix de la matière. Maintenant que son corps le
lâche, il ne peut qu'espérer la victoire finale de la lumière,
l'esprit illuminant l'âme dépouillée de la vie des sens. Lionel,
que son corps abandonne, se rassure en réalisant que son esprit n'a rien perdu de son acuité. Dans le creuset de l'agonie
toute proche, il prie : « Christ Jésus ressuscité, brûle en moi,
déploie ta puissance dans ma faiblesse et purifie mon cœur. »
Mais ceux qui sentent s'effriter leur conscience, comment
font-ils ? Un grand frisson déchire la colonne vertébrale du
vieux prêtre. Parfois, entre la « crainte de Dieu » et la peur
animale, qui peut saisir la différence ?

Le jeudi 8 septembre 2005, Gilbert passe toute la journée en
studio pour enregistrer une émission de variétés qui adopte
une recette à succès de la télévision française. Gilbert sait ce
qui l'attend.

En clergyman et col romain, il entre sur un plateau qui
ressemble à un peloton d'exécution. On fusillera cette Église
homophobe, misogyne, rigide, hypocrite, coupable de crimes
pédophiles, vendue aux Anglais depuis la Conquête, devenue
pour ses accusateurs l'incarnation du mal. Le curé du Mile
End paiera pour les enfants de Duplessis, pour les violeurs de
petits Amérindiens dans les pensionnats de l'assimilation,
pour les religieuses hystériques qui retournaient chez elles les
fillettes qui se présentaient à l'école en manches courtes.

L'animateur, ses petits cartons de questions à la main, termine avec humour la litanie des condamnations.

— Gilbert Fortin, qu'avez-vous à répondre pour votre
défense ?

— Coupable et victime, «votre animateur». Je suis un prêtre et un enfant de Duplessis. Tout ce que vous dites est vrai, mais vous ne dites pas tout.

Gilbert se lance dans une série d'échanges avec l'animateur, aussi honnête qu'incroyant.

— Les Anglais?

— Sans l'Église à la défense de la culture française en Amérique, on ferait aujourd'hui votre émission en anglais, monsieur. Si on avait suivi jusqu'au bout le grand patriote Louis-Joseph Papineau, on serait Américains. Essayez donc de vous faire accroire que vous parleriez encore français!

— Les abus sexuels?

— Ça me dégoûte, monsieur. Mais affirmer que tous les hommes en soutane abusaient des petits gars, c'est aussi grossier. J'ai passé les vingt premières années de ma vie dans des institutions dirigées par des religieux et jamais personne ne m'a touché.

Présent sur le plateau, un humoriste homosexuel récemment sorti du placard lance sa première fléchette.

— Vous étiez peut-être pas assez *cute*?

— Pas assez *cute*... Pourquoi? Voulez-vous dire que vous avez jamais réussi à séduire un homme à cause de votre tête?

L'animateur, qui adore les vacheries, éclate de rire.

— Touché!

L'artiste gay ne manque pas davantage d'humour.

— Ouais, c'est vrai qu'un p'tit laid avec une grosse... imagination...

Juste comme le plateau commençait à se détendre, une chroniqueuse de tabloïd populaire saute sur Gilbert.

— Je présume que vous êtes contre l'avortement sur demande?

Gilbert enfonce son regard dans la tête de la grosse journaliste.

— Écoutez, madame. Je ferme ma gueule parce que je suis un homme et que j'espère que les femmes finiront par avoir entre elles un débat en profondeur sur la question. Mais si ma mère, que je ne connais pas, qui n'a jamais pu me connaître, avait pu se faire avorter, pas sûr que je serais ici ce soir.

— Est-ce que ce serait une grosse perte ?

— Pour moi, oui.

En studio, une réaction surprend le plateau. La foule présente autour des invités applaudit Gilbert.

L'émission entre maintenant dans une nouvelle phase. L'animateur organise un jeu : le confessionnal. Le prêtre incarne le pénitent. L'animateur joue le confesseur. Après quelques questions amusantes sur la gourmandise, l'orgueil, la paresse, l'avarice, la colère et l'envie, il en arrive enfin à ce que tout le monde attend : la luxure.

— Avez-vous déjà pratiqué l'œuvre de chair avec quelqu'un ?

— Jamais.

— Seul ?

— À m'en arracher le bras, monsieur.

D'abord interloqué, le public éclate de rire.

Le jeune artiste homosexuel ne déteste pas les surprises et admire la franchise bon enfant du curé du Mile End.

— Voulez-vous un coup de main ?

— Trop tard. J'ai abandonné.

— Quel courage ! Vous résistez à la tentation ?

— Oh ! Rappelez-vous ce que disait La Rochefoucauld : « Si nous résistons à nos passions, c'est plus par leur faiblesse que par notre force. » Et il ajoutait : « Quand les vices nous quittent, nous nous flattons de la croyance que c'est nous qui les quittons. »

Offrant son sourire le plus désarmant, se mettant volontairement la tête sur le billot, Gilbert termine le jeu de la confession par une confidence d'une impudeur troublante.

— Vous savez, je suis un handicapé émotif.

Le malaise épaissit l'air dans le studio.

La chroniqueuse du tabloïd ne se laisse pas facilement émouvoir.

— Et ce sont des hommes comme vous qui se permettaient de dire à nos grand-mères de ne pas empêcher la famille.

— Ce sont des femmes comme vous qui poussaient leurs petits-fils à devenir prêtres, madame. Cessons de penser que l'Église est un corps étranger dont il faut se débarrasser. C'est pas mal plus notre fille que notre *sainte Mère*. Elle est partie intégrante de l'Histoire de notre peuple. Elle a fait sa part de bons et de mauvais coups, mais elle ne peut pas être tenue responsable de tout. J'ajoute que personne ici ne va la chasser comme une malpropre tant qu'un Québécois, qu'une Québécoise voudra croire en Dieu, que Dieu s'est incarné en Jésus-Christ et qu'il demeure parmi nous dans cette Église où je suis curé.

L'animateur attrape le ballon.

— Un curé qui se mêle de politique.

— Oui, monsieur. Je suis un prêtre mais je n'en suis pas moins un homme québécois. Cet homme québécois pense que si son peuple ne parvient pas à son indépendance, il va disparaître. Et je ne veux pas que ça arrive.

D'un seul cri, le public en studio vient d'adopter Gilbert.

L'animateur ne manque pas d'élégance et sait reconnaître les êtres forts.

— C'était le curé du Mile End.

Pendant que la foule poursuit l'ovation, sous la musique, juste avant la pause publicitaire, l'animateur pose un œil souriant et admiratif sur Gilbert.

— Merci.

Gilbert sort du studio à moitié mort. Il passe une heure seul dans l'église Saint-Enfant-Jésus. Assis devant le tabernacle, il aurait bien besoin de sentir une présence. Rien; il patauge dans le néant. Sa solitude ne se compare tout de même pas à celle du crucifié. Malgré tout, Gilbert s'obstinera jusqu'à la fin. Il choisit de croire parce que c'est plus beau. Une fois, il a entrevu de l'indicible. L'idée de Dieu s'en remettant aux mains des hommes fonde la notion même de la liberté. Gilbert s'inscrit tout à fait dans l'esprit d'Alexis de Tocqueville : « C'est le despotisme qui peut se passer de la foi, pas la liberté. »

Le lendemain, au premier visionnement de l'émission en compagnie de son équipe rapprochée, l'animateur de télévision allume. Il comprend enfin ce qui le travaille depuis la veille.

— Tabarnak qu'il me fait penser à Bourgault.

L'ancien étudiant du plus célèbre tribun du Québec ne peut pas s'empêcher d'éprouver de la sympathie pour le curé du Mile End. Il coupera peu au montage. Il salive.

— Ça va fesser fort, mes *chums*! Je voudrais pas être à sa place.

Même la chroniqueuse du tabloïd écrit sur lui un texte qui paraîtra dans l'édition de lundi. Interpellée, perplexe, elle reconnaît l'honnêteté de ce réactionnaire de droite qui ne l'a pas convaincue, mais tout de même déstabilisée. Pourquoi un homme aussi brillant veut-il nous ramener en arrière ?

5

Le samedi matin, Gilbert apprend la mort du curé Bolduc. Battant de vitesse le cancer, son cœur a lâché.

Samedi soir et dimanche, jusqu'en début de soirée, les paroissiens pourront se rendre au salon funéraire voisin du Signe de Croix pour un dernier hommage à leur pasteur.

Le curé du Mile End vit les dernières heures d'un anonymat déjà bien relatif.

Le salon funéraire reçoit surtout des têtes grises, des vieilles personnes se racontant des anecdotes sur le bon curé Bolduc, qui a poursuivi le travail du bon curé Brochu. Tout le monde s'en souvient.

— Hé! Qu'il était bon!

— Oui, il était bon, certain.

— Ça, pour être bon, y était bon.

Une vie donnée à des vieillards? Oui, Lionel Bolduc a surtout consolé des vieux, confessé des vieux, veillé sur des vieux. Maintenant, des vieux viennent l'enterrer.

Le samedi soir, une rumeur circule.

— Je l'ai vu à la tévé.

— Ça va passer demain soir.

Déjà, Gilbert n'est plus tout à fait dans leur monde. Le téléviseur crée une distance, la magie de l'écran fabrique une aura. On se regroupe devant la télévision. On y communie. Ceux qui restent seuls devant leur propre appareil se savent reliés à la multitude des isolés buvant la même information.

On diffuse en rafale la bande-annonce de l'émission du dimanche soir. On y voit Gilbert éclatant de rire. On l'entend s'affirmer pour l'indépendance du Québec. Sans nuances. Bang! Comme ça! C'est le sujet de conversation dans les résidences de vieux du boulevard Saint-Joseph.

Le dimanche, après la messe, sur le perron de l'église, Gilbert salue un à un les paroissiens. Une charmante vieille dame, qui porte des gants à l'ancienne, semble parler au nom de ses amies regroupées autour d'elle.

— On vous a vu à la télévision.

Les autres enchaînent.

— Depuis hier, aux sept étages, tout le monde en parle.

— C'est bien ce soir, hein?

— Ça a l'air bon.

— Bien bon.

— Bien, bien bon.

La main gantée, pleine de distinction, se pose sur l'avant-bras de Gilbert.

— On vous voit au salon funéraire, cet après-midi?

— Oui, madame Morissette.

Toute contente que la future vedette de la télévision se souvienne de son nom, elle entraîne ses amies.

— Bon! La soupe va refroidir.

L'équipe trottine en direction de la table. Il faut prendre des forces. Un gros dimanche exige un gros repas: messe, salon funéraire et télévision en soirée.

Plus loin, Claude fait la manche. Depuis quelque temps, il n'adresse plus la parole à Gilbert. Quand le prêtre lui tourne le dos, l'itinérant lui lance un regard sournois, comme s'il préparait un mauvais coup.

♣

Dans la salle aux douze tableaux, à dix-neuf heures trente, tous les ordinateurs dorment. Le chauffeur coréen conduit silencieusement Marie-Elphège chez Mathilde DeGrandpré, à côté de l'église Saint-Léon de Westmount. La webmestre Marlène Jardin et le lieutenant Matthieu Guérin viennent de coucher Pierre, Jean, Jacques et préparent un pot de tisane. Claudine et Claudette Dumas accompagnent le vieux frère Victor à la salle de télévision d'une maison de retraités du boulevard Saint-Joseph. Le tromboniste Camil Cyr sort du métro avec Tristan-Jacques Messier, en direction de l'appartement de la mère du mulâtre de génie. L'attachée de presse Charlène Mailloux, seule chez elle, se prépare à regarder l'émission comme on se concentre sur un devoir académique.

Au fond de la ruelle, derrière la Caisse populaire Saint-Enfant-Jésus, le malodorant Claude pisse le sang, les lèvres éclatées. En lui pétant la gueule, son *pusher* lui a expliqué que ce n'était pas personnel, mais qu'il devait donner « *une* exemple ». Il accepte d'avancer de la *dope*, mais il faut payer au moment promis. Claude comprend son *pusher*. L'itinérant en veut énormément à tous ceux qui ne lui donnent pas « vingt piastres ».

Dans le bureau du luxueux sous-sol, chez Gilles Larivière, en compagnie de Louise, Gilbert sent une angoisse inutile l'oppresser. Il aurait préféré ne pas regarder cette émission. Les Larivière se sont unis pour le convaincre du contraire. Gilbert doit agir avec lucidité. Il faut pouvoir mesurer son propre impact.

À vingt heures pile, sur le grand écran plat installé au mur recouvert de cuir des Larivière, l'animateur de télévision entre sur le plateau.

La télévision exerce un effet révélateur. On coupe le son, on regarde bouger celui qui parle et son corps dit la vérité. Quand on rétablit le contact sonore, la véracité se perçoit dans le timbre de la voix. Dans les cas où le son et l'image sont homogènes, on dit que la personne passe, traverse l'écran.

Ce dimanche soir, la vérité intérieure de Gilbert Fortin explose sur tout le territoire québécois.

Le Québec ressemble à une arène de boxe. Dans un coin, on reprend espoir en entendant cet homme charismatique : « Enfin, quelqu'un de crédible. » Dans l'autre, ceux qui pensaient la question réglée se hérissent : « Mon Dieu, ça finira donc jamais ! » Un curé s'engage dans le cirque. Ils ne se mêleront donc jamais de leurs affaires ? Il y aura toujours, quelque part, un zélé pour se lever en prenant l'Évangile au premier degré ? un illuminé qui ne voit pas qu'il s'agit d'une allégorie ? que la religion sert à calmer les pauvres, à endormir la douleur ? Depuis quelques années, on approche d'un état d'équilibre plus confortable. Si la religion tient à remonter sur les planches, que ce ne soit pas pour jouer les perturbateurs, mais pour interpréter son légendaire premier rôle, au service de la stabilité ; comme l'avait bien compris Napoléon Bonaparte : « Je ne vois pas dans la religion le mystère de l'incarnation mais le mystère de l'ordre social. » Oui, la religion permet de soulager les souffrances de la condition humaine, pas autre chose. Ce dimanche soir, tout le camp du statu quo se dresse d'indignation devant le curé du Mile End. On le noiera dans son bénitier.

Chez les souverainistes, une partie des baby-boomers enrage tout autant contre les soutanes. Ces salauds de violeurs d'enfants ont trouvé un moyen de rebondir. De leur dernier abri, ils sortent une dernière arme. Ils lancent un moine tenu au chaud pendant trente ans, coupé de l'évolution du Québec, pour récupérer les efforts de la gauche. On les connaît : les prélats laisseront le naïf en col romain ramener du monde à l'église sans que l'ancien moine atteigne jamais son objectif politique. On saura limiter à temps ses débordements. Le Québec est bien, dans le Canada ; oui, on peut avoir le beurre et l'argent du beurre. Voilà ce qu'a toujours enseigné l'Église. À la gauche, la propre génération de Gilbert lui refusera une place dans le camp souverainiste. Ici, au Québec, tout est de la faute de l'Église. On ne lui demande pas de se racheter, simplement de disparaître. Ce curé tuera définitivement la cause si on le laisse faire.

Toutefois, une nouvelle génération ouvre de grands yeux devant l'écran. L'homme interpelle des garçons et des filles de la vingtaine à la petite trentaine. Les enfants des années quatre-vingt, élevés par la télévision, ont reçu une partie importante de leur éducation d'une série d'émissions diffusées pendant près de vingt ans. On les appelle la « génération Passe-Partout » du titre même de l'émission. Jamais, en près de cent heures de matériel enregistré, il n'a été question de Dieu ni de religion. Ça n'existe pas. Cette jeunesse ne partage pas les préjugés de ses aînés. Le fait que Gilbert soit curé ne les impressionne pas. Ils entendent cet homme de l'âge de leur père s'exprimer avec un feu éteint depuis longtemps chez leurs parents, comme si l'homme en col romain avait été préservé de l'usure du temps. Ils le croient, comme quand le personnage de Passe-Partout leur offrait le cadeau d'une confidence. Gilbert Fortin a raison de crier au secours. Le Québécois est-il en voie d'extinction, comme le panda et l'orang-outang ? Il ne s'agit pas tant d'une question politique que d'une affaire écologique. Il appelle à protéger une famille humaine menacée.

Le Québec se couvre d'une multitude de petits points lumineux que personne ne voit. Partout, quelques vieilles religieuses partagent des maisons discrètes, proprettes, bien entretenues. Ces femmes ont enseigné, soigné, dirigé des écoles et administré des hôpitaux. Elles s'éteignent anonymement dans la marge. Pourtant, il leur reste du feu. Les tricoteuses suspendent maintenant le mouvement des broches, les championnes de sudoku immobilisent un instant la danse des chiffres et les meilleures cruciverbistes posent un moment leur supergrille… Toutes ces femmes entendent l'appel du curé du Mile End. L'envie d'un dernier tour de piste se lève déjà sous les vestes confectionnées au crochet. Toutes les sœurs Catherine, Marguerite, Irène, Janine, Antoinette, Germaine, Hortense, Florence, Micheline, Marthe et Marie se voient d'avance sur la ligne de départ pour la lutte finale des héritiers du fleuve. Celles qui ont auparavant supprimé des courriels en provenance des «Héritiers du Fleuve» se promettent une visite du site Internet tout de suite après la messe, le lendemain matin.

Ce dimanche soir de la rentrée télévisuelle d'automne, le curé du Mile End ne laisse personne indifférent.

Tous ses alliés jubilent. Le lieutenant de police Matthieu Guérin a remplacé le pot de tisane par une bouteille de Blanquette de Limoux qui brille déjà dans les beaux yeux noisette de Marlène. Marie-Elphège s'est laissé aller à saisir Mathilde DeGrandpré dans ses bras maigres pour un chaste baiser dans les cheveux gris montés en chignon. Jimmy, le chauffeur coréen, a obtenu congé pour la soirée. L'attachée de presse Charlène Mailloux célèbre par anticipation le jour de l'Indépendance du Québec en répétant paradoxalement: «*Yes! Yes! Yes!*» Le vieux frère Victor retient ses larmes, au milieu des petits vieux qui s'engagent à repousser leur départ de quelques années pour compléter le travail amorcé par la revanche des berceaux. Claudette Dumas parle dans son cellulaire avec sa mère avant de céder l'appareil à sa jumelle Claudine, qui enchaîne par un échange enthousiaste avec son père Raymond. Tristan-Jacques Messier promet et promet à sa mère inquiète que le Québec ne sombrera pas dans le désordre d'Haïti, mais qu'au contraire elle pourra un jour venir en aide à son île chérie. Camil Cyr passe et repasse la langue sur ses lèvres. Son trombone lui manque. Il ne connaît que lui pour évacuer son trop-plein d'émotion.

Au Summit Circle, dans une immense maison tout en pierres, Évangéline Wright, née Lebœuf, pose un œil sec sur les lumières de la ville. À ses côtés, son neveu Alexandre boit lentement son Chivas. Il attend que sa tante réagisse. Le silence se prolonge depuis cinq minutes. Évangéline constate: elle doit prendre les choses en main. Le saccage raté du Signe de Croix lui confirme une opinion déjà bien arrêtée: les hommes sont des enfants; pire, les hommes québécois n'ont pas de couilles. Alexandre n'est pas meilleur que son père. Il faudra lui dire quoi faire, comme à Germain qui dirigeait la brigade anti-émeute en 1970. Elle avait encouragé son frère à collaborer avec l'armée qui venait écraser dans l'œuf ce FLQ qui la terrorisait. Germain était vexé du manque de confiance des autorités à son égard. Évangéline s'était portée à la défense du maire, du ministre de la Justice, des deux Premiers ministres et de tout ce qui pouvait régler le problème. Germain, convaincu par sa sœur, avait brisé le mouvement violent par une réaction encore plus violente. La pensée d'Évangéline se précise: il ne suffit pas de casser une douzaine d'ordinateurs et de renverser quelques étagères de livres pour faire taire un homme comme ce curé antipathique. On doit trouver sa faiblesse et l'attaquer personnellement; le discréditer, quoi! Comment? D'abord en sachant tout sur lui. Évangéline inspire, retient un moment son souffle, puis expire en parlant.

— Alexandre, as-tu enquêté sur lui?

Elle ne nomme même pas Gilbert tant il va de soi qu'elle parle de lui. Le lieutenant Lebœuf résume son dépit.

— Tu parles! Bien sûr. Rien. C'est un matelas pas de poignées. J'ai poussé l'enquête jusqu'en France. Mes amis de Dijon ont même visité le monastère où il a passé trente ans minimum. Rien. Oh! Un ennui de santé, une fois. C'est là qu'il est rentré à l'abbaye d'Oka. Pas une fausse note: une vraie vie plate.

Évangéline sourit en se rappelant le langage du pensionnat de sa jeunesse.

— Bon, bien, si on peut pas médire, on va calomnier.

— Je comprends pas.

Évangéline pince les lèvres.

— Cherche encore. Il peut pas être blanc. Si t'es incapable
de trouver, on va inventer.

Piqué au vif, attaqué sur sa compétence, le neveu se tourne
vers sa tante préférée pour la remettre à sa place. Juste comme
il ouvre la bouche, un visage lui apparaît : Henri-Charles
Lozeau.

— J'ai peut-être une idée.

Alex avale son whisky d'un trait.

Dans le parc Lahaie, un Claude au visage tuméfié discute
ferme avec l'Homme invisible. L'arrivée d'une voiture l'interrompt. Il reconnaît trop bien la Mercedes de Gilles Larivière.
Claude le déteste d'exister et admire sa force.

Dans la berline, le directeur général des Héritiers du
Fleuve reprend du service comme producteur de spectacles. Il
faut pousser l'artiste sur les planches en le rassurant sur son
talent et sur l'impact unique de son œuvre. Cependant, pour
une fois, Gilles ne manipule pas un gros ego pour qu'il fasse
un beau caca doré ; il appuie à fond Gilbert Fortin, qui ressent
intimement ce que son peuple vit inconsciemment. Un enfant abandonné peut devenir un homme responsable ; un
peuple délaissé peut se réaliser, créer pour le monde un pays
nouveau. On a besoin de confiance. La confiance est fondée
sur la foi. La foi résulte d'un choix. Le choix implique un
risque. Le risque entraîne la peur. La peur demande du courage. Où puiser le courage ? Dans la fierté. De quelle fierté
parle-t-on ? Celle de vivre libre, différent, unique et relié à
tous. Gilbert occupe une position singulière dans son peuple ;
ce peuple doit jouer un rôle irremplaçable parmi les peuples.
Un pays nommé Québec rendra le monde meilleur. Il faut

croire à la vertu des petites nations. Ce dimanche soir, en ramenant le curé du Mile End à son presbytère, Gilles Larivière se sent investi d'une mission. L'auto s'immobilise dans la rue Saint-Dominique. Le conducteur coupe le contact.

— Comment tu te sens, Gilbert?

— Je ne me sens pas du tout.

Dans le parc, le pauvre Claude pourrait en dire autant de lui-même… mais pas son entourage. Il se concentre le mieux possible afin de détester le plus fort possible les deux hommes dans le *char*.

Tout en poursuivant la conversation avec Gilbert, Gilles regarde l'itinérant.

— As-tu peur, Gilbert?

— Juste d'avoir peur.

— Je te le confirme: tu vas avoir peur. Ça tue pas. Ça rend plus fort.

— Gilles, penses-tu qu'on peut réussir ce que tant de générations ont raté?

— Pas raté, Gilbert: préparé. Jérusalem de gériboire, tu as réussi à m'ôter mes œillères. Je pensais que tout le monde pouvait évoluer, sauf les curés.

— J'ai vraiment besoin de toi, Gilles.

— On a vraiment besoin de toi, Gilbert.

Gilles, les yeux toujours posés sur Claude, descend la vitre.

— *Hey!* Viens ici.

Il tient dans sa main un billet de cent dollars.

— J'ai pas de change.

Claude saisit l'argent avant de reculer, terrorisé par le miracle.

— Tu m'achèteras pas, mon tabarnak!

Puis, il se tourne vers l'Homme invisible, assis sur un banc.

— Toé, ta gueule!

6

Gilbert plonge dans les archives que le curé Bolduc a tant consultées sur son lit de mourant. Le temps passe si vite. Il ne dort pas de la nuit. Une impression de désarroi l'étreint en ce matin d'enterrement.

Aux laudes, plus de cinquante personnes récitent les psaumes dans l'église Saint-Enfant-Jésus. Gilbert, un peu frileux, semble inatteignable et, d'une manière contradictoire, très fragile. Il n'a pas préparé d'homélie pour la messe de funérailles de Lionel Bolduc. Chargé des images de l'Histoire de la paroisse, des impressions que la situation nouvelle génère en lui, Gilbert laissera parler son cœur. Il sait maintenant qu'il s'agit pour lui de la meilleure façon de procéder. En fait, l'expérience de toute une vie nourrit sa parole. Il comprend aujourd'hui la méthode de travail du grand prédicateur que les Canadiens français des États-Unis et du Canada ont admiré en 1841. Mgr de Forbin-Janson s'en expliquait : « La préparation de mes sermons ne me coûte guère que quelques minutes de méditation et de prière. » Il aurait pu ajouter que ses sermons lui servaient à exprimer ce qui l'habitait à tout instant, qu'il s'agissait de l'expression des préoccupations de toute une vie.

Gilbert en arrive à ce point. Sa libération personnelle et celle de son peuple opèrent en synergie. Il ressent dans son ventre le besoin d'authenticité et d'affirmation des siens.

Après les laudes, des gens s'approchent pour le féliciter et le remercier. Cependant, un inconnu l'insulte et le maudit, sans crier, en lui soufflant son haleine fétide de café et de tabac, comme une confidence.

Gilbert se rend tôt au salon funéraire.

♣

Beaucoup d'auditeurs sont assommés à la fin de l'émission matinale du journaliste Ghyslain Leroux. Le « fou des ondes » a matraqué son auditoire à grands coups d'enthousiasme pendant trois heures, parlant du début d'un temps nouveau, allant jusqu'à ressortir un vieux succès des années soixante qui annonçait déjà à l'époque ce « temps nouveau ». Quand il s'y met, il en rameute du peuple, la grande gueule ! Désormais en mission, il se démultiplie pour « faire la nouvelle ».

Le lundi 12 septembre 2005, au moment où les cloches de l'église Saint-Enfant-Jésus accueillent gravement le cercueil du curé Bolduc que portent six hommes sur les cent mètres qui séparent le salon funéraire de l'église, les cars de reportage sont alignés depuis un moment dans le stationnement derrière l'église.

Les caméras tournent autour de Gilbert. Dans son innocence, il n'a pas pensé à leur refuser l'accès à la cérémonie. Étourdi par sa nuit blanche, il se concentre sur sa tâche : offrir à Lionel Bolduc un dernier adieu digne de sa vie.

À l'homélie, il parle, parle, parle. Du réservoir de plus de trente ans de vie monastique, un flot continu jaillit par l'ouverture de l'émotion. Gilbert revient sur la dignité, le respect, la fidélité. La chorale de petits vieux des sœurs Dumas en émeut plus d'un. Claudette chantant l'*Ave Maria*, Claudine interprétant le *Stabat Mater*, se surpassent. À l'offertoire, une longue plainte déchirante monte du trombone de Camil Cyr.

À la sortie du cercueil en route pour l'inhumation, Tristan-Jacques Messier, qui touche plusieurs instruments, se jette sur l'orgue et offre ainsi aux monteurs de nouvelles une piste sonore irremplaçable pour tapisser les reportages.

Puis, la foule, comme un enfant perdu, voit s'éloigner un lent cortège de voitures derrière le corbillard, en direction du mont Royal. Les élèves des écoles situées tout près de l'église s'attroupent dans le parc Lahaie. Les caméras restées sur le parvis captent des images du convoi dans lequel le curé du Mile End semble accompagner son prédécesseur en voyage de noces... de noces éternelles.

Les gens, comme un public de première qui ne veut pas que le spectacle s'achève, se réservent tout de même le dernier mot : ils chantent : «Mon cher Lionel...» avant d'applaudir pendant plus d'une minute.

Au retour du cimetière où tous les proches l'ont accompagné, Gilbert ne tient plus debout. Après avoir avalé une soupe en compagnie de son équipe, il confie sa garde rapprochée au frère Victor, son «vicaire».

Allongé sur le lit, il descend immédiatement au fond d'un puits de sommeil, dans les ondes jade du rêve, acteur et spectateur d'un film qui finit mal... et bien.

En poussant à l'action le père Gilbert du songe, il réinvente l'Histoire et réalise le rêve de tout un peuple[19]...

Dans le lit de solitude qu'il occupe au presbytère Saint-Enfant-Jésus du Mile End, Gilbert Fortin se débat dans son sommeil. Il se noie dans la lumière verte.

Puis, dans la chambre, il reste un moment suspendu au-dessus de son corps. Il en sort pour la seconde fois de sa vie.

---

19. Voir *Le Révisionnisme onirique : Séquence 9*, page 391.

Le premier choc l'a déraciné du monastère. Il regarde le dormeur immobilisé dans le lit et choisit d'y replonger une dernière fois.

♣

Au réveil, Gilbert se sent accablé de fatigue; une moiteur inconfortable lui couvre le cou, les épaules et le haut du dos. Il cherche en lui où puiser le courage. Inutile de garder le lit; il ne dormira plus. Pas davantage possible de se lancer dans un projet; il n'y arrivera pas.

Il descend à la cuisine. Le frère Victor, déjà dans l'église pour les laudes, a préparé le café. Gilbert s'en sert une grande tasse, avale deux aspirines et remonte à sa chambre.

Assis à sa table de travail, il espère que les cachets diminueront l'accablement. «Quelle endurance, tout de même, quelle obstination à vouloir vivre!» Les impressions de son rêve remontent. «Où trouver le cran d'aller jusqu'au bout?»

Dehors, le ciel reste couvert. Un mardi à l'image de ce que ressent Gilbert. Il tend la main vers son agenda. Rien ne l'empêche de s'offrir une journée de solitude. Cette coutume monastique le servira bien aujourd'hui. Il passera l'avant-midi dans les livres du curé Bolduc, le défunt ayant même conservé les manuels scolaires du temps de ses études.

Gilbert bouge difficilement. Tout mouvement lui demande un effort. L'idée de se replacer correctement sur sa chaise exige toute sa concentration. Pour se redresser, il doit user d'une grande détermination. «Quelle fatigue!» À peine arrive-t-il à garder les yeux ouverts. Aujourd'hui, il sent son âge. Aura-t-il l'énergie pour mener à terme son projet? «Quel peuple unique, tout de même!» On est Québécois comme on se sait Juif. Abandonnés dans un désert de glace, nous suivions des prophètes, envahissant des terres déjà habitées. Gilbert comprend que son Québec indépendant devra redonner leur place à ces peuples autochtones bafoués. Nous avons même souvent renié leur sang qui coule dans nos propres veines. Nous avons souffert de racisme, le subissant et le pratiquant nous-mêmes.

Il faut beaucoup de courage à Gilbert pour s'arracher de son siège, redescendre à la cuisine y déposer un billet annonçant sa retraite pour la journée. Un bol de fruits dans les mains, il passe par la chambre de Lionel Bolduc. Une pile de livres d'histoire sous le bras, Gilbert regagne sa chambre. Il fouillera les textes de François-Xavier Garneau, de Lionel Groulx, de Guy Laviolette et de Gérard Filteau[20].

Après plus de trois heures de lecture, Gilbert lève les yeux de ses notes. Il se sent moins mal. Il sourit en repensant à un commentaire entendu récemment. L'idée lui plaît. Elle exprime bien que l'on peut envisager différemment la vie. Un petit pays situé à sept mille mètres d'altitude, près du Tibet, a choisi de mesurer sa richesse autrement que par le «produit national brut». Le roi du Bhoutan parle du «bonheur national brut». Oui, on y jauge la croissance et le développement économique. Cependant, la conservation et la promotion de la culture bhoutanaise importent aussi; *idem* pour la sauvegarde de l'environnement ou la promotion du développement durable. On ne coupe pas un arbre sans en planter un.

Cette notion de «bonheur national brut» illustre que l'on peut vivre de plusieurs manières. Gilbert ressent un début de bien-être en pensant à ce que choisirait un Québec indépendant. Ce serait certainement différent de la situation actuelle: quel sentiment de fierté remplacerait le doute hyperbolique de ce peuple!

Il appuie maintenant la tête au dossier de sa chaise. Un coude sur la table, la main sur la bouche, il expire bruyamment, comme pour chasser le reste de fièvre qui lui tient

---

20. Voir *Dossiers de Gilbert Fortin: Racisme et mission*, page 425.

encore le ventre. Dehors, le soleil emplit ce mardi 13 septembre d'une lumière dont l'intensité provoque un froncement de sourcils. Mais qu'est-ce qui lui prend de s'embarquer dans une mission apparemment impossible? Les Québécois n'en veulent pas de leur indépendance! Qu'est-ce qu'ils veulent? Ils «veulent rien savoir». La tête de Gilbert se vide. Une forte envie de tout laisser tomber le prend aux entrailles. Pourquoi jouer au prophète? Pour annoncer quoi? Un temps très long de silence intérieur précède la réponse que Gilbert accueille, accepte et assume: le droit pour chaque personne de vivre libre, le droit pour chaque peuple de s'autodéterminer.

Maintenant, le visage de Gilbert se durcit. Il sait. Cela ne se résoudra pas au jeu parlementaire. On doit éduquer, travailler à la base, gagner chaque maison, chaque quartier, chaque village, chaque région. Susciter des manifestations de fierté. Utiliser l'Histoire. Éduquer, voilà. Faire comprendre que nous allons disparaître. On provoquera deux réactions: ceux qui saisiront et adhèreront et ceux qui s'opposeront et se battront. Les deux groupes pourront aider la cause. Le mépris atavique de nombreux chroniqueurs tant anglophones que francophones provoquera une levée de boucliers au Québec. On traversera certainement des périodes troubles. Mais entre cette éventualité et la possibilité de disparaître, Gilbert a choisi.

Arrivé à la fin de la cinquantaine, il y laissera probablement les dernières années de sa vie. Il terminera une existence de vieux petit garçon sans enfant par cette ultime tentative de procréer. Gilbert mettra un nouveau pays au monde. Convaincre, expliquer, enthousiasmer, provoquer, choquer, séduire, contredire, affirmer, répéter, affronter, célébrer de toutes les façons possibles l'existence de ce peuple québécois. Et, pour Gilbert Fortin, prêtre catholique, nouveau converti dans un peuple ayant en bonne partie perdu la foi: prier, en s'élevant comme l'encens.

Gilbert replonge dans les livres d'histoire.

Au milieu de l'après-midi, il met deux bananes dans les poches de son veston, noue un foulard à son cou, davantage pour voiler son col romain que pour se protéger du froid, et quitte sa chambre. Les jumelles Dumas suivent un cours à l'université, tout comme le tromboniste d'Arvida. Tristan-Jacques Messier passe parfois quelques heures à répéter à l'orgue de l'église. Il a repiqué la musique du dernier album du célèbre musicien de son adolescence. Il songe même à reprendre *Veux-tu changer le monde avec moi?* de Stan Jutras à l'église Saint-Enfant-Jésus du Mile End. Pourquoi pas? Les conditions, quoique plus modestes, valent celles de la basilique Notre-Dame où l'œuvre a été créée le 13 mai 1994. Plus de dix ans, déjà; comme tout va vite! Tristan-Jacques possède une copie de l'album. La photo du chanteur l'impressionne: quelle force! En voyant la tête de Stan Jutras, Gilbert s'est tu. Pourquoi révéler qu'il connaît l'homme? La confidence ouvrirait la porte à trop de questions. Le mythe de ce Stan Jutras occupe déjà assez d'espace dans l'imaginaire québécois. On dit que le chanteur a échappé de justesse à une tentative de meurtre. Il participait alors aux activités d'une secte dont une trentaine de membres se sont suicidés collectivement à la fin de l'an 2001, après avoir crucifié un jeune moine suisse. Un policier était arrivé juste à temps pour empêcher trois forcenés de faire subir le même traitement à Stan Jutras.

Depuis, on ne sait plus où vit le chanteur. On le dit en institution psychiatrique.

Gilbert connaît beaucoup trop de détails sur la vie de l'artiste qui s'était rendu à quelques reprises à l'ancienne abbaye bourguignonne du moine d'origine québécoise. Cependant, avant que Tristan-Jacques ne lui en propose l'audition, il n'avait jamais entendu l'homme chanter. Après une minute d'écoute, on avait compris. Quel immense talent! Oui, pourquoi ne pas reprendre son œuvre? Qui pourrait mieux lui donner un second souffle que Tristan-Jacques Messier?

Le curé du Mile End ne rencontre personne en sortant du presbytère. Devant l'église, il se laisse entraîner par la curiosité. L'oreille collée sur la porte, il entend l'orgue : « Quelle force ! Dommage… » Il regrette de ne pas pouvoir compter sur ce Stan Jutras. Pourquoi les meilleurs perdent-ils l'équilibre ? Émile Nelligan, Claude Gauvreau, Stanislas Jutras…

Sur le boulevard Saint-Laurent, Gilbert part vers le sud. Au coin de Mont-Royal, il tourne vers l'ouest, marche jusqu'à la montagne et s'engage sur le chemin Olmstead. Pour éviter les échanges de regards, il porte des verres fumés. Il croise des joggers, des cyclistes, des petits groupes de jeunes mamans précédées de poussettes, des Canadiens de l'écurie du mont Royal promenant leurs policiers… Derrière ses lunettes sombres, Gilbert voyage dans sa capsule. Il vit dans une telle solitude ! Pourtant, le solitaire se sent tellement proche de tout le monde. Mais cette proximité ne le met pas en contact : oui, Gilbert Fortin vit collé aux autres ; cependant, il habite une dimension différente et demeure inatteignable. Il le sait, voilà pourquoi il se dit handicapé émotif.

Il arrive au chalet de la montagne. Sur la grande terrasse, le soleil de septembre triomphe. Lui-même à l'automne de sa vie, Gilbert s'avance jusqu'au bout de l'esplanade donnant sur le sud. Magnifique ! On voit au-delà du fleuve Saint-Laurent. Une impression de puissance pénètre Gilbert. Il connaît sa force. Il sait que s'il la met au service de lui-même, elle le rendra malheureux.

Dans un premier temps, il l'a cachée dans un cloître. Les autres moines se sont vite aperçus de son pouvoir. Ils ont remis le monastère entre ses mains. Pendant ses années comme Père abbé de La Ferté, Gilbert était en position d'autorité. Pour le reste de sa vie, il saura l'exercer. Il doit considérer l'organisation des Héritiers du Fleuve sous le même angle : une communauté dont il assure la direction. Gilbert ne veut pas le pouvoir ; il sait trop bien que ça ne veut rien dire. Il n'essaiera pas de changer l'échiquier politique. Il s'agit de ne pas abandonner la cause de l'indépendance aux mains des politiciens. La plupart d'entre eux le comprennent d'ailleurs fort bien. Ils demandent qu'on les élise pour former un « bon gouvernement ». Ils se proposent pour un travail de plomberie. Pas de problème, on confie la tuyauterie aux plombiers qui représentent une nécessité courante. Mais on ne leur donne pas la responsabilité des cours d'eau : des rivières jusqu'au fleuve. La pensée politique relève d'un domaine différent de la politique partisane. D'une certaine manière, Gilbert considère qu'il se facilite la tâche. Il ne fera aucun compromis ; pas davantage de calculs. Non, pas de politique pour la course au pouvoir. Il vise un objectif clair et net. Il faut en arriver à la simplicité : « Êtes-vous pour l'indépendance du Québec ? » Pas de louvoiement. Si une majorité de Québécois vote « oui », plus rien n'arrêtera ce peuple.

Droit comme un piquet, fier comme un coq, Gilbert balaie du regard son île de Montréal retrouvée. Les premières feuilles rouges colorent déjà les arbres sur le campus de l'Université McGill. Gilbert restera vigilant pour éviter les dérapages, les vengeances, le réflexe de répondre aux provocations. On ne refera pas 1837.

Il se retourne vers le chalet de la montagne. À l'intérieur, des fresques illustrent l'Histoire de ce peuple. Il suffit d'un homme de foi pour changer le cours de l'Histoire. Gilbert respire calmement. Oui, une vie réussie est bien une vie donnée.

Gilbert repart sur la droite vers l'est. La pente de gravier s'élève doucement jusqu'au bout pour tourner vers le nord.

Sur un button, protégée par une clôture métallique, la grande croix du mont Royal se dresse. Elle représente la frontière à ne pas franchir ; le symbole à ne pas enlever. La laïcité séparant l'État et l'Église, fort bien ; mais le laïcisme ne fera pas table rase du passé chrétien de ce peuple. Le respect dû aux ancêtres constitue une assise fondamentale de toutes les grandes civilisations. Gilbert espère de tout son cœur que cette foi nouvelle qui l'habite depuis cinq ans poursuivra son expansion. Il regarde la croix. Depuis quelques années, il réalise davantage l'horreur de la crucifixion. L'idée de Dieu incarné, se laissant crucifier par les hommes, ne correspond à aucun concept raisonnable. On dit d'ailleurs la «folie de la croix». On pourrait aussi parler de la «folie de la foi».

Pendant des générations, le peuple de Gilbert s'est accroché à un chapelet de croyances. Elles sont tombées l'une après l'autre, comme des dents de bébé. Son Québec souffre d'un terrible mal de gencives, incapable de mordre dans son propre destin. La fermeté qui s'installe en Gilbert ressemble-t-elle à une première dent d'adulte? Si oui, la loi de la nature le confirme: les autres pousseront vite. Il suffit d'assumer la douleur passagère. «Êtes-vous pour l'indépendance du Québec? – Oui.» Pas plus compliqué. Le reste? Jamais aussi pénible que de se laisser disparaître. Les autres? Respect, dans les deux sens. Quel chantier formidable s'annonce! Quel beau pays à faire grandir! Quel bon débarras pour les *Canadians*! Ils découvriront vite leur bonheur neuf. Quel soulagement de ne plus cohabiter avec un adolescent frustré!

Gilbert regarde la croix. Il sourit. Sa source d'alimentation ne sera visible que pour ceux qui s'en approcheront. Désormais libéré des fables pleines de superstitions dans lesquelles on confondait le père Noël et le bon Dieu, ce peuple descendra peut-être assez profondément en lui-même, dans son Histoire, pour y puiser à la source.

Fort de son secret, riche de sa découverte, confiant dans l'âme de son peuple, le curé du Mile End dénoue le foulard qui couvrait son col romain et redescend de la montagne où le soleil de fin d'après-midi étale généreusement ses ocres dorés.

Un homme confiant, un prêtre catholique vêtu d'un clergyman, plonge la main dans sa poche à la vue d'un clochard.
Il aperçoit, debout sur un banc, un Claude tourmenté qui
parlemente avec l'Homme invisible. Reconnaissant de loin
Gilbert, le rejeté court vers lui.

— *Hey!* Donne-moé vingt piastres.

Gilbert sourit en lui donnant l'argent.

Décidément, cet homme n'entre pas dans les catégories
mentales de Claude. L'itinérant saisit le billet vert.

— T'es malade en tabarnak.

Au nord, sur le boulevard Saint-Laurent, le chauffeur
coréen de Mathilde, debout à côté de la Cadillac, détourne le
regard. Gilbert bifurque en direction du Signe de Croix. Il
ressent la joie de son attachement pour ces gens qui l'entourent.

À l'apparition de Gilbert, le sourire de Marie-Elphège
Fortin confirme que l'affection circule dans les deux sens.

— Bon! Notre moineau est redescendu de sa branche? Tu
t'es reposé?

Le Beauceron excentrique plaît tellement à Gilbert. Quel
beau fou! Superbleu? Tu parles! «Superbeau», oui.

En compagnie de Kiki «la Chinoise», d'Olivia «la Camerounaise» et du petit Léo «le pure laine» qui époussettent les
bouquins, le vieillard examine de vieux manuels scolaires.

— On a reçu deux énormes caisses d'une communauté
de frères des Bois-Francs: une collection de tous les livres
d'école du temps de la guerre. Non, pas celle de 39-45: la
Première Guerre. Je pensais jamais que quelqu'un pouvait
encore posséder un pareil trésor. Ils nous font confiance,
Gilbert. À ce rythme-là, Le Signe de Croix va devenir un
vrai centre de documentation; puis moi, un véritable insomniaque.

Tout comme le trio d'enfants, il rit de bon cœur en posant de nouveaux ouvrages dans les bras de Mathilde qui dirige le classement, heureuse du bonheur de son vieil ami.

Gilbert entre dans la salle aux douze tableaux. La ruche bourdonne. Aux ordinateurs habituels, quelques portables se sont ajoutés. Des jeunes du groupe d'intervention artistique – qu'ils appellent le GIA – développent le goût de s'installer avec les vieillards et leurs jeunes instructeurs Souad, Hassan « du Maroc'n'roll », Lolita, Pedro « de Lima », Myriam « la blondinette » et Hugo « le rouquin ». Assistée par Gisèle Galland, sa vieille fille préférée, la grande responsable de l'informatique circule au milieu de l'activité en répondant aux questions, en approuvant les initiatives, en corrigeant parfois le tir, tout en conservant une égalité d'humeur héritée de son passage chez les Carmélites. Marlène Jardin représente l'unique participation de sa génération. Gilbert Fortin réfléchit souvent aux moyens d'attirer les gens de quarante et de cinquante ans. Il faut aux Héritiers du Fleuve l'énergie de ce groupe dans la force de l'âge. Ils vivent déjà pour la plupart si intensément. Entre les exigences du travail et les contraintes multiples d'une vie de famille, où trouver le temps pour mettre un pays au monde ? Il faudrait que l'on puisse y prendre du plaisir et que la préoccupation rejoigne celles de tout parent normal pour l'avenir de ses petits… Oui, aller jusqu'à donner un pays à ses enfants.

Marlène s'approche de Gilbert.

— Ton passage à la télévision change nos données. On a reçu une pluie de courriels de gens de mon âge.

Gilbert sourit à la jeune quadragénaire.

— Qu'est-ce que tu fais dans ma tête ?

— Je respire un peu d'air frais.

Marlène lui reflète son sourire.

— Le manque de jeunes familles m'inquiétait pas mal. Là, si ça continue, on va toucher tout le monde… C'est fou, la force de la télévision ! On dira ce qu'on voudra d'Internet, la télévision est pas encore morte.

— Oui, il faut combiner les deux.

Gilbert grimace. Un reste de mal de ventre se manifeste, de quoi lui rappeler qu'il ne rajeunit pas.

— Marlène, il faut qu'on trouve un moyen de rassurer les familles sur les questions d'argent. L'idée même de la séparation fait peur à tellement de monde! En parles-tu de temps en temps avec ton mari?

— Pour Matthieu, pour nous autres, pas de problèmes. C'est pas dans les périodes de changements que les policiers perdent leur emploi. Non, ce qui préoccupe Matthieu, c'est la provocation. Il faut qu'on se prépare à subir l'intimidation, l'hostilité, la malveillance, la mauvaise foi, le mépris, les agressions… sans répondre sur le même ton. La plupart des gars et des filles qui sont entrés dans la police aiment l'ordre, la sécurité. Ils se fient à la loi, bien sûr, mais ils comptent aussi sur l'esprit de corps. Il faut les aider à se sentir Québécois. D'après Matthieu, la seule façon d'éviter la répression, c'est d'établir des contacts avec la direction du Service de police, autant à la Sûreté du Québec qu'à la police de Montréal.

— J'aimerais bien parler de tout ça avec lui.

— Viens souper à la maison un soir où on travaille pas le lendemain.

— Avec plaisir. J'attends juste une date.

— On va tenir un conseil de famille là-dessus.

Un petit rire affectueux rebondit de l'un à l'autre et les lance chacun dans une nouvelle direction.

Pendant que Marlène se penche sur un écran d'ordinateur, Gilbert grimpe les marches d'escalier deux par deux; pas encore tout à fait fini, le quinquagénaire. De la porte grande ouverte du bureau de Gilles Larivière, une discussion monte.

Gilles aperçoit Gilbert.

— Ah! Entre, Jérusalem de gériboire, tu peux pas mieux tomber.

Sur la table sont étalés les journaux. On y voit les images de l'enterrement du curé Bolduc. Gilbert y jette un rapide coup d'œil.

— J'avais pas réalisé la grosseur de la foule.

Le journaliste Ghyslain Leroux jubile.

— Si tu tenais une ligne ouverte à la radio, comme je le fais, tu comprendrais vite que tu pourras pas longtemps t'offrir des journées de congé, comme ça, au *feeling* du matin. Je sais pas s'il reste un politicien qui t'en veut pas, même s'ils font semblant de t'ignorer. Tu fais jaser, mon ami. Faut que tu assures, maintenant : « Pas de vacances pour les idoles ».

Il rit en tapant sur la table avec sa vieille casquette des Expos.

L'attachée de presse Charlène Mailloux joint son rire au sien.

— Tous les recherchistes te demandent, Gilbert. C'est le monde à l'envers. Je reçois des appels de gens qui veulent tout savoir sur toi : ton passé, ta famille... tu vois le genre ?

Gilbert plisse le nez.

— Bref, ils sont plus intéressés aux anecdotes qu'aux idées.

Gilles Larivière plante son regard dans les yeux du prêtre.

— Gilbert, Jérusalem de gériboire, quand on veut changer le monde, c'est parce qu'on pense qu'il est pas parfait. Ça fait qu'il va falloir que tu le prennes comme il est. Oui, les journalistes veulent des anecdotes, du sensationnel, du clinquant, des grosses déclarations, des affrontements, des réconciliations, des meurtres, des Premiers ministres voleurs, des curés pédophiles, des religieuses enceintes et des enfants prodiges. C'est la vie, Jérusalem de gériboire.

Gilbert se glisse sur un siège, à côté du frère Victor.

Le vieux religieux sourit, l'air moqueur.

— Bienvenue au vingt et unième siècle, mon petit frère.

Gilbert regarde le quatuor.

— Il n'y a pas un seul scandale dans ma petite vie, pas davantage de famille, même pas un vieux mononcle cochon ; un passé insignifiant, pas même un ami véritable... Seulement moi et un constat brutal qui m'est sauté dessus en rentrant d'Europe après trente-cinq ans d'absence : on va disparaître. Si on continue à vouloir survivre, on va mourir. Il faut qu'on décide de vivre et qu'on en prenne les moyens. Je le sais que le problème est complexe, que ça va jeter de la merde dans le ventilateur, mais je ne vois pas d'autre solution. Je sais aussi qu'il faut retirer la cause de l'indépendance des mains des partis politiques. Et le plus gros, c'est qu'il m'apparaît clair que si une solide majorité répond « oui » à la question « Êtes-vous pour l'indépendance du Québec ? », rien ne pourra en empêcher la réalisation.

Un silence paisible recouvre maintenant les journaux, la table, l'attachée de presse, l'animateur de radio, le meilleur collecteur de fonds auprès des communautés religieuses et le directeur général. Le curé du Mile End n'occupe aucun poste dans la structure administrative, ne reçoit nul salaire et n'investit pas un sou.

Gilbert lève l'index de la main gauche, comme pour demander au silence la permission de l'interrompre.

— J'ajoute ceci : on va gagner.

Sur ces paroles qui se veulent prophétiques, Marlène entre discrètement dans la pièce. Sa blancheur n'échappe pas à Gilles Larivière.

— As-tu un problème, Marlène ?

Tout le monde se tourne vers la webmestre, qui parle lentement.

— Matthieu vient de m'appeler. Son ami Alex a dû arrêter Henri-Charles Lozeau sur une dénonciation.

Gilles Larivière saisit tout de suite.

— Jérusalem de gériboire, j'ai commis une gaffe d'amateur.

7

Judo vocifère.

— Qu'est-ce que je vous disais? C'est une gang d'hypocrites! Menteurs un jour, menteurs toujours! Ils changeront jamais. Tout le temps des cachettes, des belles explications pour se justifier, du blabla, du blabla... pas autre chose que du blabla.

Ben Laporte approuve.

— C'est ça que je me dis, ostie toastée.

La salle de télévision de la maison de retraités du boulevard Saint-Joseph vit des heures tragiques. Le curé du Mile End a trahi les vieux. Pourquoi a-t-il caché la vérité? Il fallait leur avouer que l'assistant du frère Victor les avait volés. Henri-Charles Lozeau a encaissé un paquet de chèques faits à son nom pour les Héritiers du Fleuve.

Judo se gonfle d'indignation. Le courroux vengeur jaillit d'une borne-fontaine rougie de rage.

— J'ai des preuves. Je les ai montrées à la police. Le bon lieutenant Lebœuf reconnaît maintenant qu'on l'a berné. Il croyait à la sincérité des acolytes du Signe de Croix. La femme de son meilleur ami se trouve impliquée dans le scandale. Ça salit même la police, ostensoir de tôle!

Le vieux juron ramène les ancêtres dans un passé étouffant dont ils ne veulent plus. De nombreux aînés pensent maintenant que Judo les éclaire. D'autres manifestent leur agacement. La très distinguée Madame Morissette, celle même dont le curé connaît le nom, se lève et articule distinctement sa réserve.

— Qu'est-ce que vous vouliez qu'il fasse? Traîner le pauvre voleur en cour pour des chèques faits à son nom? Moi, j'ai appris que le meilleur moyen d'empêcher une pomme pourrie de gâter tout le panier, c'est de l'enlever.

Judo tente de rester calme.

— Entendu, madame Morissette. Mais il fallait le dire!

— Pourquoi?

— Pour pas qu'on perde confiance.

— Jude Aubin! Me prenez-vous pour une valise? Vous avez jamais pu les sentir.

— C'est pas personnel… juste politique.

Ben Laporte signe la déclaration de son maître.

— C'est ça que je me dis, ostie toastée.

Pendant que ses voisins s'agitent en pure perte, une octogénaire discute au téléphone avec son notaire. Dans la chambre 607 de la résidence la plus huppée du quartier, Rita Plante révise son testament.

— Je ne peux plus donner autant d'argent à un homme qui fait des cachotteries. J'avais tellement confiance dans Marie-Elphège. C'est un si beau commerce, Le Signe de Croix… Eh! Que c'est de valeur que ce curé-là soit venu le corrompre, maître Chicoine.

— Qui voulez-vous inscrire à sa place comme bénéficiaire, madame Plante?

— L'Association canadienne de nage synchronisée, s'il vous plaît. Savez-vous que j'ai une «orthographe» de Sylvie Fréchette?

Le sibyllin Damien Chicoine s'offre un brin d'humour.

— Oh! Je ne sais pas si vous êtes nombreux à conserver ça.

— J'ai pas idée de ce que ça vaut.

— Hum…

— En tout cas, mettez-la dans le testament.

L'adepte de la discrétion termine sa troisième révision de testament depuis la parution du *Journal de Montréal*. Le chapelet du Signe de Croix perd des grains.

Charlène Mailloux, assise en tailleur sur un des canapés de cuir de Gilles Larivière, agite une poignée de noix de cajou – qu'elle appelle *cashew* – et pose pour la centième fois un œil triste sur le *Journal de Montréal*: « Il vole l'héritage ». L'article n'est pas tendre pour Henri-Charles Lozeau. On résume sa vie à une suite d'échecs. Le manque de discernement des Héritiers du Fleuve se voit aussi bien souligné: du curé du Mile End au vieux frère Victor, en passant par Marie-Elphège Fortin, Mathilde DeGrandpré, Marlène Jardin – une femme d'officier de police – et le plus grand producteur de spectacles de l'histoire du show-business québécois, Gilles Larivière. L'homme a d'ailleurs appelé le journaliste en apprenant l'arrestation d'Henri-Charles Lozeau. Le grand organisateur de la rue Courcelette assume l'entière responsabilité du dérapage. C'est lui qui avait convaincu le reste de l'équipe de ne pas porter plainte pour le détournement de fonds. Il le regrette et, en même temps, il ne voit toujours pas l'utilité d'engager une poursuite. Dans les livres comptables des Héritiers du Fleuve, on a inscrit le montant au chapitre des frais professionnels… un montant approximatif, oui. Le détail a jeté le témoignage de Gilles aux poubelles. Le journaliste veut savoir de combien d'argent il s'agit. Il en fait une question de principe: combien a-t-on volé aux vieux?

Au Summit Circle, une Cadillac grise attend depuis une heure devant une immense résidence tout en pierres. Le chauffeur coréen Jimmy sourit discrètement.

Dans le grand salon, Évangéline Wright, née Lebœuf, interprète avec talent la grande scène de « l'amitié passe avant tout ».

— Tu ne peux pas tremper dans tant d'eau sale, Mathilde. Tu vas souiller la mémoire de ton père.

Sur la table à café, tel un torchon au milieu des serviettes, le *Journal de Montréal* affiche avec impudeur une photo regroupant les principaux artisans des Héritiers du Fleuve.

La fille du général DeGrandpré ne sait plus quoi penser. Elle ne peut pas accuser les autres d'hypocrisie, de tentative de dissimulation : elle savait que l'assistant du frère Victor avait détourné des fonds. Qu'est-ce qu'on aurait dû faire ?

Debout face à la fenêtre panoramique qui embrasse le fleuve et une partie de la Montérégie, le regard d'Alexandre Lebœuf s'attarde sur le mont Saint-Hilaire. Le policier savoure encore les félicitations de sa tante préférée. Toutefois, un gros grain de sable détraque sa belle machine : Henri-Charles Lozeau refuse de parler. Pas un mot. Il n'ouvre tout simplement pas la bouche. Ce qui devait se résumer à un court interrogatoire risque de s'enliser dans une procédure qui s'annonce longue et peut-être compliquée.

Alex cache la difficulté à sa tante Évangéline. Il essaie d'influencer Mathilde.

— En tout cas, moi, c'est fini. Vous ne me reverrez plus au Signe de Croix. C'est mauvais pour la carrière de Matthieu, ça. J'espère que sa femme va comprendre. Pauvre Guérin, il espérait passer capitaine cet automne. C'est pas gagné…

La main d'Évangéline quitte les doigts de Mathilde.

— Toi, Alexandre, crois-tu que ça compromet tes chances ?

— Non, j'ai rien à voir là-dedans. J'ai simplement fait confiance à un confrère. Pas plus. S'il faut qu'on commence à se méfier des autres officiers, la police va vite sombrer dans l'anarchie.

Mathilde comprend : elle les a perdus.

♟

Rue Jeanne-Mance, une réunion de famille se poursuit. Matthieu Guérin hoche la tête.

— Pourquoi tu me l'as pas dit, Marlène?

— Parce que ça n'avait aucune importance, mamour.

Le lieutenant agite le *Journal de Montréal* à bout de bras.

— Pas d'importance! Pis ça, trouves-tu aussi que c'est insignifiant? Aimes-tu ça, faire la *front page* pour une histoire de voleur? de voleur de vieux!!!

♣

Le frère Victor se tait. Lui qui aime tant parler serre les lèvres. Il fait la moue. Il a côtoyé la souffrance de ce pauvre Henri-Charles sans réagir. Comment le vieux prêcheur peut-il se bercer de tant d'illusions d'apostolat? Il ne voit même pas la détresse de ses proches. Tant se décevoir soi-même à un âge aussi avancé. Dur. Un doute terrible monte: «Si je me trompais?» Le dominicain sorti du couvent depuis un an ne sait plus s'il participe à la bonne mission. Est-il devenu religieux pour se lancer en politique? La misère morale lui semble si grande tout autour. Il rencontre partout un tel désarroi. L'inquiétude occupe tellement de place dans l'espace public. Plutôt que de travailler au démantèlement du Canada, ne devrait-il pas agir avec la sagesse de ses prédécesseurs? Chaque fois qu'elle s'était trop mêlée de politique, on avait d'ailleurs tapé sur les doigts de l'Église, allant jusqu'à la condamner pour «influence indue». Ce qu'il a entrepris avec Gilbert se classe-t-il dans cette catégorie? Bref, le frère Victor se demande s'il se mêle de choses qui ne le regardent pas. Depuis la JMJ diocésaine où Gilbert a enflammé la crypte de l'oratoire Saint-Joseph, on ne lui demande plus d'y prêcher. Les jeunes en procession liturgique scandant «Le Québec aux Québécois», ayant fait l'objet d'un rapport de police, ont déplu. Le document rejeté avec dépit sur un grand bureau de

l'archevêché en a éclaboussé quelques-uns. L'évêque auxiliaire
d'origine portugaise n'aime pas les ingrats. Le Canada a tiré
ses parents de la misère. Mgr Grillo mène une carrière ecclésiastique enviable... et enviée, il n'en doute pas. Il ne peut
rien contre son confrère canadien-français de qui relève le
clergé diocésain et les nominations, mais les relations avec les
communautés religieuses et les groupes ethniques, c'est son
rayon. Un coup de fil bien placé à l'Oratoire a rayé le frère
Victor de la liste des prédicateurs invités. Personne ne s'était
permis un reproche au vieux prêcheur. On refusait simplement d'abuser davantage des forces déclinantes d'un homme
de plus de quatre-vingt-cinq ans. Quoi répondre ? Le frère
Victor avait conclu que cela libérait son agenda et lui permettait de mieux concentrer son activité sur les Héritiers du
Fleuve en compagnie d'Henri-Charles. L'angoisse permanente qui brûlait l'assistant du religieux le poussait à l'ouvrage.
En un tout petit mois de travail, Henri-Charles Lozeau avait
abattu une quantité impressionnante de boulot. À Québec, à
leur dernier séjour en avril 2004, HC dormait à peine quelques heures. Il passait la soirée à jouer au bridge avec les
couche-tard d'une prospère communauté de frères... et
participait aux vigiles de cinq heures chez des religieuses
enrichies par une immense ferme maintenant vendue à fort
bon prix. Dans ce tout petit milieu, les rumeurs courent vite
et celles sur Henri-Charles tenaient de l'hagiographie ; bref,
on lui donnait le bon Dieu sans confession... et on libellait
les chèques à son nom. Loin de les retenir, Henri-Charles les
remerciait d'une telle marque de confiance. Les vieilles sœurs
téléphonaient aux vieux frères. On canonisait Henri-Charles.

— Non, mais y es-tu bon !

— Ça, c'est certain qu'il est bon.

— Oui, pour être bon, y est bon.

Un si bon garçon et un si beau vieillard : quelle belle
équipe ! Quelle image de nouveauté et de continuité ainsi
entrelacées ! Oui, ça méritait un gros chèque...

La réflexion du frère Victor ne conduit nulle part. Non, il ne trouve pas d'issue.

Un instant, il songe à rencontrer le pauvre garçon. Henri-Charles, en refusant de dire un mot aux policiers, ne fait qu'exercer son droit. On ne garde pas un homme en prison pour un délit financier... surtout dans une affaire aussi mineure. Que s'est-il passé? Qu'est-ce qui a poussé Henri-Charles à voler? Durant les trajets en autocars, pendant leurs nombreux déplacements, HC manifestait un tel enthousiasme. Il les voyait formant trio avec Gilbert: un «triumvirat pour l'Indépendance». Pourquoi le frère Victor aurait-il étouffé un si bel élan? Il n'en avait pas envie. D'autant moins que depuis son arrivée, HC marquait des points. Son travail avec les enfants pour l'initiation à l'informatique aurait pu devenir un programme d'enseignement du cours primaire tant la méthode s'avérait efficace. La générosité d'Henri-Charles cédant ses élèves à Marlène Jardin manifestait un tel détachement, une si belle abnégation... des qualités tellement appréciées dans l'Église. Son adhésion enthousiaste au travail de collecteur de fonds et son bonheur évident de parcourir le Québec en compagnie du vieux dominicain avaient tant stimulé le frère Victor. Que s'était-il passé? «Ça suffit, les questions sans réponses.» Depuis qu'il sait que le lieutenant Lebœuf a relâché Henri-Charles jusqu'à sa comparution, le frère Victor veut le rencontrer: «J'ai besoin de comprendre.» Dans sa sagesse, le vieillard décide de consulter. Qui peut le mieux lui parler d'Henri-Charles? Oui, ses deux collègues dominicains: ce grand barbu de Jaquelin et ce petit frisé de Stéphane. Un appel suffit.

Le frère Victor s'engage dans la rue Saint-Dominique. Dans le parc Lahaie, un groupe de vieillards entoure Jude Aubin qui s'appuie sur Ben Laporte. Judo fend l'air d'un doigt chargé d'indignation et attaque le religieux.

— Vous avez pas honte? À votre âge! Voler des vieux!

Le frère Victor s'immobilise.

— Je n'ai volé personne, monsieur Aubin.

— « Qui ne dit mot consent », ostensoir de tôle.

Ben Laporte seconde.

— C'est ça que je me dis, ostie toastée.

Une Péruvienne sort de la boulangerie portugaise du boulevard Saint-Laurent. Rosa Linda connaît trop bien cette musique : la chicane politique se ressemble partout et ne mène jamais à rien de bon. C'est fini : ses enfants Pedro et Lolita ne mettront plus les pieds au Signe de Croix. Rue Laurier, elle croise le frère Victor et baisse les yeux pour éviter de le saluer. Pas question de donner l'impression de prendre position contre les vieux soldats de Judo. L'attitude de Rosa Linda attriste le frère Victor ; il comprend très bien sa réserve. La Péruvienne ne peut pas s'offrir le luxe de s'approcher d'un pestiféré.

Le frère Victor marche vers l'ouest. Si l'autobus 51 passe dans la rue Laurier, il montera. Sinon, il prendra le 129 au tournant du chemin de la Côte-Sainte-Catherine. Il ne voulait pas attendre sous le regard des vieux. Oui, il a évité l'abribus au coin de Saint-Joseph et Saint-Laurent. Déjà, quelque chose ne va plus…

À bord du 129, il remonte vers le couvent Saint-Albert pour la première fois depuis son départ. Le frère Victor n'aime pas la nostalgie. Il ne veut pas perdre ses dernières années dans les souvenirs… et encore moins dans les regrets. Oui, il va de l'avant, le disciple de ce saint Dominique qui passait sa vie sur les routes. Qu'est-ce que dirait le saint de l'avenue qu'a empruntée son prêcheur depuis un an ? Pas sûr que ça provoquerait chez l'Espagnol un élan mystique ! Heureusement, le fondateur prêche maintenant pour les anges. Ici, sur terre, on rase le sol. Petite fourmi dans un autobus, le frère Victor lit les noms de rues qui défilent. En passant devant « Courcelette », l'aveugle voit : « C'est ça ! Oui ! L'arrivée de Gilles… Mais je n'ai pas fait un pas dans la compréhension de la nature humaine en plus de soixante ans de vie d'adulte!»

À se demander si, dans toute sa vie, il est simplement passé de jeune con à vieux con…

Un doute exponentiel ravage maintenant le vieillard qui passe dans le cloître du couvent qu'il a habité pendant plus de trente ans.

Le portier prévient Stéphane et Jaquelin de l'arrivée du visiteur. À l'adresse du grand Jaquelin, il ajoute un commentaire qui pourra préparer l'ancien infirmier.

— Il a pas l'air bien.

Tout en sueur, le petit Stéphane accroche sa corde à danser. Le jeune dominicain s'entraîne comme un boxeur. Il enlève le survêtement mouillé et enfile une chemise.

Jaquelin n'aime pas ce qu'il voit: ça s'appelle «prendre un coup de vieux». On vieillit en espalier. Le frère Victor vient de descendre d'un étage. Aujourd'hui, il accuse son âge.

En les rejoignant au salon rouge, Stéphane perd son enthousiasme. La fragilité de leur aîné l'émeut. Un échange de regards avec Jaquelin ne le rassure pas. Le frère Victor perçoit leur inquiétude. Il explique.

— Oui, je me sens fatigué… mais enterrez-moi pas trop vite.

On rit. La gentillesse et la délicatesse occupent plus de place que le plaisir. Le vieux prêcheur le sait. Mais on ne va pas s'attarder sur son bulletin de santé. Il veut des renseignements, pas des soins infirmiers.

— Je voudrais que vous me parliez d'Henri-Charles.

Pour converser, le frère Victor puise manifestement dans ses réserves. Jaquelin s'en inquiète; le Saguenayen de Port-Alfred se lève.

— À cause qu'on irait pas prendre un jus au réfectoire?

Stéphane connaît les habitudes de l'ancien.

— Ou une tasse de thé avec une couple de biscuits « feuille d'érable » ?

Le frère Victor n'est pas dupe.

— Avouez que je vous fais peur.

Le petit frère Stéphane ne ment pas.

— Mettons que vous avez pas l'air du Terminator.

Le frère Victor s'arrache de son fauteuil… et tombe dans les bras du grand Jaquelin.

Stéphane fonce vers l'infirmerie.

♣

En ondes, Ghyslain Leroux tonitrue.

— C'est quoi, le scandale? Il est où, le scandale? Quel scandale? On parle d'un pauvre type qui détourne quelques milliers de dollars. Il n'y a pas une ONG qui ne passe pas par là. Toutes les corporations à but non lucratif attirent des rapaces. On fait quoi? Coucouche panier? On s'écrase? On lève plus un doigt? On bouge plus un orteil? Y a-t-il quelqu'un qui va se rappeler qu'à côté du trou de cul qu'on accuse, il y a cent personnes qui s'arrachent le cœur gratuitement? Savez-vous combien ça coûte, faire marcher les Héritiers du Fleuve? Au poste des salaires de la direction, voulez-vous connaître le montant total de la rémunération? Zéro! Rien pantoute! Gilles Larivière? Marlène Jardin? Charlène Mailloux? Marie-Elphège Fortin? Pas une *token*. Savez-vous combien ça m'a payé, l'animation du Grand Déménagement? Z-é zé r-o ro: zéro! Ça fait que… les nerfs, les vierges offensées! Le parasite nous a volés? Pis? Il est parti depuis le mois d'avril 2004. Dix-sept mois! On revient de sa crise, s'il vous plaît. Est-ce que j'étais au courant? Non, madame; non, monsieur. Est-ce que j'aurais dû le savoir? Pourquoi? Ça aurait changé quoi? Des pauvres types qui font de la m…, on en rencontre partout. Qu'est-ce que vous voulez qui sorte d'autre d'un trou de cul?

Rue Everett, tapi dans son sous-sol, Henri-Charles Lozeau étouffe sous le déluge d'insultes de Ghyslain Leroux : « trou de cul, parasite, pauvre type… » Rien ne manque. Pourtant, HC reste collé à son poste. Il fixe la page du *Journal de Montréal*. Plongé dans l'apitoiement, se noyant dans les injures du « fou des ondes », il sombre dans le ressentiment. Il ignorait qu'on pouvait se sentir aussi seul. Judo l'a trahi : vieux sale ! Lui seul savait pour les chèques. HC ne risque pas grand-chose : « Trois mille piastres, câlisse… » Il s'est acheté un ordinateur et des bricoles. À la radio, Ghyslain Leroux ne lâche pas.
— Savez-vous la meilleure, madame, monsieur? Lozeau, c'est un BS ! J'espère au moins qu'on va le couper !

Henri-Charles en perd momentanément le souffle. Il ne sait plus si son cœur bat encore. HC implose. Il est ratatiné, vaincu. La colère de Dieu fond sur lui. Empêtré dans des croyances superstitieuses, il entend la condamnation : « Le mal détruira les méchants. » Le Psautier a parlé.

Marie-Elphège reste debout aux commandes du Signe de Croix. Quand on accepte d'affronter le ridicule quotidiennement, on accumule beaucoup de force. Une tempête? Des pertes? On comptera les cadavres, on enterrera les morts et on reprendra la route. Pour le Beauceron, les défections débarrassent. On déleste le navire. Non, ça ne regarde personne, le détournement de fonds : des *peanuts*! Ça n'intéresse que les singes.

Au téléphone, Mathilde semble ébranlée. À Westmount, on ne rigole pas avec l'argent. Elle a perdu la moitié de ses membres. Marie-Elphège voit la situation bien différemment.

— Il t'en reste la moitié, Mathilde, bout de *ciarge*! Jamais je croirai qu'une DeGrandpré va se lancer dans les jérémiades!

Mathilde gardait le meilleur pour la fin. Elle laisse tomber la nouvelle.

— Évangéline est si scandalisée qu'elle a «viré capot», comme disait mon père. Après avoir déblatéré pendant vingt minutes sur les Canadiens français, elle m'a reconduite à la porte – pas mise dehors, mais tout juste. Elle part en guerre. Tout à l'heure, une amie m'a téléphoné. Sais-tu ce qu'Évangéline entreprend?

— Quelque chose pour sauver le Canada, je présume...

Légèrement secouée par la perspicacité de son vieil allié, Mathilde DeGrandpré voit se modifier sa perception des événements. Ce qu'elle s'apprêtait à annoncer comme un drame lui apparaît presque relever de la farce.

— «Westmount for Canada»!

Marie-Elphège éclate de rire.

— C'est un pléonasme!

La Westmountaise ne rit pas autant. Le Beauceron la rassure.

— C'est le temps d'éprouver les techniques de guérilla, Mathilde.

♣

En trois jours, le monde a changé. Gilbert porte un fardeau. La croix, la croix, la croix... facile, tant que tu l'as pas sur l'épaule.

Dans son équipe, les plus solides côtoient les plus fragiles. La médaille d'or du résistant revient à Marie-Elphège. Le vieux fou manifeste une sagesse exemplaire et déploie une énergie surprenante. Laissant Mathilde responsable du Signe de Croix, il fonce sur les résidences du quartier. Même Ben

Laporte le respecte. Judo a beau japper, il sait reconnaître la force de Superbleu. Jude Aubin ne se risque pas à le mordre. Il se contente de brailler dans son dos.

Les vieux s'inquiètent énormément du frère Victor.

Le dominicain se repose au couvent. Le médecin veut qu'il dorme beaucoup. La cure de sommeil se poursuit. Personne ne sait comment un homme de plus de quatre-vingt-six ans peut récupérer d'un tel état d'épuisement.

Marie-Elphège, pas tellement plus jeune, en profite pour secouer les vieillards.

— Le temps nous est compté, mes amis. Il nous en reste pas beaucoup. On va pas le gaspiller dans le farfouinage, la tataouinage et le niaisage. On a perdu des joueurs? Pis? On a-tu perdu la partie? On relève les manches, on se crache dans les mains… pis on repart!

Une telle foi émeut. Même Ben Laporte se surprend à murmurer pour lui-même: «C'est ça que je me dis, ostie toastée!» Toutefois, le *goaler* ne change pas d'équipe. Il suivra Judo jusqu'en enfer. Ben a eu du mal à comprendre pourquoi on a vendu Henri-Charles. Son *coach* de vie s'est expliqué.

— Parfois, Ben, faut accepter de prendre une punition pour pas se faire compter un but, ostensoir de tôle.

L'ancien Cataracte de Shawinigan se satisfait de l'explication.

— C'est ça que je me dis, ostie toastée.

Marlène va-t-elle sauver les meubles? Pendant la journée, son couple traverse sa première grosse tempête. Matthieu tient mordicus à ce que sa femme quitte les Héritiers du Fleuve. Ce n'est qu'en soirée que l'épouse espère reprendre l'initiative.

Après un souper trop silencieux où Pierre, Jean, Jacques se sentent perdus dans cet air de tension qu'ils ne respirent jamais, le couple de bons catholiques pratiquants fait tout de même son devoir parental dans la bonne volonté relative. En refermant la porte de la chambre sur les triplets endormis, Mathilde touche la main de Matthieu, qui la devance dans le corridor. Il se retourne. Elle murmure pour ne pas réveiller les enfants.

— C'est pour eux autres.

— Je le sais.

Au couvent des Dominicains, le frère Victor ne ronfle plus. Les yeux ouverts, dort-il encore ?

8

— C'est une belle mort.

Gilbert sanglote. Au bout du fil, le grand frère Jaquelin de Port-Alfred se retient pour ne pas se laisser submerger par la peine du prêtre.

Dans la nuit du vendredi 16 septembre 2005, le vieux cœur du frère Victor a cessé de battre. C'est tout. À quatre heures, le frère infirmier a constaté le décès. Le frère Jean vient de réveiller Jaquelin, qui attend maintenant que le curé du Mile End épuise son chagrin. Gilbert veut rester seul un moment.

— Y a rien à dire, Jaquelin. T'as raison, c'est une belle mort... On se parle plus tard.

— Je vais venir aux laudes avec Stéphane.

— Merci.

Gilbert pose le combiné et quitte le lit. En pyjama, il s'attarde à la fenêtre. Le premier vent d'automne attaque les arbres du parc Lahaie. Qui va gagner ? Oui, dans un premier temps, toutes les feuilles tomberont. L'arbre mort subira l'hiver. Entré dans sa soixantième année, Gilbert Fortin sait que le printemps suivra encore et toujours. Il refuse de croire que le frère Victor ne connaîtra pas la même destinée. Gilbert comprend qu'il pleure surtout sa propre perte. Il erre dans le grand presbytère. En haut, les quatre jeunes dorment. Marie-Elphège occupe maintenant l'ancienne chambre du curé Bolduc. Sous la porte, un trait de lumière confirme à l'endeuillé que le

Beauceron se lève tôt. Le vieux plancher de bois franc craque sous le pied du marcheur. La porte de la chambre s'ouvre. Gilbert accuse le coup. Pour la première fois, Marie-Elphège ne porte pas sa prothèse… encore moins son uniforme de Superbleu. Maigre comme un Vendredi saint, le squelette à la chevelure ébouriffée pose ses yeux clair de lune sur le petit garçon sexagénaire en pyjama. Les larmes de Gilbert pleuvent dans son mouchoir. Oui, il pleure le frère Victor, mais il reçoit à l'instant un nouveau coup de poignard : Marie-Elphège ne peut plus vivre bien longtemps, lui non plus.

Le bonhomme en combinaison *Penman* veut comprendre.

— Bout de *ciarge*, Gilbert. Qui est-ce qui est mort ?

— Le frère Victor.

Instantanément, Superbleu se transforme en « Superblanc ». Il recule et s'assoit sur son lit. Sur la table de chevet, dans un verre d'eau, ses dentiers se noient.

Gilbert n'entre pas.

— Je vais prendre une bouffée d'air.

— La cafetière est prête. T'as juste à peser sur le piton.

Dans une tentative dérisoire de provoquer un sourire, l'infirme tend son moignon.

— Je m'habille…

Au même moment, l'automne lance un nouveau soldat au front : la pluie seconde le vent.

Gilbert ouvre la porte et descend l'escalier. Il traverse la rue Saint-Dominique et avance dans le parc Lahaie jusqu'au banc officiel de Claude. En cinq minutes, la pluie froide transit l'endeuillé. Il ne pleure plus. Il ne sent plus. Gelé.

De loin, le Beauceron murmure : « On dirait Claude. » Il laisse éclater sa voix de tribun.

— Bout de *ciarge*, Gilbert ! Veux-tu ta mort ? pis la mienne ?

Un parapluie dans sa main valide, Marie-Elphège engueule l'irresponsable. Sans résistance, le morigéné passe sous le parapluie et regagne le presbytère.

Des actions toutes simples occupent le prochain quart d'heure de Gilbert : retirer le pyjama détrempé, se sécher, se raser, se peigner, s'habiller, faire son lit… tout ça semble apaiser la souffrance. En s'activant, il boit à petites gorgées le café que Marie-Elphège tenait absolument à lui servir en rentrant au presbytère. Un calme neuf s'installe tranquillement. Il quitte sa chambre pour une courte escale dans un lieu jamais visité. Il ouvre la porte et reste un moment sur le seuil. Le frère Victor ne possédait rien. En face de la fenêtre, un prie-Dieu invite Gilbert. Il s'y agenouille. La pluie et le vent semblent respecter son mouvement intérieur : un début de soulagement monte dans le samedi matin. La lumière du jour naissant perce les nuages qui retiennent maintenant leur réserve d'eau. Les arbres chargés de restes de pluie constatent les dégâts mineurs : une mosaïque de feuilles mortes recouvre les allées du parc. Une Toyota blanche roule, rue Saint-Dominique. Gilbert se relève. Sur la table d'écriture, un cahier noir vit son deuil. Il le prend et descend accueillir les arrivants.

Vêtus de l'habit dominicain, le toujours noir Stéphane et l'ancien blond Jaquelin marchent vers le complice du frère Victor. Imitant le ciel, Gilbert retient maintenant ses larmes. Stéphane ouvre ses bras musclés et y garde un moment Gilbert. Non, il n'est pas seul. À lui de le savoir. La berline noire de Gilles Larivière suit de près. Sortant de la Mercedes en compagnie du père Nathanaël, le directeur général des Héritiers du Fleuve explique sa présence.

— Nathanaël m'a prévenu.

À ses côtés, le nonagénaire inspire un respect auquel s'ajoute une crainte plus vive. Il sait que tout le monde pense que lui non plus n'en a pas pour longtemps. Il désamorce.

— On meurt, mes amis. C'est la vie.

Gilles Larivière se tourne vers son vieux partenaire d'échecs.

— Jérusalem de gériboire, ça meurt trop, là. Le curé Bolduc, le frère Victor... Toi, je te préviens, si tu meurs, je t'assassine.

La déclaration d'affection fait sourire Gilbert. Il tend le cahier noir au père Nathanaël.

— C'est probablement son journal.

— Je le donnerai au prieur.

Jaquelin propose ses services.

— Je peux vider sa chambre, si tu veux.

— Tu travailleras pas fort.

— Il avait pas grand-chose, hein?

— Rien. Une bible, quelques livres et une petite valise de vêtements.

Le père Nathanaël, qui a déjà possédé un loft dans le Vieux-Montréal et une maison à Morin-Heights, sourit.

— Qu'est-ce qu'il faut de plus?

Une religieuse vietnamienne monte les marches de l'église. Elle tire sur la porte qui résiste. Elle aborde le groupe.

— Excusez-moi de vous déranger, monsieur le curé, mais le frère Victor a pas débarré.

Ce premier signe concret de l'absence nouvelle pèse de tout son poids de réalité sur le responsable de la paroisse.

— Je vais chercher la clé au presbytère, sœur Josépha.

Au moment où Gilbert décroche la clé dans le bureau de la réception, un jeune homme descend l'escalier intérieur. Le tromboniste Camil Cyr salue le prêtre.

— Bon matin! Samedi, pas samedi, j'ai décidé de venir aux laudes. C'est comme une drogue, cette affaire-là?

Son rire tombe à plat. Il regarde mieux Gilbert.

— Coudon, t'es bien pâle. As-tu pogné la grippe?

— Non, Camil. On a perdu le frère Victor cette nuit.

— Comment ça, perdu? Perdu où?

— Au Ciel... je pense.

Par réflexe, Camil passe la langue sur ses lèvres. Il ne va pas jouer du trombone à sept heures du matin, mais il se cherche de l'ouvrage.

— Hein? Y était même pas malade.

— Non, mais... vieux.

Camil reconnaît la clé dans la main du curé. Il comprend. Et saute sur l'occasion.

— C'est barré. Il adorait ça ouvrir l'église, le matin. Il m'a déjà expliqué que ça voulait dire beaucoup pour lui.

Ce garçon répand un baume sur la peine de Gilbert.

— Veux-tu aller ouvrir?

— Chaque matin?

Gilbert sourit.

— Non, je parlais pour tout de suite.

— Oui, mais moi, je te fais une offre.

— Tu vas te lever du lundi au samedi à six heures et quart pour jouer au portier?

Camil semble puiser son inspiration dans la mémoire du défunt.

— Comme disait le frère Victor: «Ouvrir des portes, y a pas plus beau métier.» Donne-moi ça.

Il prend la clé et passe le cadre de porte. Il se retourne.

— *Deal?*

Ému de la générosité de l'Arvidien, Gilbert murmure dans un souffle.

— *Deal.*

Camil pique un cinquante mètres, fait jouer la clé, précède sœur Josépha et une demi-douzaine de religieuses, allume l'éclairage de l'église, va ouvrir la porte intérieure qui mène à la maison de vieux et ressort. Un nouveau cinquante mètres le reconduit au presbytère, où il grimpe l'escalier intérieur en enjambant trois marches à la fois.

Jamais le frère Victor n'avait pu céder la première place à Gilbert pour ouvrir les laudes. Chaque matin, sa voix montait : « Dieu, viens à mon aide. » L'assemblée répondait : « Seigneur, viens vite à mon secours. » Pour la première fois, le curé du Mile End entonne l'ouverture. Dans le chœur, les jumelles Dumas tiennent le coup. On chante juste… mais tout juste. Difficile de ne pas pleurer le vieux dominicain qui ressemblait à un grand-père. Tristan-Jacques Messier n'en mène pas plus large. Le curé Bolduc, le frère Victor… Le mulâtre de génie pose le regard sur Marie-Elphège. La fragilité du Beauceron saute aux yeux. À ses côtés, Mathilde DeGrandpré dégage plus de force. Pas beaucoup. Gilles Larivière pense davantage à la vulnérabilité du père Nathanaël. Il va bientôt le perdre, c'est sûr. « On meurt, c'est la vie. » Voilà toute la consolation que lui offre son ami nonagénaire. Gilles n'a pas réveillé Louise. Qu'elle dorme ! Grand bien lui fasse, il sera toujours assez tôt pour une peine supplémentaire. Il n'a pas téléphoné, rue Jeanne-Mance, chez Marlène Jardin. La sonnerie aurait réveillé toute la maisonnée. Il appellera après les laudes. Il s'en veut de garder la tête aussi froide, mais rien ne peut l'empêcher de prendre le pouls de la situation. L'enfant ne se présente pas bien. Un scandale lui tombe sur les bras, perturbant déjà le système de financement de l'organisation… et voici qu'il perd le meilleur atout dont il disposait pour rétablir la confiance fragilisée. Pendant que le chœur psalmodie, il ferme les yeux. Une lourdeur à l'occipital lui confirme sa fatigue. Il n'en faudrait pas beaucoup pour que Gilles Larivière retombe en dépression…

Après l'office, Marlène Jardin attache son vélo à la grille du presbytère et entre dans la salle à manger où Marie-Elphège et Mathilde assurent le service. Une quinzaine de personnes partagent le café, le jus, le thé, les toasts et les brioches. Au-dessus du murmure, une voix passe le mur du son. Le journaliste Ghyslain Leroux soulage sa peine en s'expliquant à une vieille fille qui semble plus qu'interpellée. Gisèle

Galland ne lâche pas des yeux le « fou des ondes », qui profite d'un aussi bon public.

— J'avais enfin pu convaincre ma directrice des programmes, jésum. Elle venait d'accepter que le frère Victor tienne une chronique dans mon *show*. On a-tu le droit de mourir comme ça ? On pourrait pas faire une loi pour interdire une pareille connerie ?

Tout comme l'ancienne maîtresse d'école, Gilbert et Gilles l'écoutent et ne trouvent rien à répondre. Le « fou des ondes » en rajoute.

— Pis ? Comment on va faire ? Y a-t-il quelqu'un qui va risquer de mettre ses petits pieds dans des chaussures aussi grandes ? J'ai l'impression qu'il part avec le *cash*, le frère Victor. Après le vol du trou de cul, c'est-y le hold-up des anges ?

Marlène entre dans son champ de vision. Oubliant sa préoccupation pour le remplacement du dominicain, Ghyslain change du tout au tout.

— Tiens ! On parle des anges, puis tout de suite on en voit le bout des ailes.

Instinctivement, Mathilde DeGrandpré s'approche de Marlène. La jeune quadragénaire sent un bras chargé d'affection lui envelopper l'épaule. Il n'en faut pas davantage. Elle fond en sanglots sur la poitrine de la Westmountaise aux cheveux blancs.

Dans le silence impressionnant qui écrase le dernier murmure de Marie-Elphège offrant du lait et du sucre à la sœur Josépha, Ghyslain Leroux étouffe. Il sent monter la crise d'hypoglycémie. Le voyant, Gisèle Galland marche vers le comptoir, prend le litre de jus d'orange, emplit un grand verre, y jette la moitié du sucrier et agite le breuvage qu'elle tend à Ghyslain, qui le boit d'une main tremblante. Pour lui-même, il murmure : « Jésum, on est dans la marde. »

La vieille fille ne le quitte pas du regard. Elle a entendu. Gisèle Galland sentirait-elle un appel ?

♣

C'est d'abord la peur de la mort qui étreint Judo. La salope frappe encore sans prévenir. Qui aurait cru qu'il engueulait le frère Victor pour la dernière fois, mercredi matin? Son tour approche, Jude Aubin. Il ne veut pas. À quatre-vingt-trois ans, il se réveille dix fois par nuit et, pendant le jour, il ne tient pas un quart d'heure dans un fauteuil sans s'assoupir. Sa vie va d'une longue sieste toujours interrompue à une journée d'oisiveté résistant à la somnolence. La peur, encore et toujours. La peur le tient au ventre. Il le sait. Il enrage. On l'a élevé dans la crainte du futur, dans la peur du manque, dans la prudence frileuse. Toute sa vie se résume à la survie. Judo n'a jamais demandé de dispense à Rome. Interdit de ministère, renvoyé des Clercs de Saint-Viateur, il reste prêtre: un défroqué. Si sa mère vivait, elle en mourrait. Judo regrette la mort du frère Victor. Il a même remis Ben Laporte à sa place.

— Ostensoir de tôle, Ben! On peut se réjouir du malheur d'un adversaire, c'est juste politique; mais pas de la mort d'un autre, là ça devient personnel.

Le pauvre *goaler* croyait faire plaisir à son *coach* de vie en lui annonçant dès le réveil le décès du vieux séparatiste. Ben a vite ajusté son horloge.

— C'est ça que je me dis, ostie toastée.

Dans la cafétéria de la résidence, les comparses se sentent bien seuls à l'heure du déjeuner. Un peu plus et on les tiendrait responsables. Ils attrapent des bouts de conversations.

— C'est sûr que si personne avait dénoncé son ancien assistant, le frère Victor serait peut-être encore parmi nous.

— Ça, ça lui a brisé le cœur, c'est certain.

— Surtout que lui non plus ne savait rien pendant que l'autre faisait son mauvais coup.

— Pis là, ça donnait quoi de le dénoncer? On va-tu retrouver l'argent? Pensez-vous qu'on va le mettre en prison pour une petite affaire de même?

— Tout ce que ça fait, c'est brasser de la m…

— De la margarine ?

La tablée de petits vieux la trouve pas mal bonne. Qu'est-ce qu'ils sont contents de vivre, ce matin !

♣

En entrant au poste de police, Matthieu Guérin croise le regard d'Alexandre Lebœuf. Le froid installé entre les deux hommes ne va pas jusqu'à l'animosité. Dans le métier, on se rapproche, on s'éloigne : question de circonstances, d'intérêts passagers. Matthieu ne va pas plus loin dans sa réflexion sur le partage des derniers mois avec Alex. En toute simplicité, il s'appuie un instant sur le bureau du lieutenant Lebœuf.

— Alex, le frère Victor est mort cette nuit.

— Ah ! Euh… mes sympathies.

Pas de questions, aucun commentaire… juste le malaise. Quel dommage, cette aventure des Héritiers du Fleuve ! Alex aimait bien Matthieu, mais le fils de Germain Lebœuf ne peut pas pactiser avec l'ennemi. On est libéral de génération en génération, chez les Lebœuf. Pauvre Guérin ! Marié à une séparatiste : quel gâchis ! Alex ne peut pas se permettre une amitié aussi suspecte.

Pendant que Matthieu s'éloigne, le futur capitaine Lebœuf quitte son bureau et sort un moment dans le stationnement. Sur son cellulaire, il joint sa tante Évangéline.

Pas de fausse pudeur chez madame Wright, née Lebœuf.

— Bon débarras ! Ils perdent leur meilleur homme. Oh ! J'en veux pas au bonhomme. Je ne le connaissais même pas. Faut simplement pas en faire un héros. Arrange-toi donc pour qu'on découvre une couple de taches sur la mémoire du saint homme.

Un peu plus et tante Évangéline va scandaliser son petit Alex d'un mètre quatre-vingt-cinq. Il balbutie à peine.

— Euh… Qu'est-ce que tu veux dire ?

— Je sais pas, moi. On pourrait essayer de tirer quelque chose de l'imbécile que vous accusez de détournement de fonds.

— Lozeau ?

En finissant son travail, Alexandre Lebœuf ne rentre pas tout de suite à Dollard-des-Ormeaux. Vêtu d'un pantalon noir, d'une chemise bleue et d'un coupe-vent marine, il monte le boulevard Saint-Laurent au volant de sa Subaru Forester. Il passe devant Le Signe de Croix, où la Cadillac de Mathilde DeGrandpré occupe sa place habituelle. Alex ralentit et s'arrête à la hauteur du chauffeur coréen des DeGrandpré.

— *Hi, Jimmy! Everything is O.K. ?*

— *Just fine, thanks.*

— *See you later.*

— *Yes, sir.*

La Subaru poursuit sa route vers le nord jusqu'à la rue Everett.

Quand il arrive, la chance sourit au conducteur. Henri-Charles revient du dépanneur, les bras chargés d'une caisse de bière Tremblay, « en spécial ».

Cerné, le dos rond, vêtu d'une chemise saumon et d'un pantalon vert pâle, l'assisté social aperçoit celui qui accompagnait Ben et Judo aux réunions tenues dans son sous-sol avant leur trahison. Il ne peut s'empêcher d'ouvrir la bouche.

— J'ai rien à dire.

— Moi, oui. Écoute, HC. Je suis venu te donner un coup de main pour sortir de là. Crois-tu que je t'ai arrêté de gaîté de cœur ? C'était moi ou un autre qui le faisait. Je pense que je peux m'arranger pour que le plaignant retire…

— Le plaignant ! Me prends-tu pour un imbécile ? Je le sais que c'est Judo.

Alex comprend qu'il doit jouer franc jeu s'il veut aller plus loin.

— C'est vrai. Il a fait ça pour bien faire, HC. C'est la guerre !

— Pis moi, je suis un dommage collatéral ?

— Non, toi, t'es un blessé sur le champ de bataille. Je suis venu te sauver.

HC ne le croit pas. Oh ! Pas qu'Alex. Il ne croit plus personne. Toutefois, il se méfie. Que veut le policier ? Pourquoi vient-il dans Villeray, seul, après le travail ?

Alex désigne la caisse de bière.

— Elle est-tu bonne ? J'y ai jamais goûté.

— Elle est pas chère. Entre.

Dans le sous-sol, l'odeur de thon en boîte combat férocement le parfum de la sardine à l'huile. Henri-Charles pose la caisse de Tremblay sur la table, à côté du paquet de biscuits soda.

— Sers-toi.

Alex goûte et conclut pour lui-même : « Ce qui coûte pas cher vaut pas cher. » On est loin de sa Sleeman rousse. HC se contrefiche des papilles du lieutenant. Il n'a plus rien à perdre, le déshonoré.

— Pas de *bullshit*, Alex. Pourquoi t'es ici ?

— Tu dois bien t'en douter : à cause du frère Victor.

— Qu'est-ce qu'il a fait, encore ?

— Ah ! Tu sais pas ?

Henri-Charles attend la suite… qui vient.

— Il est mort la nuit passée.

Rien. Henri-Charles Lozeau ne sent rien. Rien du tout. Terrible ! Ça finit donc comme ça ? L'âme meurt d'abord. On ne traîne plus que son corps agité par un bout de conscience. Il reste juste assez d'intelligence à Henri-Charles pour qu'il saisisse l'ampleur du désastre. Dans toute sa vie, il n'a jamais aimé personne autant que ce vieux prêcheur. En plus de quarante années, Henri-Charles Lozeau aura eu droit à un mois de bonheur… C'est tout? Dieu ne peut pas être aussi mesquin. C'est donc qu'il n'existe pas. Tout ça ne valait pas la peine. Les yeux fermés, HC oublie jusqu'à la présence de l'officier de police. Les coudes sur les genoux, il courbe le tronc et pose la tête sur la table de mica rose.

Alex en perd ses moyens; il ne sait pas comment s'y prendre pour tirer profit de la situation. Il voit ce qu'il voit: le pauvre type affiche un désespoir minable avec une impudeur gênante. Lebœuf attend. Longtemps. Silence sous terre. Au-dessus, une télé diffuse des dessins animés. On les reconnaît aux voix aiguës et agressantes. HC ne bouge toujours pas. C'est trop long! Alex penche la tête sur les vieux souliers blancs de HC. Comment un homme aussi manifestement intelligent peut-il rater sa vie de façon si évidente? Le policier regrette maintenant sa démarche. Qu'est-ce qu'il se fait chier! Ça suffit! Il risque un mot.

— Écoute…

— Non.

Le front d'Henri-Charles quitte la table. Le raté se redresse sur sa chaise. Il retire ses lunettes. Du même coup, son masque tombe. Son désespoir atteint Alexandre Lebœuf. Le colosse n'a jamais eu accès à une telle profondeur. Il ressent un début de panique claustrophobe. Le malheur du *loser* l'étouffe. Il se sent envahi par l'angoisse du pauvre type qui pose sur lui un regard vide.

Dans un souffle puant la bière et le poisson en conserve, Henri-Charles le libère.

— Va-t'en.

♣

On expose le corps du frère Victor dans le salon rouge du couvent Saint-Albert. De toutes les communautés religieuses avoisinantes, un flot continu de personnes consacrées emplit le cloître. On y passe son dimanche. Des autres couvents de la Province dominicaine, les frères s'amènent. Les plus âgés entrent par le garage, à l'arrière, afin d'utiliser l'ascenseur pour monter leurs bagages. Le frère hôtelier manque de chambres. Le trop-plein se dirige vers les résidences des communautés du coin. On ne sait plus trop bien qui est qui dans ce va-et-vient incessant.

En soirée, à la brunante, un homme se glisse dans le garage. Il s'accroupit derrière une Dodge Caravan grise. Il attendra la nuit.

9

Rue Courcelette, chez Louise et Gilles Larivière, on reçoit. Un traiteur de Saint-Laurent assure un service impeccable.

Assis près de Gilbert, le père Nathanaël hoche la tête.

— C'est la première fois que j'ai vraiment le trac.

Il va présider les funérailles du frère Victor dans moins de vingt-quatre heures. Il soupire.

— Pas moyen de le faire changer d'idée. Le prieur tient mordicus à me céder sa place.

Gilbert approuve.

— Il a raison. Le frère Victor mérite ce qu'il y a de mieux.

Louise Larivière s'approche des deux prêtres. Elle tient deux assiettes.

— Tenez, c'est léger.

Quelques crevettes, un peu de saumon fumé et de fines tranches de fenouil rehaussées d'un trait d'huile d'olive, disposés avec art, ne se refusent pas.

Elle sourit à peine. Le père Nathanaël n'est pas dupe.

— Louise, Gilles t'inquiète?

— Un peu.

Gilbert intervient.

— Pas moi. Entendu, vous le connaissez mieux que moi, mais je le vois pas lâcher.

Louise ne se console pas si facilement.

— Il l'a déjà fait, tu sais.

Le père Nathanaël ne peut pas la suivre sur ce terrain.

— Oh! Louise, c'est pas du tout la même chose. Que le décès de Victor rouvre une vieille blessure, oui. Mais à côté de la mort de Luane...

Le père Nathanaël s'interrompt.

La ride frontale de Louise Larivière se creuse et rougit. Elle inspire énergiquement et secoue la tête d'un court mouvement très vif.

— Oh! Que c'est sensible!

La battante se ressaisit à la seconde. Elle passe des yeux du père Nathanaël à ceux de Gilbert et poursuit le va-et-vient en mordant dans des mots qui ressemblent à des ordres.

— Vous deux, vous allez me le sortir de là. Je ne veux pas repartir pour dix ans de catacombes. Nathanaël, faut pas le négliger. Vos parties d'échecs au porto, il en a besoin... même s'il se dit trop occupé. Gilbert, il tient aux Héritiers du Fleuve, mon Gilles. Ne te laisse pas impressionner par ses supposées réserves des deux derniers jours.

À une heure du matin, le couvent Saint-Albert repose en paix. Allongé dans son cercueil, le corps du frère Victor veille sur le dominicain endormi sur la chaise destinée à chacun des religieux qui doit assurer une heure de garde nocturne auprès du défunt.

Sur la pointe des pieds, un homme monte du garage. Personne dans le corridor du sous-sol. Il se risque dans l'escalier silencieux, ouvre la porte du cloître... Silence. Rasant le mur, il progresse méticuleusement. Une lueur lui confirme son intuition: le salon rouge sert de chapelle ardente. Dans la grande fenêtre du cloître, l'image du cercueil se reflète. On ne voit pas le corps, masqué par celui du frère veilleur. Manifestement, l'homme dort: il ronfle.

Henri-Charles s'approche du frère Victor. Un mort vivant pose une feuille de papier sur le chapelet qui repose dans les mains du frère Victor : *Cher frère Victor, je regrette. Je regrette tout. Je regrette de vous avoir menti. Je regrette de vous avoir volé. Je regrette de vous avoir perdu. Je regrette de vous avoir tué. Je regrette de vivre. Je regrette tout. Je regrette. Je sais bien que les suicidés vont directement en enfer, mais j'ai presque hâte de voir comment ça pourrait être pire qu'ici. Henri-Charles Lozeau.*

HC pose ses lunettes sur la page d'adieu, recule et disparaît dans l'escalier. Il monte sur le toit du couvent et plonge, la tête la première, dans le feu de l'enfer. Son crâne se fend sur l'asphalte. Le sang coule lentement en un mince filet rouge qui vient souiller un vieux mocassin blanc échappé d'un grand pied dont le gros orteil sort d'une chaussette trouée.

Le couvent dort.

Au presbytère de la paroisse Saint-Enfant-Jésus du Mile End, on se croirait en plein jour. Les quatre musiciens vont et viennent dans la salle à manger. Ils s'agitent sans raison.

L'épuisement colle Marie-Elphège à un siège au bout de la table. Il boit une camomille. Rentré tard en compagnie de Gilbert, lui aussi s'inquiète de Gilles.

— Bout de *ciarge*, on peut pas se permettre de le perdre en plus, Gilbert.

— On le perdra pas.

— Comment tu peux en être aussi sûr ?

— Je le sais pas, mais je le sais.

— Ouais ! Pas fort, comme argument.

Les quatre musiciens du troisième étage ont passé le début de soirée en répétition avec la chorale de vieux qui chantent demain au couvent dominicain. Puis, ils ont profité du piano du curé Brochu. Tristan-Jacques résume le sentiment de tous.

— Il va s'en souvenir de ses funérailles, le frère Victor.

En entrant dans le salon rouge, un peu avant deux heures, le frère Jaquelin voit le veilleur endormi, les lunettes et la lettre sur le cercueil. Le grand barbu parcourt le texte et fonce à la photocopie.

Au retour, il remet le papier en place et réveille le religieux. Debout devant le cercueil, il masque le corps du défunt, les lunettes et le mot du suicidé. Pourquoi énerver un vieux frère au milieu de la nuit?

— C'est à moi. Tu peux aller te coucher.

— *Hey!* J'ai même pas vu le temps passer.

Le cadavre disparaît dans un grand sac noir que les deux employés de la morgue enfournent dans le véhicule. Par les fenêtres du garage, quelques dominicains observent presque honteusement. On habite désormais la maison d'un suicidé. La police ne fait pas de vague. Les accusations pesant sur le mort, le décès du vieux religieux exposé là-haut et le plongeon fatidique du quadragénaire laissent peu de place à la suspicion. On procèdera à une enquête de routine. Pas davantage.

Une tristesse lourde étouffe le couvent à l'heure du déjeuner. On mange peu, on parle peu. Stéphane et Jaquelin ont renseigné les policiers, le mieux possible. Maintenant assis face à face, ils regardent leurs tasses dans lesquelles le café refroidit. Le prieur s'attable avec le père Nathanaël. Pas un mot. Juste la solidarité de ceux qui restent.

Jaquelin se lève et monte à sa chambre.

Au téléphone, Gilbert entend battre l'artère de sa tempe gauche. La nouvelle l'assomme. Jaquelin ne fait aucun effort pour entretenir la conversation. Tout est dit: Henri-Charles gît à la morgue. Le silence dure. Gilbert ajoute enfin un mot.

— Merci.

— Hum...

Les deux hommes raccrochent.

Dans sa chambre, Marie-Elphège applique du blanc à chaussures sur ses bottes russes. Le Jarret noir entêté ne cède pas d'un pouce : il donnera un nouveau pays au monde. Son Québec mérite une voix dans le chœur des nations. On a trop souffert, on s'est trop battu. Le respect dû aux ancêtres commande que l'on persévère. Cette survivance tient du miracle. Marie-Elphège enfile sa seconde botte. Au moment où il se lève, on frappe à sa porte.

— Oui.

Son ami Gilbert ouvre.

— Henri-Charles...

— Quoi ?

— Il s'est jeté en bas du couvent des Dominicains.

— Bout de *ciarge*... on pourrait-tu demander un temps mort ? Euh... façon de parler.

Après les funérailles du vieux prêcheur, on parle davantage du drame de la nuit que de la superbe cérémonie présidée par le père Nathanaël. Pourtant, ce magnifique cri de foi en la résurrection, préparé par Tristan-Jacques Messier et ses troupes, rejoint le cœur de ces derniers chrétiens québécois qui s'accrochent. Ce lundi 19 septembre 2005, on frappe aux portes de l'automne en tirant deux cadavres. La résurrection, pour le frère Victor : Alléluia ! Mais pour Henri-Charles Lozeau ?

— Ayoye que j'ai trouvé ça *tough*.

Le frère Stéphane, le petit dominicain optimiste, ne quitte plus les Larivière. Louise et Gilles ressentent l'élan affectueux qui pousse le jeune homme vers eux.

Le garçon leur fait un bien inouï. Gilles Larivière sent la pression de Louise sur son bras. L'amour de Louise et la vitalité de Stéphane viennent à bout de son silence des dernières heures.

— Dur, dur.

Quelques mots résonnent dans sa tête. Il les prononce.

— «On meurt, c'est la vie», comme le répète Nathanaël… mais Jérusalem de gériboire, on va vivre pendant qu'il est encore temps.

Louise reçoit physiquement la décharge d'énergie que transmet son mari. Elle sait : Gilles se relève. Il repart. Les autres devront s'accrocher pour suivre. Le directeur général des Héritiers du Fleuve conduit une grosse locomotive, capable de transporter un pays. Stéphane voit monter la détermination dans les yeux du sexagénaire de la rue Courcelette. Dans ceux de Louise, une lueur gagne en intensité. Le jeune dominicain reçoit l'éclair de joie en plein cœur. Il se tait, savourant une pensée du plus bel optimisme : «Coudon, c'était bel et bien un office de la résurrection… »

Plus loin, un miracle se produit : le journaliste Ghyslain Leroux parle sans beugler. Il se confie à Marlène Jardin et à Matthieu Guérin.

— C'est terrible à dire, mais ça pouvait pas mieux finir. Il vient de nous rendre un grand service, Lozeau-les-culottes. Pas d'accusé, plus d'accusations.

Ce qu'il dit ici, il ne le répètera pas en ondes. Si quelqu'un insiste, il se retirera derrière le respect dû au mort et à sa famille.

La lettre du suicidé constitue un aveu : il a agi seul, dans l'ignorance de tous. Ghyslain sait que Jaquelin l'a photocopiée. Il l'embrasserait. Il ajoute une courte conclusion.

— Bref, au lieu de réparer des pots cassés, on aura juste à acheter de la vaisselle neuve.

On ne le suit pas. Le communicateur le voit tout de suite. Il s'explique.

— On pourra pas enfanter un autre frère Victor. Il faut inventer un autre moyen.

Facile à dire...

♣

Le mercredi 21 septembre 2005, Journée internationale de la paix, Camil Cyr se lève à cinq heures quarante-cinq. Si le tromboniste veut son petit quart d'heure, il doit couper court aux ablutions. Pas de cheveux, pas de peigne : la calvitie comporte certains avantages. Camil sort par l'arrière, directement sur le bout de terrasse du logement des musiciens.

En trois minutes, il peut changer de monde, chaque matin.

Camil, assis dans la grande église silencieuse, attend. Quoi ? Qui ? Aucune idée ! Pourtant, le rendez-vous semble de la plus haute importance. Il se sent bien : calme, paisible. Il constate l'état du lieu : « *Hey !* C'est magané en bibite. » Une question suit : « On ferme ou on restaure ? »

Il respire à fond. Sa quête de sens refuse de le lâcher. Même son talent musical ne suffit pas. Il faut davantage à Camil. Ces quinze minutes de solitude qu'il s'offre depuis la mort du frère Victor lui apportent autant, sinon plus, que le reste de sa journée. Quoi ? Le jeune homme ne sait pas le dire. Mais le gros dormeur comprend que ça doit être fort pour le tirer du lit aussi facilement.

À six heures quinze, une petite Vietnamienne septuagénaire se glisse dans la nef. Sœur Josépha se réjouit de voir un si jeune homme en prière. Trois compagnes d'une autre communauté résidant sur le boulevard Saint-Joseph la suivent de près : les sœurs Loretta, Julie et Thérèse participent aux laudes, jour après jour. Depuis quelque temps, elles poursuivent une discussion communautaire qui semble les stimuler. Elles ne tirent encore aucune conclusion, mais... ça sent bon !

Une quinzaine de jeunes gens du GIA prennent place de chaque côté du chœur, derrière Claudine et Claudette Dumas. La même douzaine de vieillards fidèles au poste apparaissent au bout du corridor attenant à leur résidence, quelques bénévoles du Signe de Croix entourent Marlène, Mathilde et Marie-Elphège. Au moment où Gilles Larivière referme la porte de l'église, Gilbert entonne l'ouverture.

— Dieu, viens à mon aide…

Une bénévole, que ses soixante-seize ans oublient de ralentir, presse le pas derrière Marlène et Gilles Larivière, qui passent des laudes au Signe de Croix. Elle ne perd pas son temps, Gisèle Galland.

— Coudon, écoutez-vous quand on vous parle?

Marlène s'arrête et l'attend.

— Pardon, mademoiselle Galland?

— C'est pas à toi que je m'adresse, ma belle.

Gilles sourit.

— Qu'est-ce que j'écoute pas?

— Notre suggestion!

Le directeur général des Héritiers du Fleuve ne voit pas.

— Oups! Il m'en manque un bout.

— Un bout de mémoire, peut-être? Allo! Y a-t-il quelqu'un? Les Témoins de Jéhovah!

Marlène allume.

— Bien oui, tu sais bien. J'en ai parlé à la réunion du 4 juillet, le lendemain du Grand Déménagement.

En bonne institutrice, Gisèle Galland ne craint pas de répéter quand il le faut.

— Faire du porte-à-porte, comme les Témoins de Jéhovah. On distribuerait un dépliant pour expliquer que si t'es pas une majorité, tu ne peux pas gouverner ; puis que l'indépendance, c'est juste normal. Avec une belle photo en couleurs de Superbleu, puis une publicité pour notre site Internet, ça ferait une grosse job. Vous seriez surpris du résultat.

Elle referme le bec sur deux fines lèvres de « maîtresse d'école » qui sait qu'elle a raison.

Gilles semble impressionné.

— Oui, ça me revient. Mais j'avoue que c'est un peu passé dans le beurre.

— Bien ! Fouillez dans votre baratte.

Marlène prend un engagement qui implique une condition.

— Si vous pensez qu'on a le monde qu'il faut, moi, je suis prête à essayer. Je veux dire : je vous fabrique un dépliant puis vous formez des équipes.

— Ça prendra pas goût de tinette, ma petite fille.

Elle se tourne vers Gilles.

— Puis vous ?

— Moi, je dis oui.

— Bon ! Pas plus long que ça. Attachez vos tuques, les enfants ! Gisèle Galland prend le volant.

Illustrant bien la situation, la grande maigre, qui refuse d'engraisser d'une livre depuis quarante ans, accélère et disparaît dans Le Signe de Croix.

TROISIÈME PARTIE

1

Dans le parc Lahaie, depuis plusieurs années, on organise un événement artistique gratuit appelé « Noël dans le parc ». Le samedi 24 décembre 2005, quarante papis et mamies déguisés en rennes du pôle Nord, rassemblés en un troupeau qui chante tous les airs de Noël traditionnels du Québec… ça ne passe pas inaperçu. Ils donnent aujourd'hui leur troisième et dernière représentation.

Encore cet après-midi, les jumelles Dumas portent de beaux panaches. Claudette affiche un nez tout rouge et Claudine, un nez brun – allez savoir pourquoi – qui déclenche les rires.

Déjà, les 8 et 15 décembre, la chorale a chanté et attiré les chaînes de télévision les plus populaires. Le site des Héritiers du Fleuve diffuse les images des webcams du GIA. Ce sont les jeunes du groupe d'intervention artistique qui ont réclamé à Gilbert une « vraie messe de minuit »… à minuit. Pour bien publiciser l'événement religieux, le GIA, qui ne manque pas d'humour, sert généreusement les verres de caribou. Le mélange chaud de vin rouge, d'alcool et d'un fond de sirop d'érable fait vite apprécier l'hiver. Le journaliste Ghyslain Leroux, micro en main, circule dans la foule de buveurs. On accepte volontiers de témoigner.

— Hé ! Qu'il est bon !

— Ça, c'est sûr que c'est du bon.

— Oui, monsieur, pour être bon, y est bon !

Gilbert, qui ne boit jamais, participe avec bonheur à l'innocente petite fête.

À minuit, le GIA dirigé par Tristan-Jacques Messier peut chanter victoire : beaucoup de parents accompagnent leurs enfants qui veulent connaître un Noël comme dans leur « temps ».

Les vieillards endimanchés, après avoir cuvé leur caribou en soirée, regrettent un peu moins l'absence de leurs enfants qui passent les Fêtes à Cuba.

Cette année, les diverses communautés de sœurs du quartier s'offrent un vrai réveillon. Pendant que les tourtières attendent dans les réchauds, toutes les religieuses capables de marcher entonnent « Les anges dans nos campagnes » en forçant sur le « gloria ».

Rassurée par la nouvelle tournure plus religieuse du curé du Mile End depuis la mort du frère Victor, la Péruvienne Rosa Linda révise sa décision : si le curé peut changer d'idée et lâcher la politique, elle va laisser ses enfants Lolita et Pedro « de Lima » profiter de tout ce qu'offre la paroisse du Mile End. Elle sourit en les entendant chanter « Ça bergers, assemblons-nous ». Oui, son sacrifice rapporte : ses enfants deviennent… Canadiens ? Québécois ? Peu importe… Ils ne connaîtront pas sa misère. Ils sont nombreux à penser comme elle. Les parents d'Isabella « la Colombienne », de Kiki « la Chinoise », d'Hugo « le rouquin », de Myriam « la blondinette », du petit Léo « le pure laine », d'Olivia « la Camerounaise », d'Henri « le Français », de Souad et d'Hassan « du Maroc'n'roll », de Jeanne « du Plateau » et de quelques nouveaux se remplissent les oreilles du « Minuit, chrétiens » qui rebondit sur tous les murs de l'église.

Après la messe, pendant que les doigts de Tristan-Jacques Messier dansent sur l'orgue, Gilbert serre toutes les mains qui enfilent ensuite de gros gants pour défier la nuit de Noël, car il neige comme dans les bons films.

Un trio de religieuses s'attarde. Sœur Thérèse et sœur Julie se tiennent juste derrière leur supérieure. Enfin, sœur Loretta peut profiter de toute l'attention du prêtre.

— On voudrait vous inviter à manger.

— Avec plaisir.

— Le 28 décembre, à midi?

— Le jour de la fête des saints Innocents? J'espère que c'est pas symbolique?

Par-dessus l'épaule de sa supérieure, sœur Thérèse s'échappe en faisant allusion au massacre des pauvres enfants.

— Pas prophétique, au moins.

Depuis le passage des vandales au Signe de Croix en juillet, l'octogénaire attend la suite.

♣

Dans une immense propriété du côté sud du boulevard Saint-Joseph, à cent mètres à l'ouest de Saint-Laurent, un menu digne d'un évêque révèle à Gilbert l'importance de l'événement pour les trois femmes consacrées. On célèbre l'anniversaire de la plus jeune. Elle devrait souffler la flamme de quatre-vingts bougies, mais on se contente modestement de huit. Pour faire plaisir à la religieuse d'origine italienne, Gilbert a apporté une bouteille d'asti spumante, qu'on boit avec le gâteau. La plus jeune assume la direction du trio. À la fin du repas, dont le rôti de veau valait celui des meilleurs restaurants italiens de Montréal, sœur Loretta lève son verre à la santé de l'Église.

— Monsieur le curé…

Gilbert éclate de rire.

— Oh la la! Sœur Loretta, vous devez avoir besoin de moi pas pour rire, je ne me souviens pas de vous avoir entendu m'appeler autrement que Gilbert.

Le petit grelot de rire de sœur Loretta s'agite.

— Vous avez raison, mais à l'envers. Il s'agit d'un cadeau… qu'on vous offre. Mes sœurs et moi avons décidé de vous donner notre plus beau : la maison.

Les deux autres religieuses approuvent : « On est trop vieilles… C'est trop grand… Ça va rester dans l'Église. »

Leur communauté se meurt. Elle s'éteindra avec elles.

Gilbert ressemble à un enfant recevant un cadeau trop lourd, trop gros, trop beau.

— Je ne sais pas quoi vous dire.

Le grelot de sœur Loretta reprend du service.

— Essayez : « Merci. »

Un concert de clochettes monte des trois octogénaires.

Il rit tout autant.

— Oui, bien sûr : merci. Oh! Je sais quoi en faire. Depuis l'été, j'ai une petite liste de gars et de filles qui attendent qu'une chambre se libère au troisième étage du presbytère. Mais on dirait que mes pensionnaires ressemblent à la plupart des jeunes de leur génération : pas pressés de quitter la maison. Le seul qui part dans six mois, c'est Camil.

La plus âgée des religieuses s'inquiète. Sœur Thérèse, née à Saint-Ludger-de-Milot au lac Saint-Jean, ressent la solidarité régionale.

— Le petit Cyr d'Arvida? Le joueur de trombone? À cause? Il retourne au Saguenay?

Gilbert, lui-même rompu à la vie religieuse par plus de trente ans de cloître, décide de leur offrir le présent d'un beau secret.

— À l'automne, Camil entre au Grand Séminaire.

Pendant un court instant, Gilbert craint pour la raison de sœur Thérèse. La Jeannoise semble hésiter entre l'apoplexie et l'infarctus. Sœur Thérèse de Saint-Ludger-de-Milot va-t-elle finalement mourir de joie? Non, elle éclate en sanglots.

— C'est tellement un bon garçon.

— C'est vrai que cet enfant-là est bon.

— Ça, pour être bon, il est bon.

Les trois sœurs savent reconnaître les belles âmes.

Sœur Thérèse se ressaisit et ramène tout le monde à un peu de mesure.

— Ça va faire un bon prêtre. Il est tellement sensible, un musicien si doué. Ça va être excellent avec les jeunes, son trombone.

Un ange passe en coulisse…

Sœur Loretta, ancienne directrice d'école, possède un vrai don pour l'administration.

— Si vous voulez, je vais vous aider à régler la paperasse avec la fabrique et le diocèse.

La femme d'expérience pressent déjà le projet de Gilbert.

— Les petites Dumas, comment vont-elles?

Gilbert sait qu'elle voit clair dans son jeu.

— Bien, très bien. Elles mènent des vies d'oiseaux: gros appétits, belles voix. Pas près de se marier, les jumelles!

La troisième religieuse – celle qui parle peu – propose une explication.

— Les jumeaux se suffisent souvent à eux-mêmes durant l'enfance, comme s'ils formaient un couple. Il suffit de les séparer pour constater toute la souffrance que ça engendre.

Sœur Loretta approuve.

— Sœur Julie est bien placée pour parler des enfants. Elle a passé ses premières années de vie religieuse à travailler dans une crèche et un orphelinat.

Sœur Julie semble maintenant regretter son intervention. Modestement, sans lever les yeux de sa tasse de thé, elle referme la parenthèse.

— Avant de partir en mission…

À l'orphelinat, Gilbert a connu une sœur Julie. Au départ de la religieuse pour Madagascar, le jeune orphelin de douze ans avait vécu une vraie peine d'amour. S'il s'agit de la même femme, Gilbert pourra peut-être mettre un pied dans son passé. Mais il se voit mal l'interroger en présence des deux autres religieuses. Il ne poursuit pas sur le sujet. Pourquoi ne veut-il pas ouvrir cette boîte scellée? Il revient aux sœurs Dumas.

— C'est vrai que pour le moment, elles ont l'air de préférer Laura Secord au Prince charmant. J'ai quelquefois constaté que les enfants des anciens religieux avaient tendance à reprendre le rêve délaissé par leurs parents. Bref, Claudine, Claudette, plus quatre autres filles du groupe d'intervention artistique embarqueraient facilement dans un projet de vie communautaire. Chez les gars, Tristan-Jacques Messier m'a déjà confié qu'il n'était pas question qu'il se marie: «Pas pour moi.» C'est tout ce qu'il en dit. Mais je le crois. Ce garçon sait tellement ce qu'il veut, c'est admirable.

Sœur Thérèse adore la conversation.

— Est-ce qu'on sait ce qu'il veut?

Gilbert peut satisfaire sa curiosité sans trahir de secrets.

— Oui, sœur Thérèse. Je pense que ça va vous plaire. Il m'a dit textuellement: «Moi, je veux créer de la beauté.»

En effet, sœur Thérèse aime ça.

— C'est la piste de décollage vers Dieu, la beauté.

Sœur Loretta fait atterrir la conversation sur le plancher des vaches.

— Vous pensez à créer une sorte de communauté mixte?

— Non, pas du tout. Elle est constituée de deux maisons, votre propriété. Vous avez ouvert un accès intérieur de l'une à l'autre, mais rien n'empêche de revenir à la version antérieure… en conservant la chapelle commune. On pourrait tout de suite trouver trois et peut-être même quatre gars en plus de Tristan-Jacques.

Sœur Loretta doit encore transmettre la dernière décision de sa communauté.

— Nous voudrions vous proposer un nom pour le nouvel établissement : la Maison Victor.

Gilbert sent monter une grosse émotion.

— Vous me faites un second cadeau.

Les démarches administratives ramènent le curé du Mile End à l'archevêché pour la première fois depuis son incardination au diocèse.

La rencontre avec le haut responsable du ministère de Gilbert se déroule sous le grand principe de « qui ne dit mot consent » : pas un commentaire sur la question politique ; rien, pas même une allusion teintée d'humour. On le laisse aller, d'autant plus facilement que, depuis quelques mois, on n'en entend plus parler. De toute façon, son attitude crée une telle division dans les hautes instances qu'on préfère rester dans le non-dit. Gilbert n'en demande pas davantage. Le responsable ecclésiastique se concentre sur le projet de la double maison du boulevard Saint-Joseph.

— Envisagez-vous de fonder un nouvel institut ?

— Non, je ne crois pas. Ou, alors, il faudrait que la demande vienne des jeunes eux-mêmes. On n'en est pas là du tout.

— Si je puis me permettre : où en sommes-nous ?

— Je pense que Tristan-Jacques Messier le résume très bien dans son document de présentation : « Le Beau crée du Bon ou l'art au service de Dieu ».

L'ecclésiastique né en Abitibi, l'un des prêtres les plus fidèles de sa génération de baby boomers, croise ses petites jambes sous son grand bureau.

— Alors, nous aurons droit à de belles liturgies à Saint-Enfant-Jésus...

Mgr Luc de Bôpage sait lire dans sa boule de cristal... mais seulement ce qu'on veut bien lui montrer.

En sortant du bureau de l'évêque, le visiteur croise Mgr Juan Grillo, responsable des relations avec les communautés religieuses et les groupes ethniques. Une courte salutation à peine polie le renseigne : le prélat ne l'aime pas... ou, du moins, s'en méfie. L'homme d'Église ne manque pas de perspicacité.

♣

Au Signe de Croix, le feu couve sous une apparente couche de cendres. Les Héritiers du Fleuve ne chômENT pas. Cette Gisèle Galland tombe souvent sur les nerfs de bien du monde, mais elle s'en balance. Elle ne cherche pas de nouveaux amis pour jouer aux cartes. Elle forme une armée d'éducateurs populaires. Rien que ça ! Toujours impeccablement vêtue, coiffée et manucurée, la « vieille fille » dispose déjà de l'outil indispensable. Un beau dépliant tout bleu, sorti des mains habiles de Marlène Jardin, affirme en titre une évidence : « L'indépendance, c'est normal. »

Les cours de formation de Gisèle Galland sont disponibles sur www.heritiersdufleuve.com. En fait, le GIA filme les séances qu'elle donne dans la salle aux douze tableaux du Signe de Croix.

— On sort au printemps. Le lundi de Pâques, on fonce.

Les vieux se sentent de retour sur les bancs d'école. Un peu plus et on lui répondrait en chœur : « Oui, mademoiselle Galland. » Car elle insiste et tout le monde obéit : on l'appelle bel et bien mademoiselle Galland.

— Vous allez circuler deux par deux : une femme et un homme. Au lieu de vous promener seulement pour votre santé, vous allez marcher pour votre pays.

Elle les passe en entrevue : un à un. Elle les amène à parler : chacun raconte sa propre histoire de trois quarts de siècle. Elle impressionne Gilbert, qui prend des notes[21].

♣

L'annonce de la création de la Maison Victor provoque une vague d'enthousiasme sur laquelle surfe Tristan-Jacques Messier, qui décide de s'investir à fond avec le GIA dans la Semaine sainte d'avril 2006.

Le 1er mars, mercredi des Cendres, Tristan-Jacques réunit ses troupes afin d'expliquer que, du jeudi 13 avril au dimanche 16, le bon matériel ne manquera pas pour enchaîner des scènes dramatiques.

— Le lavement des pieds du Dernier Repas prépare l'agonie au Jardin des oliviers. L'arrestation de Jésus dans la nuit mène aux procès éclairés par des torches chez Caïphe et Ponce Pilate. La flagellation et le couronnement d'épines précèdent la marche dans les rues de Jérusalem d'un Jésus à moitié nu, couvert de sang, ployant sous la croix… jusqu'à la crucifixion sur le mont Golgotha. Puis, sa mort suivie de la veillée au tombeau dans le rappel des textes prophétiques aboutissent à la scène bouleversante de la résurrection. Un Jésus méconnaissable se manifeste à la plus émouvante de ses disciples, la Marie-Madeleine de tous les fantasmes.

Le musicien s'interrompt. Il entend le silence qui monte tel un mouvement d'adhésion de la vingtaine de membres du GIA réunis au sous-sol de l'église. Tristan-Jacques murmure une question.

— Comment un tel scénario a-t-il déjà pu aboutir à des cérémonies religieuses assommantes ? Non mais fallait-il manquer de talent et d'imagination, *my Goethe* !

---

21. Voir *Journal de Gilbert : Mademoiselle Galland*, page 441.

🌳

Au Jardin des oliviers, le Jeudi saint, dans l'église Saint-Enfant-Jésus du Mile End, quand Gilbert crie : « Père, éloigne de moi ce calice… », le hurlement terrifié du trombone de Camil Cyr hérisse les nerfs de tous ceux que la beauté de la messe de minuit et des liturgies dominicales ramène maintenant dans l'église du parc Lahaie.

Gilles Larivière, toujours amateur de bons spectacles, ne manque pas un événement. En compagnie de son épouse Louise, il attire, une par une, les vedettes dont il s'occupait au temps de sa vie folle de producteur. Les plus grands artistes manifestent la plus grande ouverture. Ils rencontrent Gilbert, Marie-Elphège, Mathilde DeGrandpré, Marlène Jardin, Tristan-Jacques, les jumelles Dumas et mademoiselle Galland. Du jeudi au samedi, Gilles donne l'impression de participer à un festival… comme pour le théâtre, la chanson ou le cinéma.

Le matin de Pâques, 16 avril 2006, dans la chorale, toutes les petites vieilles portent de jolies robes fleuries, les petits vieux de belles cravates dont les motifs surprenants s'enflamment dans des couleurs bien criardes. Tout cela demeure discret à côté de Marie-Elphège Fortin, tout de bleu vêtu sous sa grande cape de Superbleu, au-dessus de ses bottes russes blanches comme la fleur de lys. Le Beauceron aux yeux clair de lune lit un texte prophétique à l'ambon. Gilbert, sobrement vêtu des ornements liturgiques blancs, paraît équilibrer l'ensemble.

Au fond de l'église, discret comme un pique-assiette parvenu à s'introduire au buffet du Ritz-Carlton, le Claude de toutes les odeurs essaie d'évaluer le nombre de « vingt piastres » qu'il arrivera à soutirer à « la gang de malades ».

Occupant le siège du célébrant, à l'avant droit de l'autel, Gilbert écoute la lecture de Marie-Elphège tout en balayant du regard l'assemblée de près de trois cents personnes. Au fond, près du bénitier, il aperçoit Claude. Pour la première fois, l'itinérant a osé franchir la porte du temple[22].

À la suite du Beauceron, Gilbert lit un extrait de l'Évangile de Jean finissant par la mention de l'ignorance des apôtres au sujet de la résurrection, puis il se lance dans l'homélie. L'orateur parle de liberté, de solidarité et de bonheur.

Près de la porte, appuyé sur la plaque commémorant la bénédiction de l'église par l'archevêque de Montréal Ignace Bourget, Claude écoute, bouche bée. Le curé du Mile End le fascine et l'horripile. Il ne peut pas le croire. Claude a perdu la possibilité de croire. Il ne peut plus que survivre dans la convoitise ; il ne désire plus, il envie. Le sans-attaches vit enchaîné ; terrible paradoxe du dépossédé enfermé dans l'égoïsme que crée la dépendance aux drogues.

Pendant que Gilbert prêche, au fond de Claude, une bête hurle : « C'est toute de la *bullshit*, vous êtes une *gang de mangeux de marde*, juste des crosseurs. *Bullshit! Bullshit! Bullshit!* » Ils le prouveront encore au sortir de l'église en lui donnant des vingt-cinq cennes sans le regarder. Il les déteste tous. Un jour, il en tuera un, quand il sera certain de ne pas se « faire pogner ».

À la fin de l'homélie, les jumelles Dumas s'engagent en puissance dans l'interprétation de l'hymne pascale *Chantons Victoire*. Les mots étourdissent Claude : « Chantons victoire […] Célébrons la gloire […] Mort, où sont tes armes ? » Claude arrive mal à endurer plus longtemps cette folie pire que la sienne. Il recule jusqu'au vestibule et entrouvre à peine la porte extérieure. Terrifié, il la referme aussitôt. Dehors, en plein soleil, l'Homme invisible l'attend de pied ferme. Depuis quelque temps, il pousse Claude devant les autobus. À deux reprises, le chauffeur de « la 55 » est sorti pour engueuler l'itinérant. Claude a beau expliquer que l'Homme invisible le

22. Voir *Journal de Gilbert : Pauvre comme Claude*, page 443.

pousse tout le temps, l'employé de la société de transport ne le croit pas. Ce dimanche matin, les murs de la prison de Claude se rapprochent, le plafond l'écrase. Il revient près du bénitier en se glissant, les épaules appuyées au mur. Quand il baisse les bras, sa main plonge dans l'eau. Il la retire aussi vivement que d'un feu. Il se sent devenir fou.

Au même moment, un octogénaire en habit de Fortrel passe tout près de lui en tenant le panier de la quête. Claude perd la tête. Il s'élance sur l'argent. Une poignée de billets dans chaque main, il fonce sur la porte, lance une partie de son trésor en direction de l'Homme invisible et saute par-dessus son ennemi penché pour ramasser les billets.

Dans l'église, personne n'a vu, sauf Gilbert assis, pendant la quête, dans le fauteuil du célébrant. Le vieux bonhomme reste là, le panier à la main, ne sachant pas comment réagir. Il ne peut pas crier « au voleur » : on n'a pas le droit de parler dans une église, il sait ça depuis l'âge de raison.

Trop… c'est trop ! Claude vient de dépasser les bornes. Il faut agir. Comment sauver un fou ? Comment soigner quelqu'un qui ne se sait pas malade ? Par quoi commencer ? Le faire arrêter pour le vol d'une poignée de dollars dans le panier de la quête du dimanche de Pâques ? Au secours ! Pas question. Après la messe, Gilbert demande au paroissien en habit de Fortrel de se taire au nom de la charité chrétienne.

En saluant les fidèles sur le perron de l'église, Gilbert en voit quelques-uns se pencher pour ramasser des billets de cinq dollars. L'Homme invisible est peut-être myope…

2

Un des moyens les plus efficaces pour se défaire d'un emmerdeur consiste à lui prêter de l'argent : à coup sûr, il disparaît sans rembourser. Le même principe semble valoir pour les petits voleurs. On n'a pas revu Claude depuis plus d'un mois.

Autour du parc Lahaie, on travaille fort. Le lundi 22 mai, Journée nationale des Patriotes et fête de la Reine, on inaugure la Maison Victor. Pourtant, il reste beaucoup à faire. Mais Tristan-Jacques et le GIA soutiennent que ce ne sera jamais terminé. Ils habitent un chantier permanent.

Le troisième étage du presbytère, aussitôt libéré de ses pensionnaires, est désormais loué aux Héritiers du Fleuve, qui comptent s'en servir pour accueillir les éventuels visiteurs débarquant pour un stage au Signe de Croix.

♣

Mademoiselle Galland ne laisse personne indifférent.

— Ostensoir de tôle, je me réveille la nuit pour l'haïr.

Jude Aubin postillonne sur la table à café d'Évangéline Wright, née Lebœuf.

Le nouveau capitaine de police Alexandre Lebœuf soupire.

— C'est vrai que c'est reparti de plus belle. Franchement, j'aurais pas cru que la vieille fille réussirait.

Il agace sa tante.

— Réussir quoi? Vraiment, Alexandre, je t'en prie, ressaisis-toi. Une centaine de vieillards qui jouent aux Témoins de Jéhovah pour distribuer un pamphlet bleu ridicule, on ne va pas perdre notre temps à contrer une entreprise aussi sotte. Il suffit de s'en moquer, c'est tout.

Évangéline connaît la puissance dévastatrice de la dérision, mère de l'humiliation. Elle passe sa vie à fuir ce danger qui guette la Canadienne française de Westmount. Elle se fige: «Justement...» Comment n'y a-t-elle pas pensé plus tôt?

♠

— *Yes, Jimmy. Take her to the church at nine am, please.*

Évangéline raccroche en remerciant le chauffeur coréen des DeGrandpré. Jimmy, fils d'un soldat coréen sauvé par le général DeGrandpré, le père de Mathilde, ne comprend plus sa patronne depuis qu'elle fréquente le grand hurluberlu en bleu. Jimmy n'accepte pas que la fille du grand général DeGrandpré – Monsieur Canada lui-même – travaille à la destruction de son pays. En saisissant ce qu'elle planifiait, il s'en était ouvert à de vieux amis de son père. On l'avait mis en contact avec un jeune officier de police solide: Alexandre Lebœuf. Alex s'était assuré que Jimmy conserve bien son poste de chauffeur et lui serve d'informateur. Ensuite, il ne restait qu'à prévenir sa tante Évangéline, une vieille connaissance de la fille DeGrandpré. Depuis, plusieurs vers creusent la pomme de Mathilde.

Ce dimanche matin, comme convenu, Jimmy conduit Mathilde à l'église Saint-Léon de Westmount un peu avant neuf heures. Il a pris soin de déverrouiller la porte arrière de la grande résidence.

Après la messe, Évangéline s'approche de Mathilde. Elles ne se sont pas parlé depuis « l'affaire Lozeau ». Chacune poursuit sa route. Évangéline dispose de moyens beaucoup plus importants pour « Westmount for Canada », mais Mathilde réussit tout de même à maintenir les « Westmountaises pour l'indépendance ». Madame Wright, née Lebœuf, sourit.

— Ma chère Mathilde, on ne peut pas se dire chrétiennes et rester en froid comme ça.

La fille DeGrandpré ne se méfie pas.

— Ah ! Je suis contente que tu fasses les premiers pas, je ne savais pas du tout comment m'y prendre.

— Tu sais peut-être encore préparer le thé ?

— Et comment ! Quand tu voudras.

— Maintenant ?

Elles montent dans la Cadillac grise sans qu'Évangéline ait même regardé Jimmy.

Redfern Avenue, le chauffeur garde la main sur la portière pour laisser sortir les deux femmes. Son œil croise celui d'Évangéline. Elle sait que tout va bien.

La voix de Mathilde qui la devance le confirme.

— Mon doux Jésus, c'est pas possible !

Évangéline la rejoint et doit réprimer un sourire. Des milliers de pamphlets bleus « L'indépendance, c'est normal » tapissent le plancher de la grande maison… partout, comme une tornade bleue. C'est aussi ridicule qu'impressionnant.

Jimmy entre par la porte arrière. Mathilde l'appelle.

— *Jimmy, was the door locked ?*

— *Of course, miss Mathilde.*

Non, Jimmy ne parle pas français. Mathilde le croit incapable d'apprendre sa langue et se jugerait profondément injuste de le renvoyer pour un motif aussi peu valable : elle parle anglais, après tout. Et elle respecte la mémoire de son père que des liens si forts attachaient à cette famille coréenne. Cependant, elle se trompe. En fait, Jimmy ne veut pas apprendre le français. Jimmy déteste les Canadiens français qui se sont moqués de lui pendant toute son enfance dans la Petite-Bourgogne, où il ne valait pas mieux qu'un *nèg*. Jamais il ne parlera la langue de ces débiles. D'ailleurs, le général DeGrandpré parlait toujours en anglais avec son père. *Tel père, tel fils.* Jimmy apparaît dans la cuisine. Il réagit selon ce qui est convenu.

— *I'm calling the cops.*

Mathilde n'en revient pas.

— *No! It's useless. Nothing is broken.*

Évangéline prend la situation en main.

— *Thank you, Jimmy. I will manage that.* Mathilde, des gens sont entrés ici en ton absence, sans effraction. Quelqu'un possède ta clé puisque Jimmy confirme que la porte était verrouillée. Bon! On ne va pas appeler au poste de police de Westmount, mais laisse-moi joindre Alexandre.

Devant une aussi évidente bonne volonté, Mathilde se ravise.

— Alex? Tiens! Je ne l'ai pas revu depuis cette histoire de fou à la mort du frère Victor. Ça me ferait plaisir.

Accompagné d'un policier, le capitaine Lebœuf résiste au fou rire. Il donne des ordres.

— Prends tout ça en photos.

Il n'ose pas regarder sa tante et encore moins Jimmy. Concentré sur la peur de Mathilde, il en rajoute.

— C'est très probablement juste un avertissement.

— Pourquoi?

— Bien… les « Westmountaises pour l'indépendance », ça ne peut pas plaire à tout le monde de Westmount.

— Mais Alex, on vit dans un pays libre.

— Justement, il y en a peut-être qui veulent que ça le reste…

— Vraiment…

— Oh! Moi, je dis ça… mais je sais juste ce que je vois. Vous vivez seule ici. Jimmy est pas un *bodyguard*. Et vous passez vos grandes journées en dehors de la maison. Qu'est-ce qu'on peut faire?

Le mardi, moins de quarante-huit heures après la visite de Ben Laporte et de ses amis, l'événement se retrouve dans le journal *The Gazette* sous un titre loufoque : « *Blue invasion in Westmount*». Alexandre explique qu'un policier qu'on n'identifiera jamais a transmis des photos à une chroniqueuse francophone écrivant en anglais. L'ancienne séparatiste convertie au fédéralisme canadien sème la terreur dans la classe politique. Son article expose clairement le programme des «Westmountaises pour l'indépendance» et souligne l'ingratitude de ces femmes qui profitent maintenant de l'héritage de maris anglophones morts à la tâche pour leur assurer un confort qu'elles n'auraient même pas pu rêver obtenir d'un Canadien français, en 1950.

Déjà, à dix heures, quand Mathilde s'avance sur l'avenue Greene pour quelques courses, elle entend des gloussements sur son passage. À l'épicerie, la caissière s'adresse à elle en anglais sans la regarder. Pourtant, la jeune femme parle avec un accent francophone à hurler de rire.

Jimmy reste près de l'auto. Elle le rejoint et se parle à elle-même : «C'est ridicule.»

En débouchant sur Redfern Avenue, elle pâlit. Trois enfants fuient en avant.

La grande fenêtre du salon a volé en éclats.

Jimmy constate que tout va plus vite que prévu. Il s'en réjouit. Depuis des mois, il attend ce moment.

— *I'm sorry, miss Mathilde. It's too much. I am out.*

Pour une fois, la fille DeGrandpré laisse monter la rage.

— *Fine. Go back to Hell.*

Elle entre dans la maison, se penche et ramasse une pierre enveloppée d'un message : « *We eat frogs.* »

Marie-Elphège camoufle sa peur.

— Ils mangent les grenouilles! Bout de *ciarge*, je ne savais pas qu'ils étaient aussi raffinés… même si t'as plus l'air de la princesse que de la grenouille.

Mathilde n'est pas dupe.

— Oui, je sais… ma vie n'est pas en danger, mais ma qualité de vie, oui. Déjà, je n'ai plus de chauffeur.

— Bizarre, ça. Il me semble qu'il est parti bien vite, le Jimmy. Remarque: il me manquera pas. Ça sautait aux yeux qu'il pouvait pas me sentir.

Mathilde le sait. Elle soupire.

— Je le gardais à cause de papa. Pourtant, ça me fait de la peine que ça se termine aussi bêtement.

— Sauf que c'est pas de ta faute.

— Je sais bien, mais ça ne me console pas. Je le connais depuis sa naissance.

— Justement, pas un mot de français pendant toutes ces années-là… méchante tête de cochon.

Un court silence clôt l'oraison funèbre.

Marie-Elphège risque enfin la suggestion venue de Gilbert.

— Mathilde, bout de *ciarge*, ce qui me ferait vraiment plaisir, ce serait de te savoir moins loin. Les chambres sont encore libres en haut. La plus grande donne sur le parc.

— Mon Dieu, Marie-Elphège, tu ne trouves pas ça un peu dramatique?

Il esquive.

— On te ferait un prix d'amie…

Elle sourit enfin. Pourtant, une vague de tristesse risque de la submerger.

— Tu te rends compte? Je n'ai pas de famille. Même pas une nièce à qui je pourrais demander de me tenir compagnie pendant quelques jours… le temps que ça passe.

— Je m'excuse d'être aussi franc, mais ça passera pas, Mathilde. Ils te lâcheront pas. Tu t'es exclue. C'est aussi bête et aussi simple que ça.

— Tu as peut-être raison. Dimanche, j'avais cru qu'Évangéline… mais j'en suis moins sûre. J'ai tenté de la joindre ; c'est toujours le répondeur. Son grand Alex…

— Lui non plus, il est peut-être pas blanc comme neige, d'après le mari de Marlène. Tu sais que Matthieu a pas été reçu capitaine ?

— Mais… non !

— Ça ne surprend pas Marlène.

— Tu penses qu'Alex…

— Je ne pense rien du tout. Je constate que Lebœuf ne met plus les pieds ici. Je sais qu'il salue poliment Matthieu, sans plus… et qu'entre le lieutenant Guérin et le capitaine Lebœuf, on connaît maintenant le *boss*.

— Alors, «nos amis de la police», c'est peut-être moins vrai.

— J'en ai bien peur…

Elle risque une pointe d'humour.

— Tu ne serais pas un peu peureux ?

— Oui. Alors, s'il vous plaît, enlève-moi une peur : dis oui ; viens me marcher sur la tête au presbytère. Non seulement on va aller te chercher, mais il y a deux jeunes du GIA qui vont passer la nuit chez toi.

— J'attends le vitrier.

— Ça t'empêche pas de préparer un petit bagage. As-tu objection à ce que Camil Cyr te ramène dans ta voiture ? Moi, je sais pas conduire.

— Moi non plus.

Depuis quelques minutes, Mathilde se sent plus légère. Elle s'en rend compte et tire la conclusion qui s'impose.

— Tu as raison, Marie-Elphège, on fait comme tu dis.

— C'est rare. Je suis plus habitué au contraire.

Un bel éclat de rire confirme que le Beauceron dit peut-être vrai…

Tous les fantasmes sexuels des «Westmountaises pour l'indépendance» se dégonflent: pas d'amours ancillaires entre Mathilde et Jimmy. Évangéline Wright, née Lebœuf, assure à chacune que son nouvel employé ne fréquente personne. Entre deux gorgées de porto, quelques femmes désœuvrées changent de camp. La fuite de la fille du général leur confirme la lâcheté légendaire des Canadiens français, toujours les premiers à se cacher dans les bois au moindre roulement de tambour de guerre.

Évangéline l'emporte au premier *round*: «Pauvre Mathilde, elle ne fait toujours pas le poids.» Déjà, au moment où James Antony Wright fréquentait la DeGrandpré, il avait suffi à Évangéline d'user des clichés féminins les plus évidents pour lui enlever le bel Écossais. À l'évocation du souvenir, madame Wright sourit: «Pas de danger, maintenant. Ton grand squelette bleu, tu peux le garder.» Sur le front ouest, «Westmount for Canada» peut vaincre sans péril.

À la mi-juin, la ruche bourdonne. Les préparatifs du second Grand Déménagement progressent. Toutefois, Gilles Larivière sait que tout se joue cette année. On ne peut plus compter sur l'effet de surprise. L'augmentation du budget de la fête du Canada le prouve bien. Une campagne publicitaire fort habile ridiculise le travail des envoyés de Mademoiselle Galland. On les confond avec les «Bérets blancs» du Crédit social et les Témoins de Jéhovah. Le Québec rigole: la crédibilité des vieux en mission va-t-elle sombrer dans la farce? Sommes-nous condamnés au «Québec Juste pour Rire»?

Le lieutenant Guérin sait que le capitaine Lebœuf ne fera pas de cadeau. Matthieu connaît Alex: il va provoquer la violence dans le parc Lahaie pour ensuite assassiner la mouche à coups de marteau.

Pourtant, au Signe de Croix, personne ne semble le croire. Ils vaquent tous à leurs tâches à longueur de journée… et de soirée.

Jude Aubin roule des yeux d'enragé à la vue de la Cadillac grise qui ne bouge plus du stationnement. Judo étouffe de jalousie.

— Ostensoir de tôle! Qu'est-ce qu'elle peut bien lui trouver? On sait juste pas s'il est plus imbécile que ridicule, le moignon bleu. Elle doit être en manque pas pour rire…

Ben Laporte opine.

— C'est ça que je me dis, ostie toastée.

Pourtant, le *goaler* des Cataractes subit une influence qui l'ébranle. Mademoiselle Galland possède sur lui un ascendant manifeste. Les maîtresses d'école l'impressionnent depuis l'enfance. Ce matin même, Gisèle Galland le scrutait jusqu'au fond de l'âme avant de l'assommer.

— Judo, c'est un mauvais compagnon pour toi. Non seulement il te mène par le bout du nez, mais il te conduit directement en enfer.

En y repensant, il tremble encore: «Ostie toastée, elle voyait jusque dans le fond de mes bobettes.»

Judo sait que la vieille fille attaque sans relâche sa crédibilité auprès des pensionnaires. Alexandre Lebœuf refuse de l'aider à terroriser la Gisèle. Mademoiselle Galland occupe une moitié du cerveau de Judo. L'autre partie se nourrit de la jalousie du bonheur neuf de Marie-Elphège et de Mathilde.

La nouvelle locataire songe même à vendre sa Cadillac et parle de se défaire de sa maison. Deux semaines après l'installation de Mathilde au presbytère, un couple de Chinois louait déjà sa grande maison de Redfern Avenue. Rue Saint-Dominique, elle joue à la sœur hôtelière. Quand une réunion se termine tard, le membre des Héritiers du Fleuve venu de Québec ou d'Alma dort au presbytère. Le matin, il peut utiliser la cuisine où les quatre chambreurs passés à la Maison Victor se nourrissaient. Elle propose à chacun de participer aux laudes dont l'existence même étonne. L'effet de surprise ne rate jamais. Cinquante personnes qui chantent des psaumes à sept heures du matin, on ignorait que ça existait encore au Québec. Surtout qu'on ne trouve pas que des vieux de chaque côté du chœur. Les membres du GIA s'amènent fidèlement chaque jour. Même s'il vit à la Maison Victor jusqu'à son entrée au Grand Séminaire à l'automne, Camil Cyr assume toujours la fonction de portier. Il arrive de plus en plus tôt. La lumière qu'il dégage en interpelle plusieurs. Il répond toujours de la même façon.

— C'est mon bronzage.

— Ah! T'as une lampe solaire.

— Non, c'est l'exposition au Saint-Sacrement. Je me fais griller à l'ostensoir.

Pour la plupart de ses interlocuteurs, la réponse réussit tout au plus à épaissir le mystère. Pas pour Tristan-Jacques Messier, pas pour Claudine ni Claudette Dumas, pas pour Marlène Jardin, ni pour Gilbert Fortin… Même que le curé du Mile End sait qu'il dispose là d'une ressource qui pourra éventuellement le sauver du désastre. Car il prévoit le pire, Gilbert. Dans deux semaines, le parc Lahaie grouillera de gens… et pas que du bon monde. Du vendredi 30 juin au dimanche soir 2 juillet, en fin d'après-midi, chacun concentrera ses troupes dans le Mile End.

Tellement peu de Québécois restent confiants dans la possibilité d'un nouveau pays pour le monde, d'un Québec indépendant… On fera tout pour écraser la jeune pousse. On ne laissera pas les hurluberlus du parc Lahaie démolir une Confédération canadienne qui sert si bien des intérêts financiers maintenant solidement ancrés dans les officines du gouvernement fédéral.

On commence à voir où le courant se dirige. Avec ses vieux faisant du porte-à-porte, son site Internet où Superbleu propose même des jeux aux plus jeunes, ses Héritiers du Fleuve branchés tant sur le réseau des clubs de l'âge d'or que sur celui des petits restes de communautés religieuses, sa Maison Victor qui loge le GIA, l'ancien moine tente de créer un mouvement populaire.

Cependant, l'entreprise ne s'inscrivant pas dans le combat électoral, cela enlève des moyens à ceux qui tiennent en main les fils attachés aux politiciens. Il faudra inventer...

Le curé du Mile End veut du peuple[23]? On va lui en donner, du peuple...

---

23. Voir *Journal de Gilbert: Une voix pour la vie*, page 447.

3

Le statut de Gilbert, maintenant connu des médias entretenus par Charlène Mailloux, le sert. Il occupe une place unique. Chez les politiciens, autant au fédéral qu'au Québec, il fait l'unanimité: on ne le prend pas au sérieux; chacun trouve un motif pour minimiser son action. Toutefois, le curé du Mile End ne s'en formalise pas. Il ne songe toujours pas à s'engager dans l'arène électorale, de plus en plus convaincu que ce n'est pas la bonne voie pour susciter la prise de conscience du fait brutal qui le motive: si nous ne faisons pas acte d'indépendance, nous allons disparaître. Non, pas de politique partisane; il se perdrait au Parlement. On ne peut pas à la fois éteindre les petits feux et en allumer un grand. Gilbert connaît son rôle. Il devra parler, parler, parler. Il lui faut s'oublier pour sa seule famille: ce peuple qui lui sert de père, de mère, de frère et de sœur.

Depuis quelques mois, le curé du Mile End occupe bel et bien un espace privilégié. Des gens le saluent dans la rue, comme une vedette. Il s'arrête pour discuter un moment, il rend visite parfois à des clubs de l'âge d'or, accepte aussi des invitations pour des concerts à la Place-des-Arts, s'attarde alors sur la grande place du complexe Desjardins pour converser avec chacun. Son col romain intrigue. Son clergyman, qu'il ne quitte jamais, devient un symbole d'affirmation. Oui, le curé du Mile End s'affirme. Il en demande autant à son peuple. En campagne de promotion pour le second Grand Déménagement, il prend de la place. Trop?

Oui, ça remue dans bien des presbytères. On remonte jusqu'à l'évêché. Pour le moment, rien ne redescend. Occupée à sauver les meubles, la hiérarchie semble vouloir laisser quelques marginaux rêver en couleurs. D'autant plus facilement que ces gens ne parlent pas au nom de l'Église. Et à voir le renouveau liturgique dans la paroisse de celui qu'on peut considérer comme le berger du troupeau, on dirait bien que personne en position d'autorité ne veut souffler sur une jeune flamme qui semble préfigurer un bien grand feu. Personne? Vraiment?

♣

Dans l'église Saint-Enfant-Jésus du Mile End, on fête la Saint-Jean-Baptiste.

Tristan-Jacques Messier, toujours aussi énergique et imaginatif, a composé une messe originale. Inspirés des rythmes traditionnels de la musique québécoise, le *Kyrie*, le *Gloria*, le *Sanctus* redonneraient le goût de vivre à une assemblée de momies égyptiennes, membres des Déprimés Anonymes.

Il s'agit simplement d'une réunion de famille avant le début des grands travaux de la fin de semaine suivante. Dans l'après-midi, Gilbert tiendra une réunion importante à la Maison Victor. Le GIA doit effectuer un pas de plus…

Ce samedi matin, 24 juin, on fête. C'est tout. On se fait plaisir. Gilbert porte des vêtements liturgiques rouges; oui, saint Jean-Baptiste est mort martyr. Le saint patron des Canadiens français a eu la tête tranchée: un décapité nous sert de modèle… Parfois, il semble à Gilbert que ce patronage n'a jamais été plus pertinent.

Ce matin, devant son groupe de convaincus, il s'offre le luxe d'une homélie sans compromis.

— J'ai une telle envie de commencer selon la vieille formule des curés de mon enfance que je ne résiste pas : mes bien chers frères... et sœurs – tout de même, on peut améliorer, n'est-ce pas ? –, les plus âgés se souviennent que le prédicateur débutait par une citation en latin. On va laisser faire... À la place, je cite le frère Victor : « Les Québécois condamnant en bloc leur passé se méprisent implicitement. Il ne faut tout de même pas noircir la noirceur. » Au nom de la liberté de parole, on ne peut pas enseigner l'ignorance. Au nom de la justice et de la liberté, on ne peut pas affirmer n'importe quoi. Au nom de l'évolution, on ne peut pas mépriser le passé. Nous sommes notre Histoire. Peuple de délaissés, peuple d'ignorants, peuple de superstitieux, nous avons survécu à tout. Peuple en gestation, nous avons eu besoin, comme tous les peuples neufs, du giron d'une mère. La seule qui pouvait nous accueillir sans nous faire disparaître se trouvait à Rome. Cette alliance-là nous a permis de maintenir la tête au-dessus de l'Empire britannique, en dehors des eaux assimilatrices américaines, loin de la sotte France qui se tirait dans le pied avec une régularité remarquable. L'Église catholique n'a pas avalé le peuple québécois. Malgré sa propension légendaire à l'impérialisme, elle a participé – et pas toujours de bonne foi – à la libération de notre peuple. Puis, les Dominicains, ceux du frère Victor, par le père Lévesque des sciences sociales de l'Université Laval, ont formé une génération qui n'est plus passée par l'Église pour investir la sphère sociale. Les Jésuites ont produit des chefs ; la Congrégation Notre-Dame, des femmes de tête : les Augustiniennes, des administratrices exemplaires. Pour beaucoup, ce sont des gens issus de l'Église qui ont transformé le système de valeurs. À la société religieuse fondée sur l'autorité et la charité, ils ont opposé une société civile de justice et de liberté. Aujourd'hui, en rejetant un si bel héritage, on résume la québécitude à l'usage de la langue française. De toutes mes forces, je résiste à un tel appauvrissement. Au contraire, je cherche à réveiller dans l'âme de notre peuple la soif de grandeur héritée de ses ancêtres; qu'il reste fidèle à la nature généreuse de ses prédécesseurs. On peut aussi suivre sa nature en la remontant. En se donnant à une cause noble, on naît en vérité. Ce don de soi-même consacre chacun de nous dans toute son humanité. Non, je ne séparerai pas ma foi religieuse de mon implication dans la libération de notre peuple. La tâche exigera de plus en plus de chacun. Cependant, tout comme Confucius, j'y vois le chemin du bonheur: «Celui qui est réellement bon n'est jamais malheureux.» Oui, la suprême satisfaction réside dans le développement de ses propres vertus. Tant pis pour ceux que la peur rétrécit. Pendant une courte vie, on peut changer le monde, en refusant de rester emprisonné dans son nombril. J'endosse les paroles de Jean Daniélou: «La foi est une aptitude à sortir de soi.» J'aime ce cardinal, vieux pécheur mort dans les draps d'une prostituée. Sur toutes les tribunes où je parlerai, pendant cette montée vers l'indépendance, je reprendrai les mots de l'écrivain Michel de Saint-Pierre pour les appliquer à notre peuple: «Ne plus croire en soi, c'est l'athéisme suprême.» Personne ne va exclure la séculaire expérience religieuse de ce peuple. Il s'agit là d'une source d'énergie universelle. Je comprends Albert Einstein, qui ne manquait certes pas de grandeur ni de courage: «J'affirme que le sentiment religieux cosmique est le motif le plus puissant et le plus noble de la recherche scientifique.» La réflexion s'applique à tous les domaines. Je ne laisserai personne dépouiller notre peuple de son passé religieux. Cela existe tout autant que le reste. Trop facilement, on a tendance à repousser dans les limbes médiatiques toutes les opinions qui ne s'inscrivent pas dans l'idéologie dominante du moment. Il faut résister à la tentation de l'ostracisme. L'espace public québécois doit s'inspirer de la Société Saint-Jean-Baptiste du dix-neuvième siècle, qui a permis aux Canadiens français de maintenir le dialogue entre des hommes que leurs idées opposaient. Mes frères, mes sœurs, ce n'est qu'un début, continuons...

Dans la nef, Jude Aubin n'arrive même plus à exprimer sa colère. À peine trouve-t-il trois mots…

— Ostensoir de tôle!

Ils suffisent au voisin de Judo.

— C'est ça que je me dis, ostie toastée.

L'après-midi, à la Maison Victor, Tristan-Jacques Messier résume la situation du GIA pour Gilles Larivière, Charlène Mailloux, Marie-Elphège, Mathilde DeGrandpré et Marlène Jardin.

— On va créer une cellule à Québec. On s'apprête à louer une maison appartenant à une communauté de sœurs, tout près de l'Université Laval.

Les jumelles Dumas exultent.

Claudine saute sur le crachoir.

— On a vu une pièce écœurante à Québec.

Claudette ne se laisse pas voler la vedette.

— C'est une comédie musicale. Ça s'appelle…

Claudine lui souffle le *scoop*.

— *Le salut vient du 418.*

Gilbert réussit à placer quelques mots.

— Il me semble que le frère Victor en avait parlé.

Un superbe duo de rire monte des jumelles.

— Justement.

Claudette poursuit.

— C'est pour ça qu'on est allées.

Claudine explique.

— La jeune auteure vient d'Outremont. Elle part d'un fait historique indéniable: tout a commencé à Québec, où la puissance du fleuve se ressent sur les hauteurs du cap Diamant. Maude fait rêver le monde. Ah! Elle signe ses textes… juste de son prénom. C'est original, hein?

Claudette veut s'offrir à son tour un *punch*.

— Savez-vous la meilleure?

Toutefois, c'est en même temps que les jumelles Dumas font leur annonce.

— On va jouer dedans.

Claudine.

— Cet automne.

Claudette.

— À Montréal.

Les deux.

— À l'Espace Go.

Rire, fou rire… et conclusion bien féminine de Claudette.

— En tout cas…

Gilbert souhaite rencontrer la jeune auteure. Il espère la contribution des poètes, des dramaturges, des artistes de toutes les disciplines. Il tient avec le GIA une véritable petite troupe de choc. Oui, il s'agit d'une entreprise intense d'éducation populaire. Quoi de mieux que d'apprendre en s'amusant ? Toujours cette idée de la fierté ; Gilbert y revient encore cet après-midi à la Maison Victor que semble protéger le vieux prêcheur tant regretté.

— Quelle excellente nouvelle ! Oui, il faut écrire, chanter, jouer, créer, inventer. Rendre ce peuple conscient de sa dignité, de son courage, de sa détermination, de son audace. Une société originale et ouverte occupe un vaste territoire plein de richesses. Rien ne nous empêche d'y vivre en développant une culture qui nous soit propre. Il suffit de vraiment vouloir former un pays. Je suis de plus en plus convaincu que, quel que soit le parti politique installé au Parlement de Québec, une vague déferlante en faveur de l'indépendance trouvera un Premier ministre disponible pour surfer sur le raz-de-marée populaire. Il suffit de demander à un politicien talentueux de choisir entre la fonction de Premier ministre d'une province et celle de Président d'un pays pour saisir que l'ambition la plus saine et la plus normale se mettra vite au service de la majorité.

Au-dessus du GIA, un ange passe. Au bout de son aile, il tient une matraque.

Silencieux depuis le début de la rencontre, Marie-Elphège se souvient qu'en 1995 des hordes de jeunes gens à casquettes de baseball avaient déferlé rue Sainte-Catherine pour célébrer la courte victoire du camp du « Non ». Les mêmes troupes reprendraient du service. Face à cette possible violence, est-ce qu'on opposerait uniquement des pièces de théâtre et des groupes de petits vieux formés en chorales ?

Gilles Larivière, véritable prodige de l'organisation, cède parfois au charme de la vedette qu'il en train de mettre au monde. Le directeur général des Héritiers du Fleuve se surprend encore une fois à parler seul : « Jérusalem de gériboire, il va réussir ! » Un producteur de génie n'est pas nécessairement prophète...

♣

Le lundi matin 26 juin, à la réception de l'archevêché, la réceptionniste hésite entre deux tisanes : « Pomme et Canneberge » ou « Gerbe de Camomille » ? La sonnerie téléphonique lui accorde un moment supplémentaire de réflexion. Elle défile la formule convenue et reconnaît la voix.

Au bout du fil, Évangéline Wright, née Lebœuf, lui fait l'honneur de connaître son prénom.

— Bonjour sœur Bernadette, pourrais-je parler à Mgr Grillo, s'il vous plaît ?

♣

Derrière l'église Saint-Enfant-Jésus, des cars remplis de policiers attendent les ordres du capitaine Lebœuf. Celui-ci a confié la surveillance visible au lieutenant Guérin. Alex tient Matthieu par les génitoires. Marlène souffre de l'humiliation de son mari; elle se sent responsable des vexations qu'il endure. Le lieutenant doit obéir au capitaine. Point.

En ce soir d'ouverture du second Grand Déménagement, toujours vêtu de son clergyman et de son col romain, Gilbert harangue la foule bigarrée qui s'entasse au parc Lahaie.

Les webcams du GIA diffusent le discours de Gilbert.

À l'image des grands tribuns, le curé du Mile End, lancé dans le vide, retombe chaque fois sur ses pattes afin de rebondir encore plus haut. Depuis dix minutes, il dessine le tableau de la situation politique québécoise.

— Je ne comprends pas l'attitude des souverainistes. En quinze ans, de 1980 à 1995, on a fait fondre l'opposition à l'indépendance de 738 854 à 54 288 électeurs. De plus, l'opposition se concentre dans une dizaine de circonscriptions. En 1995, à lui seul, le nombre de bulletins rejetés dépassait celui des électeurs qui permettait au «Non» de résister. Il aurait fallu convaincre trois cents personnes de plus par circonscription pour l'emporter. Pas davantage! Pourtant, depuis, les politiciens souverainistes semblent agir comme s'ils avaient essuyé une cuisante défaite. On ne peut pas laisser le sort d'un peuple sous la responsabilité de gens si peu conséquents. Il faut se cracher dans les mains, retourner sur le terrain, rappeler les progrès évidents et poursuivre le travail, sans relâche. En novembre 1995, un mois après la courte défaite référendaire, dans un sondage, près de cinquante-cinq pour cent des Québécois accordaient leur faveur au «Oui». Pas plus tard qu'en mai 2005 – l'année dernière –, un nouveau sondage était encore positif à cinquante-quatre pour cent. Pourquoi avons-nous l'impression de patauger dans un creux de vague? Il faut continuer à convaincre, travailler le plus concrètement possible en établissant des listes de ces adhérents nouveaux, indispensables pour atteindre la majorité. Vive la simplicité! On crée un comité responsable par circonscription électorale. Pour chaque bureau de vote, on doit trouver deux personnes. Il faut parvenir, dans chaque circonscription, à convaincre cinq cents personnes de plus en faveur de l'indépendance. Oui, que la question soit claire : « Êtes-vous pour l'indépendance du Québec ? » Oui, que la majorité soit solide ! Quel que soit le gouvernement au pouvoir, on obtiendra ce dernier référendum, quitte à ce qu'il soit précédé d'une élection. Nous paierons certes un prix pour notre indépendance. Il faut choisir entre s'assumer et disparaître. J'espère que la force de la vérité va triompher. On peut rêver à un pays magnifique où chaque région disposera d'un pouvoir réel et sera en mesure d'assurer son développement durable. Nous avons devant nous un avenir radieux. Nous allons offrir à l'Amérique du Nord un jeune pays dynamique où un peuple respectueux du sol arraché à la forêt par ses ancêtres deviendra une terre d'accueil pour tous ceux qui désirent y vivre dans le respect des traditions séculaires implantées par les premiers habitants, puis par les dix mille Français arrivés au dix-septième siècle, et par tous ceux qui ont suivi : Anglais, Irlandais, Écossais, Ukrainiens, Polonais, Chinois, Vietnamiens, Algériens, Haïtiens, Camerounais... tous des Québécois, minorités respectées dans un pays neuf né de l'acharnement d'une jeune nation, d'où ce beau mot québécois d'*acharnation*.

C'est trop ! Judo semble frôler l'hystérie. Noyé dans la foule, Jude Aubin s'appuie sur Ben Laporte.

— Ostensoir de tôle, je vais avoir une attaque.

Le *goaler* a suivi un cours de secouriste. Il connaît la question.

— C'est ça que je me dis, ostie toastée.

Ben attrape Judo et le porte dans ses bras en hurlant.

— *Help ! Help !*

Autour, on s'agite. Des policiers en civil bousculent des jeunes gens que la bière rend plus agressifs, un petit dur lâche un drapeau des Patriotes et affronte un grand roux, policier anonyme qui n'espérait que ça.

— *Hey !* Pousse pas, mon ostie.

— Kessé qu'il dit, le morpion?

Au centre de la foule, le virus se propage à grande vitesse. Sur scène, perturbé, Gilbert commet une erreur: il se tait et laisse toute l'attention se porter sur le début de bagarre.

Déjà, une dizaine d'altercations virent à la bataille.

Les yeux fermés, Judo savoure. Porté par Ben, il joue toujours à l'inanimé. Oui, il triomphe doublement. D'abord, la consigne du capitaine Lebœuf se révèle d'une efficacité remarquable: en simulant l'infarctus, il a bien énervé son apôtre Ben, qui devait ignorer la stratégie. Et, aussi, Judo voit se confirmer l'attachement de son disciple: Ben Laporte, en larmes, continue à hurler.

— *Help! Help! Help!*

À chaque cri du *goaler*, une nouvelle dispute se transforme en combat. Il ne faut pas cinq minutes pour que le parc Lahaie ressemble à un champ de bataille.

Autour du parc, les policiers attendent les ordres du lieutenant Guérin. On ne comprend pas son hésitation. Il faut y aller, c'est tout! Matthieu enrage. Il comprend trop bien.

Dans son écouteur, le ton de son supérieur ne trompe pas: Alex triomphe.

— Lieutenant Guérin, qu'est-ce que vous attendez pour intervenir?

Resté à l'arrière de l'église, le capitaine Lebœuf se tient au milieu d'une bonne partie de l'escouade anti-émeute créée par son père Germain. Fermé, le visage de pierre, il offre à ses hommes l'image de l'autorité, du responsable qui connaît son devoir. Son subordonné ne répond pas. Le supérieur reprend.

— Lieutenant Guérin, attendez-vous que quelqu'un se fasse tuer?

À côté de Matthieu, le sergent Mondoux tente de suivre: quelque chose ne va pas entre les deux officiers, pourtant deux vieux *chums*, comme personne ne l'ignore.

En bon soldat, Matthieu Guérin sait reconnaître une défaite : il vient de perdre. Au moins, il ne participera pas à la
victoire de l'autre.

— Alex, tu peux aller chier.

Un mélange de soulagement et de déception veut monter
au cœur d'Alexandre Lebœuf. Le policier, fils de policier, ne
permettra pas aux émotions de perturber son jugement.

— Sergent Mondoux ?

— Capitaine.

— Vous prenez le commandement. Je relève le lieutenant
Guérin.

Maxime Mondoux se tourne vers Matthieu, qui arrache
son écouteur et s'éloigne en direction du Signe de Croix. Le
sergent assume.

— Oui, Capitaine.

— Rétablissez l'ordre.

— Ça risque de faire du grabuge, Capitaine.

— Vous trouvez pas qu'il y en a déjà pas mal ?

— Oui, Capitaine.

— Dispersez la foule.

— À vos ordres, Capitaine.

Maxime Mondoux ignore que cinquante hommes les
attendent. La tante d'Alex connaît du monde haut placé.
Mgr Grillo connaît du monde bien placé. Oui, on trouve toujours des pauvres pour frapper sur des pauvres.

En trois minutes, la centaine de policiers du sergent
Mondoux doit reculer sous les coups des fiers-à-bras.

La foule, devenue hystérique, se lance dans toutes les di-
rections, revient sur ses pas ; on marche sur son voisin, on relève un enfant blessé, on cherche une grand-mère à qui on
venait exceptionnellement rendre visite à sa résidence du
boulevard Saint-Joseph. On pleure, on crie, on s'engueule.

Le sous-officier reconnaît ses limites.

— Capitaine, c'est le bordel.

— J'arrive.

Partout. Des policiers sortent de partout. Disciplinée, la brigade anti-émeute nettoie le parc Lahaie en vingt minutes… même pas.

Depuis longtemps, trois membres du GIA ont forcé Gilbert à quitter la scène. L'îlot technique : écrasé par la foule ; les principaux instruments : disparus depuis un bon moment ; les kiosques de merguez, de hot-dogs et de crème glacée : dévalisés, vandalisés… le second Grand Déménagent des Héritiers du Fleuve finit par un avortement.

Réfugié dans le bureau de Gilles Larivière, à l'étage du Signe de Croix, Gilbert, Marie-Elphège, Louise et Gilles Larivière, Mathilde DeGrandpré, Charlène Mailloux, Ghyslain Leroux, Marlène Jardin et son mari en disgrâce regardent les vandales, qui se dirigent maintenant vers la librairie du Beauceron. La première pierre fait déjà exploser une des grandes vitres. Au loin, Matthieu aperçoit Alex. Le capitaine, entouré de policiers, balaie le parc d'un œil professionnel.

Matthieu active son walkie-talkie.

— T'as pas honte, Alex ?

Le capitaine Lebœuf lance spontanément un regard vers le Signe de Croix. Non, il n'a pas de remords. Il fait son devoir, c'est tout.

En même temps qu'il repère Matthieu dans la fenêtre à l'étage, il voit les casseurs s'attaquer à la porte du Signe de Croix. Il crache un ordre à l'un des sous-officiers.

— Arrête-moi ça tout de suite.

Alex refuse de croiser le regard de Matthieu. Le capitaine Lebœuf connaît maintenant la solitude des chefs… comme son papa Germain, qui lui parlait si peu.

Une phrase de Marlène a tout déclenché.

— Matthieu est suspendu pour insubordination.

Pour la première fois, Gilbert s'assoit à la table de la cuisine, rue Jeanne-Mance. Les triplets dorment encore. Au petit matin du 1er juillet, Montréal ronfle comme un ivrogne battu.

Le lieutenant en disgrâce secoue la tête et résume la situation du parc Lahaie.

— C'était un coup monté. Je ne sais pas par qui, mais Alex, lui, les connaît.

Gilbert s'inquiète pour le couple.

— Qu'est-ce que tu risques, Matthieu?

— Oh! On se fait pas mettre dehors de la police aussi facilement, mais je serai certainement pas l'employé du mois.

Marlène cherche une consolation.

— Tu vas pouvoir passer plus de temps avec Pierre, Jean, Jacques.

— Oui.

Elle sourit à peine.

— C'est pas ce qu'on pourrait appeler de l'enthousiasme...

— Non.

Gilbert se sent responsable.

— Je vois juste une solution possible.

Le lundi 3 juillet, à l'archevêché de Montréal, la réceptionniste n'arrive pas à se rendre à la cuisinette pour réchauffer sa tisane. On appelle de partout. Les insultes lui arrachent l'oreille. Elle transmet les appels, qui tombent dans des boîtes vocales.

Au grand étonnement scandalisé de la pieuse sœur Bernadette, on a vu deux évêques auxiliaires se hurler des injures dans le stationnement de l'évêché.

Dans son bureau, le petit prélat à la grande intelligence gratte de ses petits ongles son grand front. Mgr de Bôpage n'interviendra pas, quitte à y perdre la mitre d'évêque de Joliette qu'on lui tend comme une carotte. Son sang de patriote québécois en exil intérieur au Canada se révolte : pour une fois qu'un prophète se lève, il ne le bâillonnera pas. Tant que la décision incombera à Luc de Bôpage, l'abbé Gilbert Fortin restera à Saint-Enfant-Jésus. Le curé du Mile End peut compter sur lui.

Dans le bureau voisin, il en va tout autrement. Mgr Grillo accomplit son devoir : Juan doit empêcher l'ancien moine de tirer à boulets rouges sur le navire de l'Église canadienne, déjà en détresse.

Juan Grillo sait qu'on ne peut pas compter sur les Canadiens français du Québec pour colmater les brèches. Le ramassis de superstitieux qui a fui l'Église court maintenant vers d'autres idoles : le tarot remplace la bonne sainte Anne et la loterie, le crucifix. Pour le fils d'immigrant, il suffit de tenir le coup encore vingt ans. Les Québécois qui se disent « de souche » ne semblent même pas voir qu'une souche sur laquelle aucun rejeton ne pousse, c'est une souche pourrie.

Déjà, on constate que certaines églises recommencent à se remplir le dimanche. Les latinos, les Haïtiens, les Européens de l'Est, les Philippins et les Africains représentent l'avenir de l'Église de Mgr Grillo. Il réussira là où d'autres ont échoué. L'Église canadienne doit devenir multiculturelle et parler plusieurs langues. Bien entendu, comme même à Rome le latin recule, Juan Grillo sait que l'anglais permettra le partage… dans le respect de la spécificité de chacun. D'ailleurs, luimême parle cinq langues : portugais, anglais, espagnol, français et italien. Oui, l'Église doit s'ouvrir au monde… et, parfois, on doit écraser quelques orteils.

Dans tous les journaux étalés sur son immense bureau, l'homme en fin de quarantaine n'a rien lu de compromettant pour lui. Au contraire, l'ampleur des dégâts lui rappelle que les amis de ses amis savent travailler : un saccage intégral,

mais pas un mort; aucun «blessé grave» mais, paradoxalement, beaucoup de nez pissant le rouge... d'où les impres-
sionnantes photos des gens ensanglantés. La page couverture
du *Journal de Montréal* résumant le Grand Déménagement le
fait encore sourire: «Ça déménage!» Sur la photo, quatre
policiers portent à bout de bras un homme à moitié nu qui
semble se débattre.

Une seule ombre se dresse au tableau du prélat: jusqu'où
ira le curé du Mile End dans cette nouvelle aventure dont il
amorce déjà la troisième journée?

4

Le lundi avant-midi, à la Maison Victor, le journaliste Ghyslain Leroux prend un gros risque. Il diffuse en direct de la chapelle. La pièce de trente mètres carrés abrite un petit autel sur lequel un ostensoir des plus sobres loge une rondelle plate de pain sans levain : l'hostie consacrée. Gilbert croit que la substance de Dieu incarné l'habite. Il lui faut beaucoup de foi…

Ghyslain Leroux, malgré son adhésion connue aux objectifs des Héritiers du Fleuve, au-delà de sa participation active au Grand Déménagement demeure d'abord un homme de radio. Le «fou des ondes» ne manque pas une occasion de faire un bon *show*.

— Vous jeûnez déjà pour la troisième journée ?

— Oui, je ne sais pas quoi faire d'autre.

— Coudon, vous prenez-vous pour Gandhi ?

— Non, je l'imite depuis le début.

— Je comprends mal. Vous l'imitez en jeûnant pour protester ?

— Non, bien avant ça. En le lisant, j'ai ressenti que je n'avais pas davantage le choix que lui.

En effet, pour expliquer son action, le Mahatma disait : «Je ne pouvais pas vivre une vie religieuse sans m'identifier avec l'ensemble de l'humanité, et cela, je ne pouvais pas le faire sans me mêler de politique.» Le journaliste connaît.

— Bon! La politique, entendu. Mais là, vous jeûnez pourquoi?

— Pour que la police enquête. Qui est responsable du saccage du Grand Déménagement?

— Mais pourquoi voulez-vous que quelqu'un en particulier soit responsable? Les mouvements de foule, ça part tout seul.

— Si c'est ça, on le verra bien. Mais nos webcams ont filmé des scènes troublantes. On aimerait que soient identifiés plusieurs visages. Vous trouvez normal qu'un homme de cent kilos vienne assister à une fête en apportant un bout de tuyau en métal de quarante centimètres?

— Vous avez des preuves de ça?

— Bien sûr.

— Mais pourquoi vous choisissez de vous écraser ici, en refusant de vous alimenter?

— Parce que je suis trop enragé.

— Pardon?

— J'essaie d'exclure la violence en l'extirpant d'abord de moi.

— Toujours Gandhi?

— Oui, j'endosse sa position: «On défend la vérité, non pas en faisant souffrir, mais en souffrant soi-même.»

— Je ne vois pas comment ça peut déranger ceux que vous visez.

— Ouvrez vos manuels d'Histoire. Face à l'immense Empire britannique, le petit homme à demi nu a réussi.

— Oui, bon! Il a libéré l'Inde, mais il est mort assassiné.

— C'est vrai, mais que voulez-vous? De toute façon, on meurt. C'est la vie.

Ghyslain Leroux semble un moment déstabilisé. Le professionnel reprend vite le dessus.

— Vous iriez pas jusqu'à vous laisser mourir de faim?

— Nous devons développer la patience et, pour ça, développer la force… la force intérieure.

— Vous trouvez pas que vous mélangez les genres, là? Vous jeûnez pour une question politique, soit. Mais vous le faites dans une chapelle, en face d'une hostie placée sur un autel. Ça serait pas un peu sacrilège, ça?

— C'est une invitation. Au cours de l'Histoire, le peuple québécois a souvent manifesté de la grandeur. Il faut en appeler à la force d'âme que donne le service d'une vérité: ce peuple a le droit de se gouverner lui-même, d'occuper son territoire à sa façon, de vivre à sa manière en effectuant les choix qui lui conviennent.

— Vous ne répondez pas à ma question: pourquoi dans une chapelle?

— Parce que je puise ma force dans l'adoration eucharistique.

— Franchement, je ne comprends pas.

— Moi non plus, mais ça marche.

Au presbytère, Marie-Elphège écoute. À ses côtés, Mathilde écoute. Au Signe de Croix, Gilles Larivière, Charlène Mailloux et Marlène Jardin écoutent. Rue Saint-Denis, dans une maison de chambres en face de l'ancienne bibliothèque Saint-Sulpice, un gros homme écoute. Gaston Savard boit son troisième bock de café instantané Chase & Sanborn. Il se tourne vers l'homme assis dans son fauteuil vert olive.

— C'est lui?

— Je te le jure, tabarnak.

♣

À la Maison Victor, on appuie sans réserve l'action de Gilbert. Les cinq gars et les sept filles se succèdent dans la chapelle. À tour de rôle, chacun passe une heure en silence, assis à côté de Gilbert devant ce qu'ils appellent le Saint-Sacrement.

Pourquoi un geste aussi désespéré que le jeûne pour une question aussi pragmatique qu'une enquête policière? De cette façon, Gilbert supplée partiellement au Grand Déménagement raté. Tout le travail de tant de bénévoles ne peut pas se perdre dans les limbes. La frustration de Gilbert génère en lui des élans de colère qu'il réprime parfois difficilement. Dans ces moments, la présence d'un jeune du GIA ressemble à une bénédiction.

En fin d'après-midi, ce lundi 3 juillet, une visite de Matthieu Guérin n'arrange rien.

— Il n'y en aura pas d'enquête. Le rapport d'Alex ferme le dossier: pas un mort, pas un «blessé grave»; bref, une manifestation comme tant d'autres.

— Puis toi?

— Je ne sais pas encore... mais il n'y aura pas de drame. Je pense que tu jeûnes pour rien, Gilbert.

Rien de pire... et de mieux pour démotiver. Matthieu le sait, le souhaite, y travaille.

Il enchaîne.

— Il me semble que tu pourrais t'occuper autrement qu'à passer tes grandes journées dans une chapelle... à faire quoi?

— Le plein. Je fais le plein.

— Le plein de quoi?

— Le plein de foi. J'ai l'aiguille basse.

— Bien, tout le monde a l'aiguille basse, Gilbert. Si tu les motives pas – pis vite à part ça –, tu vas perdre pas mal de joueurs. Marlène me dit qu'il manquait Pedro, Lolita et plusieurs jeunes aujourd'hui. Leurs parents veulent plus rien savoir du Signe de Croix.

— Normal, Matthieu. Ils se joignent aux gagnants... et se poussent des perdants.

— Perdants... gagnants; c'est pas un peu dramatique, ça?

— Prémonitoire, peut-être?

— Ouais ! T'es peut-être pas le bon gars pour remonter le moral des troupes.

♟

Un autre homme se sent déprimé, dévalorisé, trahi, humilié.

— Tu m'as niaisé, ostie toastée !

Jude Aubin ne sait plus comment réparer son erreur. Il ne fallait pas dire à Ben que jamais son cœur n'avait sauté un battement, qu'il n'était pas plus cardiaque que danseuse hawaïenne et qu'on comptait sur la panique du *goaler* raté pour partir le bal du parc Lahaie.

— Ostensoir de tôle, c'est grâce à toi s'il y a pas eu de Grand Déménagement.

Humilié par ses larmes publiques, le colosse ne marche pas.

— Change pas de sujet, Judo. Moi, personne me niaise, ostie toastée.

Il sort de la chambre de l'ancien clerc de Saint-Viateur et tombe sur un grand sourire au milieu d'un vieux visage tout ridé. Gisèle Galland n'attendait que ça.

— Benoît Laporte.

Elle lui coupe les jambes. Jamais personne ne l'appelle par son nom entier.

Il ouvre grand la bouche.

— Comment ça se fait que vous savez mon vrai nom ?

Elle sourit un peu plus. Son calme ramène le *goaler* jusqu'en cinquième année. Mademoiselle Galland lui rappelle Albertine Gendron, sa maîtresse d'école préférée, la seule qui l'aidait vraiment. Mademoiselle Gendron s'était donné tant de mal pour lui faire comprendre l'accord des participes passés avec les verbes *être* et *avoir*. Jamais elle ne se serait servie de lui comme Judo l'a fait, le vieux traître.

— Viens dans ma chambre, Benoît. Faut qu'on se parle.

— Appelez-moi pas de même, mademoiselle Galland, ça me gêne.

— Le bon Dieu t'a baptisé Benoît, je ne peux pas t'appeler autrement.

La mention du baptême perturbe un peu plus le pauvre *goaler*. Tout au fond de lui, sa conscience travaille. Jusque-là, elle se reposait sur le jugement de Jude Aubin. Maintenant que Ben sait que Judo peut lui mentir, il erre sans boussole. Mademoiselle Galland lui indique le nord.

— Viens. Suis-moi.

À la recherche d'un nouveau *coach*, il ne résiste pas.

Il précède Gisèle Galland, qui garde la main sur la poignée de la porte, comme la maîtresse, quand il entrait en classe.

La chambre de Mademoiselle Galland l'impressionne toujours. Le bon goût épouse la propreté. Les deux fauteuils de cuir tabac ne s'affrontent pas dans un gênant face-à-face. La vieille enseignante les garde tournés vers la fenêtre, à angle droit, autour d'une table de bois de rose,

— Assieds-toi, Benoît. Veux-tu un Pepsi?

— Avez-vous du *diet* en *can*?

— Oui, veux-tu un verre?

— Salissez pas de vaisselle, c'est meilleur de même.

Dans un silence embarrassé, il enfile une bonne moitié du liquide brun et ne pense même pas à réprimer un long rot.

Gisèle Galland constate que, si elle s'y prend bien, le client va se mettre à table.

— Toi, Benoît Laporte, tu sais des choses…

— Ça… j'en sais pas mal.

— Pas mal plus que moi.

— C'est ça que je me dis, ostie toastée.

Mademoiselle Galland tente de se faire violence. Jamais personne ne peut sacrer en sa présence sans essuyer une rebuffade. Elle se contrôle de justesse, mais pas au point de laisser passer. Elle touche la grosse main aux ongles rongés.

— Benoît, s'il vous plaît, sacre pas devant moi, ça me fait de la peine.

Touché !

— Excusez ! Je veux pas vous faire de peine, os...

Il claque de la langue et porte la main à sa bouche.

— Excusez ! Ça sort tout seul.

— C'est ça, une mauvaise habitude, mon Benoît. C'est comme le mensonge pour Jude Aubin. Il ne peut plus s'en empêcher. Il ment comme il respire, ton ami.

— Je le sais plus si c'est mon ami tant que ça.

— Est-ce que ça l'a déjà été ?

Ébranlé, le *goaler* tient mal sur ses patins. En dernière ressource, il engloutit le reste du *diet* Pepsi.

Mademoiselle Galland avance prudemment.

— As-tu commis une mauvaise action, Benoît ?

— Une ? Os... Oups ! Si je dis toute, je me ramasse en prison.

— Non, Benoît. Tu n'iras pas en prison tant que je serai vivante, tu peux me croire. Au contraire, fais-moi confiance : si tu dénonces les responsables du désordre, tu vas passer pour un héros.

— Vous me mentez pas, là ?

Elle grimpe sur ses ergots.

— Benoît Laporte, je ne suis pas Jude Aubin. Je ne mens jamais.

— Fâchez-vous pas, je vous crois.

Pour la première fois, il la regarde franchement.

— Bon, O.K. ! Vous rappelez-vous Henri-Charles Lozeau ?

— Le suicidé ?

Ben éprouve des problèmes de carburateur. Il se parle lentement, comme du temps des Cataractes de Shawinigan, lors des matchs importants : « Prends ton gaz égal, mon Ben. »

La grande maigre respecte le rythme du pénitent. Elle obtiendra une confession générale, foi de Gisèle Galland.

♣

Le mardi matin, quatrième jour du jeûne de Gilbert, Camil Cyr entre dans l'église Saint-Enfant-Jésus à cinq heures trente-cinq. Il marche vers la porte intérieure du couloir qui relie la nef à la résidence de vieux, au sud.

Surprise! Gisèle Galland se tient bien droite dans un pantalon noir et un chemisier blanc. Le rouge aux lèvres, le collier de perles de culture au cou, la coiffure impeccable, elle tient Ben Laporte par la main. Il a onze ans, Benoît. Son âme est blanche comme la glace de la patinoire.

Camil n'a rien à dire. Il n'aime pas parler le matin. Gisèle Galland, si.

— On ne restera pas pour les laudes. Juste une courte prière d'action de grâce, n'est-ce pas, Benoît?

— C'est ça que je me dis. Os... Oups!

♣

Ce même matin du 4 juillet, deux hommes se présentent à la Maison Victor. Un gros bonhomme aux allures de gourou agricole accompagne un gars que Gilbert a déjà vu quelque part. Il ne se souvient plus où. L'homme sourit à Gilbert.

— Vous me replacez pas, hein?

— Je sais que je vous connais...

Imitant son propre personnage, l'autre rit.

— *Hey!* Donne-moé vingt piastres...

— Claude?

— J'ai même un nom de famille: Belhumeur. Je m'appelle Claude Belhumeur.

— Sans barbe, les cheveux courts ; et puis, excuse-moi, mais… propre ! Je t'ai toujours reconnu à l'odeur.

Le gros homme tend la main.

— Bonjour, monsieur l'abbé. Je m'appelle Gaston Savard.

Claude admire manifestement le mastodonte.

— Gaston, c'est mon parrain dans les AA. Je suis aussi dans les NA.

Membre des Alcooliques Anonymes et des Narcotiques Anonymes, Claude Belhumeur rencontre Gilbert pour « faire amende honorable ».

— Je voudrais bien rendre l'argent volé dans le panier de la quête, mais je sais pas pantoute à combien ça monte.

Gilbert regarde Gaston Savard.

— Est-ce qu'en respectant votre méthode, j'ai le droit de le lui offrir en cadeau ?

— On vit dans un pays libre, non ?

Le gros Gaston Savard, propriétaire d'une maison de chambres de la rue Saint-Denis, a lui-même vécu pendant des années imbibé de bière Laurentide. Il loue maintenant une chambre à Claude. Le démuni reçoit de l'aide des services sociaux et suit une thérapie à long terme, en quête d'un équilibre psychologique qui restera toujours fragile.

Le gros Gaston Savard, maintenant septuagénaire, passe une bonne partie de la journée au téléphone à encourager ses « filleuls ». Son rôle de parrain le comble. Avec Claude, ce n'est pas tout à fait pareil. Gaston lui a sauvé la vie.

— Il s'était couché derrière un autobus qui reculait dans le stationnement du terminus d'autobus, rue Berri.

Claude explique.

— Je devais encore penser que l'Homme invisible me tenait collé à l'asphalte. C'était tout le temps ça…

Gaston enchaîne.

— J'ai hurlé assez fort que le chauffeur a *braké* à temps. Mon Claude, complètement soûl, délirait comme un bon.

Claude rit.

— Je m'en rappelle pas.

Gaston lui tape sur l'épaule.

— C'est aussi bien. J'ai d'abord été surpris par l'odeur. Il puait le diable en krimpof. Je l'ai amené à l'urgence psychiatrique de l'hôpital Saint-Luc. Ils me connaissent depuis longtemps. J'ai vu qu'ils connaissaient autant Claude, mais pour des raisons à l'envers.

« Et possiblement complémentaires », pense Gilbert.

Claude déborde de gratitude admirative.

— Gaston s'est occupé de moi comme d'un bébé.

Le jeûneur comprend que Gaston a dû inspirer confiance au personnel, qui s'est efforcé de donner une vraie chance au sans-abri.

Claude Belhumeur annonce à peine quarante ans. Auparavant, on lui en donnait vingt de plus.

— Ça fait que tout est beau, pour l'argent?

— Tout est beau pour tout, Claude. Continue.

— Vingt-quatre heures à la fois…

Les deux hommes, impressionnés par le décor de la chapelle, cherchent une sortie.

L'arrivée de Marlène Jardin la leur offre.

— Gilbert! Grosse nouvelle!

Gaston se juge définitivement de trop.

— Bon, ben, je pense qu'on va y aller, hein?

Maintenant, Claude arrive parfois à se préoccuper des autres.

— Jeûnez pas trop longtemps. Ça doit pas être terrible pour la santé.

Marlène le rassure.

— Ça devrait pas être long…

Heureux, marchant d'un même pas, les deux hommes franchissent la porte de l'oratoire de la Maison Victor.

Marlène respecte le silence de Gilbert, qui les suit du regard. Dans le corridor, de dos, ils ressemblent à un couple.

La webmestre présente deux oranges au jeûneur.

— Il t'a fallu une journée de plus que Gandhi.

— Qu'est-ce que tu veux dire?

— Le premier jeûne de Gandhi a duré trois jours…

♣

Le vendredi 7 juillet, le journal *Le Devoir* publie une longue lettre de Gilbert en la situant dans son contexte. L'abbé Fortin refuse de commenter les affaires judiciaires en cours, mais *Le Devoir* peut confirmer que plusieurs enquêtes au sujet d'actes violents commis depuis plus d'une année risquent de toucher des personnes en position d'autorité. Le curé du Mile End y brosse le tableau d'une Église québécoise des années quarante et cinquante qui diffère passablement du jugement sans nuances généralement porté par beaucoup de Québécois[24].

Le journal voit juste. Gilbert pense que son peuple a droit à un complément d'informations qui lui permettra de considérer de façon plus intègre sa propre Histoire.

Ce vendredi matin, Mgr Luc de Bôpage, évêque auxiliaire de Montréal, sourit avec bonne humeur à sœur Bernadette en prenant *Le Devoir* dans son casier. Il connaît déjà l'existence de la lettre de son subordonné. Sœur Bernadette l'a aussi lue en arrivant. Elle échange un regard avec le prêtre. Pas un mot. La bonne humeur dit tout sans laisser de traces. La bonne sœur attend maintenant Mgr Grillo. Évangéline Wright, née Lebœuf, a déjà téléphoné trois fois en refusant de laisser un message sur le répondeur du prélat. Le ton sec de la veuve de Westmount en disait plus que toute explication. Sœur Bernadette fait des liens qui pourraient bien finir par scandaliser une plus jeune.

---

24. Voir *Dossiers de Gilbert Fortin : Lettre du curé du Mile End*, page 431.

Ce vendredi 7 juillet, Louise et Gilles Larivière traversent une zone de turbulences. Hier soir, le père Nathanaël s'est endormi dans son lit, et ce matin, il se réveille beaucoup plus haut. Encore un deuil pour le couple de la rue Courcelette. Cependant, le journal ouvert sur la lettre de Gilbert les réconforte. De plus, un autre texte les attend. Le frère Stéphane leur a confirmé que Jaquelin photocopierait le testament spirituel laissé par leur doyen.

Seul. Judo macère dans l'impuissance. Jude Aubin reste prostré. L'index recourbé sur les lèvres, la tête penchée, il regarde par-dessus ses lunettes qui s'accrochent sur le bout de son nez couperosé. Le contenu de la lettre de Gilbert veut le ramener à des réflexions qu'il refuse. Même si ce qu'écrit le curé du Mile End peut être véridique, ça ne change pas une vérité plus grande encore. Cette Église est coupable : elle a volé sa vie à Jude Aubin. À Judo, il ne reste que l'angoisse de la mort.

Alexandre Lebœuf respire un mélange de rage et de honte. Il ne digère toujours pas les insultes de sa tante Évangéline, qui s'est déplacée jusqu'à Dollard-des-Ormeaux en compagnie de son chauffeur coréen. Sans connaître deux mots de français, Jimmy comprend que sa patronne vient de couper les ponts avec son neveu. On ne la coincera pas dans un scandale politique.

Alex sait aussi que rien ne sert de tenter de joindre Mgr Grillo ; il n'atteindra pas l'évêque auxiliaire, que rien d'ailleurs ne pourra toucher. Inattaquable, Juan Grillo a tout au plus appelé un ami pour lui faire part de ses préoccupations pastorales au sujet de certaines influences possiblement néfastes sur les enfants du Mile End, un quartier habité par une partie de sa communauté ethnique. C'est tout. Le reste s'est déroulé sans que le prélat se salisse les mains.

Ainsi, Juan Grillo, toujours solide sur ses pattes, entre dans l'évêché. D'excellente humeur, il taquine sœur Bernadette.

— Quel beau vendredi, ma « révérende » !

La religieuse, un moment prise au dépourvu, tente de provoquer une réaction.

— J'ai mis votre copie du *Devoir* dans votre casier.

Juan saisit tout et sourit un peu plus innocemment.

— Merci, ma « révérende », mais je l'ai lu de la première à la dernière page en prenant mon café.

Pas un commentaire sur la lettre du curé du Mile End. Dernière tentative de la réceptionniste.

— Madame Wright a téléphoné trois fois.

— Eh bien… elle appellera une quatrième fois. Mais aujourd'hui, je ne suis pas disponible. Les affaires de l'Église d'abord, n'est-ce pas ?

Il repart en chantonnant *Les lavandières du Portugal*.

Sœur Bernadette n'est pas tombée de la dernière pluie : « Celui-là montera haut. »

Le samedi après-midi, 8 juillet, Marie-Elphège Fortin, Superbleu lui-même, aligne les flûtes de champagne que Mathilde DeGrandpré emplit à ses propres frais. Matthieu Guérin, Marlène Jardin et leur trio Pierre, Jean, Jacques descendent l'escalier intérieur. Pour la plus grande joie de la bande de jeunes – formée d'Isabella « la Colombienne », de Kiki « la Chinoise », d'Hugo « le rouquin », de Myriam « la blondinette », du petit Léo « le pure laine », d'Olivia « la Camerounaise », de Souad et d'Hassan « du Maroc'n'roll », d'Henri « le Français » et de Jeanne « du Plateau » –, ils portent un immense gâteau que Gilles Larivière a monté plus tôt dans son bureau.

Le journaliste Ghyslain Leroux discute avec le grand Jaquelin et le petit Stéphane, qui reprennent le flambeau dominicain porté si longtemps par Victor, Nathanaël et tant d'autres depuis huit cents ans. Féru d'Histoire, le «fou des ondes» les taquine.

— Frères prêcheurs, ça peut être risqué. Déjà, au moment de la Commune de Paris de 1871, les réactionnaires les tiraient comme des lapins. Savez-vous courir?

Gisèle Galland triomphe. Haut et fort, elle reprend son récit pour la treizième fois. À ses côtés, Ben Laporte brille comme une patinoire juste après le passage de la Zamboni. Elle conclut.

— On l'a, notre enquête… Malgré une envie évidente de se trouver ailleurs, l'inspecteur de police n'a pu que constater l'évidence: Benoît ne ment pas. Il peut fournir des détails qui incriminent définitivement le capitaine Lebœuf. Il suffit maintenant à mademoiselle DeGrandpré de porter plainte, au Signe de Croix de bien étayer ses accusations pour le vandalisme de l'année passée et à nous de faire pareil pour le saccage du Grand Déménagement. Quelques beaux procès provoqueront peut-être un sentiment de réprobation chez une majorité de Québécois. L'indignation, ça ne change pas le monde, sauf que…

La vieille fille suspend son récit pour offrir un sourire pincé qui fait disparaître ses lèvres minces.

Amusé et tout de même impressionné par autant d'énergie, Gilbert se penche sur Marlène Jardin, que Matthieu a bien rassurée au sujet de sa carrière. Comme pour parler en classe pendant un cours, Gilbert chuchote.

— Elle a quel âge, Gisèle Galland?

— Oh! À peu près quinze ans de plus que toi.

Gilbert échappe un rire espiègle.

— Ma foi du bon Dieu, j'ai l'avenir devant moi. Marlène, sais-tu ce que je vais faire, quand je vais être grand?

Marlène a l'impression d'écouter Pierre, Jean, Jacques. En ce beau samedi d'été, elle embarque dans le jeu.

— Non, mon petit garçon. Qu'est-ce que tu vas faire quand tu vas être grand, Gilbert Fortin?

— Quand je vais être grand, je vais faire un pays.

ÉPILOGUE

Le samedi soir, 8 juillet, à dix-huit heures, les membres du GIA terminent une heure de prière silencieuse dans la chapelle de la Maison Victor. Le travail d'approfondissement se poursuit. Il faut pénétrer très loin dans le monde de l'oraison, cultiver la paix pour dépasser la non-violence et accéder à ce que Gandhi appelait la Satyâgraha, l'étreinte de la vérité. On a peut-être gagné une bataille, mais la violence reviendra encore plus forte. Pourquoi? Bonne question, mais pas très utile. L'important: ne pas la nourrir et s'alimenter soi-même autrement.

Claudine et Claudette se lèvent en même temps.

Camil Cyr les suit.

— Bonne soirée, les vedettes!

Claudette rigole.

— Oui, monsieur l'abbé.

— Franchement, je suis même pas encore rendu au Grand Séminaire.

Claudine s'amuse autant que sa sœur.

— Non, mais ton auréole lance des flammèches.

Resté dans le cadre de la porte du petit sanctuaire, Tristan-Jacques Messier sourit. En secret – grâce à Charlène Mailloux qui semble pleine de ressources –, il a obtenu les droits pour présenter *Veux-tu changer le monde avec moi?* dans l'église Saint-Enfant-Jésus pendant le Grand Déménagement de 2007. Pour la première fois, on reprendra la grande œuvre du prodige de la musique québécoise, dont on ignore où il réside. Quelqu'un doit savoir où vit Stan Jutras puisqu'on s'occupe de l'administration de ses biens.

Le mulâtre de génie élève la voix.

— Bonne soirée, les jumelles !

Les chanteuses disparaissent dans un duo de rire tout à fait réjouissant.

♣

Au théâtre Espace Go, boulevard Saint-Laurent, la nouvelle directrice artistique, Noémie Levêque, rencontre tous les artisans de sa première saison débutant à l'automne 2006.

Les participants à la reprise de son gros succès *Le salut vient du 418* se collent à l'auteure, Maude, qu'une question obsède depuis le matin. Comme beaucoup de gens de théâtre, elle ne connaît bien que son univers… autour duquel tourne le reste du monde. Avant aujourd'hui, Maude n'avait jamais entendu parler du curé du Mile End. Cependant, l'homme semble une copie conforme de l'ancien *chum* de sa défunte mère. Maude reste très attachée à cette figure paternelle de son enfance. Depuis quelques années, cet Olivier Genest vit en France.

Le Devoir à la main, elle montre la photo de Gilbert aux sœurs Dumas.

— Mon beau-père lui ressemble comme un reflet dans un miroir. Savez-vous s'il est parent avec un certain Olivier Genest[25] ?

Claudine questionne Claudette du regard et exprime sa réserve.

— Ça m'étonnerait.

Claudette conclut.

— Malheureusement, je pense qu'il n'a aucune famille.

---

25. *Corps célestes*, Québec Amérique, 2006.

Maude ne croit pas à la génération spontanée ; pas même pour le curé du Mile End.

Montréal, le 17 février 2008

SUPPLÉMENTS

Le Révisionnisme onirique   Renvoi au texte

Séquence 1 .... 355 50
Séquence 2 .... 359 55
Séquence 3 .... 365 62
Séquence 4 .... 369 70
Séquence 5 .... 373 109
Séquence 6 .... 377 173
Séquence 7 .... 381 198
Séquence 8 .... 385 218
Séquence 9 .... 391 237

Dossiers de Gilbert Fortin

Origine des Québécois de souche 403 61
La genèse de l'identité québécoise 407 63
La Bonne Chanson 411 85
Le complexe militaro-industriel 413 154
Autre point de vue sur 1837-1838 .... 415 173
Racisme et mission 425 239
Lettre du curé du Mile End 431 341

Journal de Gilbert

Un beau fou 435 76

Une leçon 436 77

Tardivel 437 167

Mademoiselle Galland 441 299

Pauvre comme Claude 443 301

Une voix pour la vie 447 313

Scènes supprimées à la révision

Au salon funéraire 451

1910 à l'église Notre-Dame 455

LE RÉVISIONNISME ONIRIQUE

Séquence 1

Une voix de femme domine les ondes de la lumière verte. La sexagénaire poursuit une conversation déjà bien entamée. Trois jeunes religieuses écoutent leur supérieure.

— *Il ne faut pas demander aux Sauvages de vivre comme des Français. Contrairement aux nôtres, les Sauvages convertis vivent comme de vrais chrétiens. Ils deviennent pour nous tous des exemples. Oui, ils font honte à la France et aux Français. Surtout si on les compare aux coureurs des bois, aux soldats abrutis vendant leur brandy à ces pauvres naïfs qui pensent acheter de l'eau-de-vie pour communiquer avec le Grand Esprit.*

Gilbert se tient près d'une table. La bougie jette sa pâle lumière sur la pile de feuilles où court une écriture énergique et tendue : « Québec, 1667 ». Il se trouble et enregistre péniblement l'information : il voyage dans le temps. Pour ajouter encore à l'étonnement, il sait qu'il rêve. Bon ! Penser qu'il s'agit simplement d'un rêve parvient à le calmer. Une voix plus jeune le sort de l'introspection.

— *Il est plus facile de faire des Sauvages avec les Français que l'inverse.*

« Je suis chez Marie de l'Incarnation ! » Gilbert comprend que son rêve l'a mené en Nouvelle-France. Il connaît cette phrase. Il l'a lue cette année, à l'abbaye d'Oka, dans un livre de l'historien Marcel Trudel, citant Marie de l'Incarnation. Il sourit en pensant que la formule de la célèbre fondatrice lui vient d'une petite religieuse de sa communauté.

Une idée vraiment loufoque fait surface. Il se demande si sa présence dans le rêve n'est pas aussi réelle que celle des ursulines regroupées autour du grand feu. Il essaie de parler.

— Après tout, les Sauvages ne sont peut-être pas les représentants du diable...

Sans étonnement, le visage éclairé par un sourire intelligent, volontaire et partiellement édenté de sexagénaire, Marie de l'Incarnation approuve.

— Oui, père Gilbert. Les Sauvages baptisés sont des Français, tout comme nous. Vous entendez, mes filles? Il ne faut pas refaire ici la France, mais inventer une nouvelle France.

Gilbert fait bien partie du rêve. Les petites sœurs posent sur lui le regard admiratif que l'homme connaît bien. À l'orphelinat, les religieuses plaçaient aussi l'aumônier sur un piédestal. Le rêveur pousse un peu plus loin l'expérience. Il veut se déplacer pour voir si son corps obéira à ses pensées... Oui! Il marche, bouge la tête, voit sa propre soutane noire et comprend qu'il est un missionnaire jésuite. Présent au dix-septième siècle, il ne perd pas ses connaissances du début du troisième millénaire. Il lui reste à savoir s'il peut agir sur le cours de l'Histoire.

Le père Gilbert, jésuite à Québec, entend rire les quatre femmes consacrées. Elles ont repris courage. Gilbert se penche sur la lettre inachevée reposant sur la table d'écriture de l'ursuline mystique: «Tout y est à présent magnifique. Vous pleureriez de joie de voir de si beaux progrès, et un moment de réflexion sur l'état où les choses ont été et sur celui où elles sont vous feraient oublier tous vos travaux passés.»

Le regard de Gilbert se brouille de nouveau. Le rire des femmes se perd dans l'Histoire ensevelie sous la neige du temps.

Notes du rêveur

Je sais qu'il s'agit du premier mandat d'intendance de Jean Talon, le protégé de Jean-Baptiste Colbert, l'administrateur de confiance du jeune roi Louis XIV qui jouit du pouvoir absolu depuis 1661. À Québec, Jean Talon partage la direction du Nouveau Monde avec le gouverneur de Courcelle, alors que Callière gouverne Ville-Marie, fondée en 1642. La colonie trouve enfin un second souffle. À Québec, les soixante-dix maisons logent trois cents habitants. Sur les trois mille quatre cent dix-huit colons de la Nouvelle-France, on compte quinze hommes pour une femme : gros problème...

Jusque-là, les invasions iroquoises avaient gêné le peuplement de la vallée du Saint-Laurent. Depuis, les dirigeants ont accueilli le marquis de Tracy, commandant le régiment de Carignan-Salières. Après plusieurs campagnes victorieuses, en 1667, il a ramené la paix. Le problème des Iroquois semblant réglé, on encourage les soldats à rester au Canada. À partir de 1663, on projette sur dix ans l'arrivée de huit cents « filles du roi » qui viendront peupler le pays. J'en conclus que la première tâche de ce père Gilbert de mon rêve consiste à assurer ce peuplement.

J'espère que ce rêve va se poursuivre. Est-il possible de programmer ses rêves ? En tout cas, je rêve tout en sachant que je rêve et j'arrive même à intervenir. Est-ce une conséquence de l'ouverture obtenue par la méditation ?

Retour page 50

L'ancien moine endormi sait maintenant où il est, qui il est et ce qu'il doit faire de son personnage. Dans une série de flash-back, il lui crée un passé de prêtre rompu à la politique. Le père Gilbert travaille comme secrétaire du cardinal Mazarin depuis trente ans tout en participant à l'épopée mystique issue de la contre-réforme. Volant rétrospectivement au-delà des barrières du temps, comme le permet le monde onirique, il assiste au départ de Paul Chomedey de Maisonneuve en route pour fonder Ville-Marie, l'ancêtre de Montréal.

Le rêve de Gilbert réécrit l'Histoire. Dans le monde du dormeur, le père Gilbert a éduqué le jeune roi Louis XIV qui, depuis 1661, assume le pouvoir absolu. Gilbert donne à son jésuite une influence majeure sur le monarque. Débordant sans effort les limites spatiotemporelles, il se retrouve en 1678. Sautant de nouveau par-dessus l'Atlantique avec l'aisance qu'autorise le sommeil, il constate la mauvaise influence grandissante des colons anglais du Sud. De retour, il résume au roi la situation.

— Quand on cesse de donner du brandy aux Sauvages, les Anglais leur refilent leur rhum. Il faut chasser les Anglais protestants, que leur individualisme conduit trop souvent à une cupidité débridée.

Le jésuite sait le souverain ouvert à son influence. Le guide spirituel de Sa Majesté parle d'un Nouveau Monde. Le religieux se sent comme Abraham. Il doit quitter son pays pour transformer les vastes contrées sauvages en terres catholiques et françaises,

*sous le sceptre du Roi-Soleil, avec la bénédiction du Tout-
Puissant.*

Le rêveur lui dicte son texte.

— *Majesté, nous devons peupler ces terres neuves. Le long
de la colonne vertébrale formée du fleuve Saint-Laurent au nord
et de l'immense Mississippi à peine découvert au sud, nous éta-
blirons des seigneuries qui libèreront les campagnes françaises
d'une horde de miséreux. Après tout, la France est le pays le plus
peuplé d'Europe. Cette saignée agira dans le corps social avec le
même bonheur que dans le corps humain. Il faut d'abord peupler votre colonie d'au moins trois cent mille personnes. Ensuite,
nous pourrons intervenir. L'Europe passe par l'Amérique, Votre
Majesté.*

*Le jeune roi, devenu tout-puissant, ne remet jamais en
question le jugement de son éducateur. Ainsi, le père Gilbert se
lance dans le peuplement de la Nouvelle-France. Les Anglais de
la côte atlantique ont intérêt à apprendre à nager…*

Le rêveur sourit.

Notes du rêveur

La contre-réforme

D'abord, je n'en reviens pas que ce rêve se poursuive. L'esprit
demeure un mystère… des plus réjouissants.

Bon! Je connais bien le mysticisme en question. Nourri
par l'*Imitation de Jésus-Christ* de Gerson, il ne rejetait pas ce
qu'on appelait «le monde». Au contraire, le mouvement
exerçait en France une influence qui ne cessait de croître. Ce
petit livre à la portée de toutes les intelligences offrait lumière
et consolation sur la route difficile qui conduisait l'âme vers
sa destination finale: l'Éternité bienheureuse. J'en possédais
même une copie à ma place, à la chapelle du séminaire, en
1965.

Je résume mes notes sur le sujet dans le contexte de
l'époque.

Au moment du schisme du moine allemand Luther, scandalisé par les abus de la papauté, le pape Adrien VI, lui-même conscient du mal dénoncé, écrivait en 1522 à la diète impériale réunie à Nuremberg: « Nous avouons sans détour que si Dieu permet que ce fléau frappe son Église, c'est à cause des péchés des hommes, et surtout ceux des prêtres et des prélats de l'Église… Nous savons que sur ce Saint-Siège on a vu, il y a quelques années, quantité d'abominations, des abus dans les choses spirituelles, des entorses au droit, bref que tout y était perverti; rien d'étonnant si la maladie était descendue de la tête aux membres, des souverains pontifes aux prélats inférieurs […] Nous apporterons tout notre effort pour que, d'abord, cette Cour de Rome, d'où est peut-être sorti tout le mal, soit réformée… »

De l'esprit de cet élan était né à Paris un mouvement qui se voulait généreux, mystique, réaliste et dévoué à changer les choses. Déjà, à la fin du seizième siècle, Philippe Neri, le fondateur du premier Oratoire, résumait dans une formule paradoxale les fondements de son action sociale: « Quitter Dieu pour Dieu. » Il s'agissait moins de chercher Dieu dans les prières et à l'autel que de le trouver chez les pauvres dans la rue. Un nouveau catholicisme était bien né. Dès 1535, l'Italienne Angela Merici avait fondé les Ursulines pour se lancer dans un vaste programme d'éducation et de pastorale. Au siècle suivant, Marie Guyart, devenue religieuse sous le nom de Marie de l'Incarnation, avait choisi l'exil dans un pays au climat rude où l'on mourait de froid, pour créer un nouveau monde… à la suite d'un rêve. Tiens! Tiens!

Ville-Marie

Quant à la fondation de Ville-Marie, l'historien Marcel Trudel écrit qu'il s'agit de « la seule fondation coloniale à caractère essentiellement apostolique ». D'ailleurs, l'arrivée de Maisonneuve précède de peu celle de quelques confrères sulpiciens, une société de prêtres diocésains créée en 1645 pour assurer la formation du clergé.

La religieuse hospitalière Marie Morin idéalisera cet épisode quelques années plus tard : « Ils chantèrent des psaumes et des hymnes au Seigneur, puis les hommes travaillèrent à dresser des tentes et des pavillons, comme de vrais Israélites. » Je n'avais jamais pensé que cette analogie entre le sort du peuple hébreu et celui des gens d'ici remontait aussi loin. L'image qui me vient pourrait ressembler à ceci : dans le désert de Ville-Marie, on avait créé un site provisoire pour ces pèlerins guidés par Maisonneuve vers la Cité céleste. Au lieu de dresser un serpent dans le désert comme Moïse, Maisonneuve a érigé une croix sur la montagne... Vraiment, je m'amuse bien.

Le peuplement

Ce que je rêve ne ressemble pas du tout à l'Histoire. Marqué dans son enfance par deux révoltes appelées les Frondes, le futur Roi-Soleil a choisi pendant toute sa vie d'exercer un pouvoir absolu en contrôlant complètement la noblesse. Il a aussi voulu dominer l'Europe entière et s'est lancé dans des dépenses qui ont fini par saigner le pays le plus peuplé du continent, trébuchant de guerre en guerre. Négligeant l'importance de la puissance navale et ignorant l'importance de l'Amérique naissante et du commerce international, il s'est laissé dépasser par un peuple anglais beaucoup moins nombreux et que l'exiguïté de son île rendait plus conscient de la richesse de l'immense continent que l'on abordait.

En Nouvelle-France, l'Église a rapidement établi les services spirituels et s'est évertuée à combler les besoins sociaux. De 1632 à 1654, le travail missionnaire a connu une grandeur passée à l'Histoire ; ça, c'est la vérité. Quel dommage qu'on n'ait pas manifesté le même dynamisme et disposé

des mêmes ressources dans le peuplement et dans la vie économique.

À se demander si le Roi-Soleil n'est pas le Roi des Cons…

Retour page 55

*P*réoccupé depuis deux décennies par l'importance du continent nouveau, le père Gilbert peut agir... sous l'impulsion
du rêveur. Pendant des années, le jésuite a travaillé à poursuivre
un peuplement intensif de l'Acadie, des rives du Saint-Laurent,
de la vallée du Mississippi et de la région des Grands Lacs. Avec
succès, il a pu équilibrer les forces démographiques dans le
Nouveau Monde. Il en arrive enfin à la prochaine étape de son
projet : chasser des côtes américaines une multitude d'Anglais et
renvoyer les mécontents perturber l'Angleterre. Le père Gilbert
met son plan à exécution.

Le rêveur Gilbert Fortin sait aussi que son jésuite peut
compter sur de grands hommes comme les frères d'Iberville, des
navigateurs habiles et des soldats impitoyables. Gilbert se sert de
ses connaissances historiques et guide l'esprit de son jésuite. Il a
maintenant l'impression d'assister à un film conçu et réalisé
par... lui-même.

Le dormeur vole au-dessus des eaux pour accompagner
une armada partie de La Rochelle. On conquiert l'ancienne
Nouvelle-Amsterdam devenue New York. On y établit une base
avant de ravager la côte vers le nord. On prend Boston par la
mer, tandis que l'expédition terrestre partie du Canada détruit
Albany, incendie les établissements environnants et amène les
prisonniers à Québec. Les colons de l'ouest prennent les Iroquois
alliés des Anglais à revers, vident leurs arsenaux et les obligent
à capituler. Vers le sud, on chasse les Anglais de la Floride.

L'alliance catholique avec les Espagnols permettra le contrôle du commerce et des mers. Une horde de perdants monte sur de mauvais navires qui voguent vers l'Angleterre pour provoquer l'effondrement de la puissance britannique. Le rêveur se sent léger, léger...

Notes du rêveur

Ce rêve possède-t-il des bases historiques le rendant possible ? En 1649, on avait décapité le roi anglais Charles Ier. Puis, la république de Cromwell s'était terminée dans la violence et le désordre. Après Charles II, Jacques II d'Angleterre perdit de nombreux alliés en se convertissant au catholicisme. Réfugié en France, on aurait pu l'armer et l'aider à envahir l'Angleterre. Le nouveau roi, Guillaume III – ce Guillaume d'Orange qui tenait son nom de la ville d'Orange, en Provence, – était le petit-fils de Charles Ier, le décapité. Il avait épousé Mary, la fille aînée de Jacques II converti au catholicisme sans convaincre ses enfants de l'imiter. Oui, Guillaume et Mary étaient de fervents protestants. Couronnés en 1689, ils abhorraient Louis XIV et la France. Ils avaient accordé au Parlement un droit de regard sur les affaires publiques en endossant le « Bill of Rights », qui allait marquer le début de ce qu'on appellerait la démocratie, une notion qui terrorisait les monarques européens. Le retour de tous les exilés du Nouveau Monde tel qu'il a été vécu dans ce rêve, catholiques, protestants, royalistes et démocrates, aurait bel et bien déchiré une Angleterre sombrant dans le chaos.

Même près de cent ans plus tard, l'esprit français ne supportait toujours pas bien l'idée de la démocratie. Voltaire écrivait en 1766 : « Il est à propos que le peuple soit guidé et non pas qu'il soit instruit. [...] Il me paraît essentiel qu'il y ait des gueux ignorants. » Une lettre de Voltaire, datée de 1769, résumait ce qui suffisait pour la populace: «... un joug, un aiguillon et du foin».

Voltaire! L'intelligence... Et puis?

Retour page 62

La propre ambition de Gilbert Fortin lui joue un tour. Son subconscient travaille. Gilbert Fortin constate un changement majeur: évêque depuis des années, son personnage de père Gilbert, figure de grand sage, est maintenant devenu cardinal. On est en 1715, le roi Louis XIV vient de mourir.

Le rêveur survole l'Amérique française et son Histoire. Est-ce un rêve, un songe, une vision utopique révélant le fond secret de la pensée de Gilbert Fortin?

Les catholiques du Maryland, fondé en 1632 par Lord Baltimore, se sont facilement intégrés. Ils parlent désormais la langue française. La Pennsylvanie s'est vidée de ses quakers; les disciples de William Penn ont dû regagner l'Angleterre... «qui paie pour ses péchés».

Le Rhode Island, le Connecticut et le New Hampshire n'existent plus. La Nouvelle-Normandie, la Nouvelle-Vendée et le Poitou-Nouveau continuent à se développer.

Au sud, la Virginie a bien changé. Le cardinal Gilbert, jésuite, y réalise jour après jour le grand rêve avorté en Amérique du Sud au temps des Espagnols. Un Nouvel Éden s'y développe. On a mis fin à l'esclavage et offert aux Noirs les mêmes possibilités qu'aux Amérindiens: la pleine intégration à la vie collective pour tous ceux qui se convertissent au catholicisme. Les Jésuites poursuivent la culture du tabac et contribuent largement aux progrès économiques de la Nouvelle-France. Une société exemplaire s'y développe, vivant à la manière des premiers chrétiens qui mettaient tout en commun. Les vocations religieuses abondent et l'on songe à envoyer des missionnaires sur les terres d'Afrique pour annoncer Jésus-Christ à une parenté éloignée que l'on n'oublie pas. À cause de son climat exceptionnellement favorable, le Nouvel Éden se rapproche vraiment du paradis terrestre. Il constitue l'un des plus grands motifs de fierté du cardinal Gilbert.

Pour le prélat de l'Église, l'Histoire suit inexorablement son cours. Il a réussi le grand projet de sa vie : une nouvelle civilisation est née. Le cardinal Gilbert a créé une Amérique française.

L'immense pays n'est pas une copie de la France ancestrale. Le cardinal Gilbert, fils du peuple, a pu asseoir le changement sur les acquis des premières décennies.

Cependant, en 1715, le rêve du cardinal Gilbert se voit menacé. L'arrière-petit-fils de Louis XIV n'a que cinq ans à la mort de l'ami royal *du cardinal Gilbert*. Le neveu du roi, Philippe d'Orléans, exerce la régence. *Le rêveur fait le lien avec la révolution américaine qui a choisi l'indépendance par suite des abus de pouvoir de la métropole anglaise. Il se dit que l'heure sonne pour l'Amérique française… et il dirige l'esprit de son grand jésuite.*

Le cardinal Gilbert n'aspire qu'au plus grand bien : la paix. Il se prépare donc pour la guerre. Les seigneuries forment des régiments, fabriquent des armes, coulent des canons. Le cardinal Gilbert craint qu'on ne veuille saigner la Nouvelle-France de ses richesses.

Toutefois, en France, un autre religieux, un homme d'Église comme lui, ne souhaite pas davantage un affrontement. Il saisit rapidement que toute velléité de prise de contrôle de la puissante Nouvelle-France relèverait de la chimère. Il vaut mieux construire un partenariat entre égaux et laisser le cardinal Gilbert libre d'instaurer en paix une Jérusalem nouvelle sur le continent nouveau.

Le rêveur n'en revient pas de l'impact des politiques du jésuite : oui, pendant ce temps, l'Angleterre s'enfonce dans le chaos.

*Le peuple enragé a de nouveau chassé le roi. La révolution an-
glaise met le pays à feu et à sang. Les insulaires entassés sur une
île surpeuplée confirment les prévisions du cardinal Gilbert. Les
hérétiques paient le prix du schisme d'Henri VIII. Pour le cardinal Gilbert : « Hors de l'Église, point de salut ! »*

*Ici, en Nouvelle-France, on préfère Rome à Versailles. L'Église
du continent nouveau dispose d'une immense influence. Elle
fournit au Vatican d'énormes sommes d'argent. Par le fait même,
le cardinal Gilbert tient les autorités cléricales en respect. Sans
l'avoir consciemment décidé, il a rendu la Cour de Rome dépen-
dante de la capitale de l'Amérique catholique française. Sur le
site de l'île, appelée autrefois Manhatte, dans l'ancien New York,
se développe rapidement une cité qui deviendra le centre du
monde. La Nouvelle-Jérusalem s'ouvre sur la côte orientale du
continent, où elle accueille chaque matin le soleil neuf suspendu
un moment sur la mer, salué par les cloches des églises annonçant la messe de l'aurore.*

Notes du rêveur

Alors là, ce rêve me dépasse. Qu'est-ce que ça peut bien cacher ? Je me doute évidemment que ça révèle de moi des idées
que je n'ose pas m'avouer.

C'est vrai qu'une société originale était potentiellement
née en Nouvelle-France.

Privilégié par rapport à ce qu'il avait vécu en France, le
colon pouvait chasser tant qu'il voulait : pas de territoire réservé à Monsieur le Marquis. Ainsi, on mangeait mieux.
Même le clergé avait adapté les critères de ses règles. La chair
de castor, par une distinction ecclésiastique chaleureusement
accueillie, était considérée comme étant de la viande, sauf
pour les pattes et la queue qu'on pouvait manger les jours
maigres. Or, c'étaient les meilleurs morceaux. Pour le sucre, la
colonie ne dépendait pas autant que la métropole des impor-
tations en provenance des îles sucrières du Sud. Les colons

faisaient cuire l'eau d'érable jusqu'à la transformer en tire et en sucre.

Mais le plus important venait des règles d'héritage. La colonie se composait d'abord et avant tout de roturiers. En France, dans la noblesse, la règle d'héritage donnait les terres à l'aîné et chez les roturiers, on divisait en part égales. En conséquence, la richesse restait concentrée pour les nobles et dispersée pour les roturiers. La structure sociale demeurait hiérarchique et déséquilibrée. Les riches s'enrichissaient et les pauvres s'appauvrissaient. Par contre, dans la colonie, la terre n'étant pas le premier bien sur un immense continent peu habité, le bien mobilier représentait la plus grande valeur. La coutume de Paris y devenait donc une source d'égalitarisme. De plus, le poids de la tradition pesait peu. Encadrés par les institutions religieuses, les colons habitaient des seigneuries ecclésiastiques occupant pratiquement toute la place institutionnelle. Seuls importaient le voisinage et l'insertion dans le groupe.

La vision du cardinal Gilbert de mon rêve aurait pu prendre forme : la création d'une société de pionniers chrétiens stimulés par les défis, accompagnés de femmes courageuses, mères de familles nombreuses, vivant à l'ombre d'un clocher, dans le respect des valeurs religieuses et des autorités. Ce peuple nouveau se serait par la suite lancé à la conquête d'un territoire immense et rempli de richesses que l'ardeur au travail aurait permis de récolter en abondance… Le paradis sur terre. Oh ! Qu'il y a loin de la coupe aux lèvres… mais comme le vin sent bon !

Retour page 70

Le vieillard dépasse les quatre-vingt-dix ans. Levé un peu avant le soleil, il boit une tasse d'eau chaude en relisant ses notes de la veille. Chaque matin, pendant deux heures, le cardinal Gilbert écrit l'Histoire de la Nouvelle-France.

Le subconscient du rêveur poursuit son travail et l'incarne dans la vision du personnage onirique. Gilbert Fortin, tel Superman, survole le continent nord-américain, vêtu de la grande cape cardinalice.

De la Nouvelle-Jérusalem qui prospère sur la côte atlantique, tout comme de la fière citadelle de Québec solidement plantée sur les hauteurs du fleuve, un immense pays neuf invente une civilisation originale.

Le cardinal Gilbert a refusé de suivre le mauvais exemple des Espagnols et d'assassiner les autochtones. Il s'est plutôt inspiré de Marguerite Bourgeois, de Marie de l'Incarnation, de la détermination des Jésuites et de l'humble courage des Récollets. On apprend autant des «Sauvages» sur la façon de vivre en harmonie avec les forces du pays qu'on leur enseigne la bonne nouvelle que constitue l'instruction chrétienne. Oui, Dieu est venu parmi les hommes pour les mener à sa lumière. Pour le cardinal Gilbert, la façon de vivre de ces peuplades du pays neuf semble plus proche de l'Évangile que la société dégénérée de laquelle il a fallu se distancer.

*Les nouveaux arrivants ne vivent pas comme les « Sauvages »,
mais le cardinal Gilbert s'assure qu'on limitera les regroupe-
ments humains en respectant la capacité d'accueil de chaque
territoire. La vastitude du continent permet toutes les audaces.
De larges espaces conserveront leur vocation traditionnelle. Aux
points de jonction des rivières, on pourra créer des cités dont les
clochers d'église règleront l'activité.*

*Au début de la colonie, du temps où le continent restait dé-
chiré entre Anglais et Français, ces derniers habitaient en bonne
partie des seigneuries ecclésiastiques appartenant aux Jésuites,
aux Sulpiciens et à diverses communautés. Les dirigeants religieux, habitués à compter sur une obéissance institutionnalisée,
avaient tendance à pratiquer des formes abusives d'autorité.*

*Pour équilibrer le Nouveau Monde, le cardinal Gilbert s'est
inspiré de la société des autochtones en créant des conseils de
sages où le courage des chasseurs guerriers devait composer avec la
sagesse des vieillards et la pondération des mères de chaque clan.
Le cardinal Gilbert s'est battu jusqu'à Rome pour obtenir un tel
changement. Heureusement, on sort peu du Nouveau Monde et
la papauté reste cloîtrée dans ses immenses propriétés. Trop heureuse de pouvoir compter sur un nouvel apport d'argent, elle ne
le risquera pas en refusant les demandes du cardinal Gilbert.
L'éloignement géographique du Nouveau Monde empêchera la
mentalité qui semble s'y développer de venir compromettre
l'équilibre hiérarchique qu'illustre bien la tiare pontificale.*

*Le cardinal respectera toujours le pape, représentant du
Christ sur Terre, mais il ne confond pas la fidélité indéfectible
avec la soumission servile.*

*Ainsi, il imagine une vaste contrée, un immense espace où
aucun homme ne pourra réduire un autre homme à la servi-
tude. Il laissera un monde neuf. Oui, dans le temps d'une courte
vie, le cardinal Gilbert aura changé le monde. Il pose la plume à
côté de l'encrier. L'index de sa main droite est constamment taché par l'encre noire. Il aime cette trace de son activité, ce stig-
mate de fils de Dieu exilé. Les yeux offerts au bleu du ciel, il sent*

circuler la lumière qui le remplit tout entier. Elle se renouvelle, comme l'air. L'esprit respire de la lumière. Le monde est si beau, la vie si belle. Toutes les religions partent du même principe : l'incarnation du divin dans l'humain. Pourquoi se perdre dans les détails ? Sa foi suffit. Un seul homme plein de zèle peut transformer tout un peuple. Tous les changements historiques radicaux échouent-ils parce qu'il y manque un homme abandonné à sa foi ?

Le cardinal a affirmé toute sa vie qu'il était prêt à mourir n'importe quand, c'est-à-dire demain. En ce beau mercredi matin ensoleillé, le cardinal Gilbert apprend que c'est toujours l'heure de la mort. Maintenant, il comprend : il vit précisément l'instant de la mort annoncée. Il faut y entrer tout entier. La seule connaissance parfaite est bien de l'ordre de l'extase, excluant cette impression de dualité qu'il appelait le réel.

Le cardinal Gilbert sent son cœur précipiter son dérapage. Le prêtre s'entête dans sa croyance. Il s'obstine à penser que la connaissance véritable équivaut à un « réveil », à la prise de conscience d'une situation ayant toujours existé, mais que, tout simplement, il n'était pas encore parvenu à réaliser.

Juste avant de tomber le front sur l'encrier, le petit Gilbert devenu cardinal s'offre un dernier acte de foi : « Maintenant, je saurai. »

L'encre noire dessine sur sa peau, juste au-dessus des yeux, les contours du Nouveau Monde. Au milieu, deux rides profondes peuvent rappeler une croix... Sous son front, s'éteint la lumière verte.

Notes du rêveur

C'est vrai que les croyances amérindiennes prédisposaient ces peuples à recevoir le message évangélique. Le plus gros problème résidait dans le fait que les Européens n'agissaient pas comme le proposait leur enseignement. Ils ont contaminé une terre fertile. Car, depuis toujours en contact avec le monde de l'au-delà, les Amérindiens maintenaient le dialogue avec leurs morts. Dans cette civilisation où les esprits occupaient une très grande place, dans ce monde où tout possédait une âme, l'histoire de Jésus trouvait une audience. Dans ce peuple qui valorisait avant tout le courage et qui affrontait avec fierté la torture, un Dieu venu sur terre, qui mourait cloué sur une croix – et prouvait sa supériorité en priant pour ses propres bourreaux –, semblait crédible et constituait une révélation, comme une explication de ce que l'intuition leur avait enseigné : ces visages pâles étaient venus donner un nom au Grand Esprit.

En regardant vivre les « Sauvages », mon personnage de cardinal Gilbert profite de précieux enseignements. Une pratique comme la chasse qui amusait la noblesse décadente d'Europe ne pouvait pas s'imaginer pour les habitants de ces contrées neuves où l'on ne tuait que par besoin. On respectait même le squelette de l'animal sacrifié à l'alimentation. Les catégories sociales encadrant ces peuples se fondaient sur les talents éprouvés par des actes de courage. Chacun y jouissait de liberté. On limitait les dommages sur les eaux, les forêts et le gibier par des déplacements saisonniers fixés comme des rituels. En conséquence, la flore se renouvelait, la faune se reconstituait. L'harmonie signifiait davantage que ce que l'on appelait l'évolution.

Tout ça reste vrai et, encore aujourd'hui, l'on pourrait y puiser l'inspiration pour créer un pays différent. Bon ! Je ne me raconte pas d'histoires ; les Québécois ne sont pas des Amérindiens, mais même les chasseurs sportifs mangent les orignaux qu'ils tuent l'automne…

Retour page 109

*A*ssis dans un confessionnal, le père Gilbert vient de donner *l'absolution au dernier pénitent. Le rêveur se retrouve dans la peau de ce prêtre français séjournant à Rome depuis le début de 1841. Le personnage assure ainsi au confessionnal quelques heures de ministère. Il retire son étole, en embrasse la croix et franchit la porte qui isole la cabine du prêtre. Qui est-il? Gilbert Fortin, témoin de son propre rêve, assiste au développement. Il reconnaît tout de suite l'homme vers qui se dirige le père Gilbert…*

Agenouillé un peu plus loin, son ami Ignace semble abîmé dans sa prière. Le pape Grégoire XVI vient de lui briser le cœur: il ne faut pas que le jeune Mgr Bourget entre chez les Jésuites. Le pape l'a confirmé dans sa vocation d'évêque de Montréal. L'ampleur de la tâche écrase Ignace. L'état de son pays le décourage. Les politiciens ont failli. Même les plus engagés ne croient plus à l'avenir de son peuple.

En se relevant à la fin de sa prière, Ignace Bourget se sent bien seul dans la basilique Sainte-Marie-Majeure. Son regard rencontre celui de son ami de séjour romain. Tout comme lui, le père Gilbert vit une immense déception. Le prêtre français partage les convictions d'Ignace sur la frivolité des politiciens et il croit aussi à la primauté du spirituel sur le temporel.

Depuis plus de dix ans, le père Gilbert prépare des jours meilleurs. Il travaille au retour de la royauté légitime. Tous ses espoirs sont tournés vers le duc de Bordeaux, le futur Henri V, si le Ciel collabore. Exilés, ils attendent le moment favorable.

La foi profonde du père Gilbert se retrouve dans la lueur qui brille dans l'œil de l'évêque de Montréal. Ignace Bourget communie à l'idéal du royaliste français. Ah! Comme la vieille France des mystiques de la fondation de la colonie manque à son peuple.

Dans la lumière verte qui s'estompe, Ignace Bourget exprime son désarroi.

— Je crains que, cette fois, nous ayons vraiment perdu le Saint-Laurent.

— Non, Ignace; le devoir vous l'interdit. Vous êtes les héritiers du fleuve. J'ai quelqu'un à vous présenter.

Notes du rêveur

La démission des élites

Je n'ai jamais aimé Mgr Ignace Bourget, car je l'associais aux abus de pouvoir stigmatisés par beaucoup d'historiens. Ce qu'on m'en a raconté jusqu'ici reste souvent vrai, mais je comprends surtout que l'on ne m'a pas tout dit. L'image que j'en reçois dans ce rêve étant plutôt sympathique, j'essaie de mieux saisir le contexte dans lequel il a dû évoluer. Je couche ici quelques notes préliminaires...

L'année suivant la mort de Jean-Jacques Lartigue, Ignace Bourget devint, à quarante et un ans, évêque de Montréal. Il fallait assurer la suite en ramassant les pots cassés. Que pouvait, par exemple, raconter le jeune prélat à un prêtre comme Étienne Chartier, qui avait abandonné le droit pour se consacrer au sacerdoce? À cause de sa participation active à la première insurrection, le curé de Saint-Benoît avait dû fuir aux États-Unis. Que pouvait lui dire Ignace Bourget quand l'exilé rentra, en cette année 1841, pour lui demander publiquement pardon? Qu'il avait eu tort? Sur les moyens, oui; mais sur le fond?

Ignace Bourget comprenait bien ce que signifiait cet Acte d'Union que les Britanniques de Montréal enfonçaient maintenant dans la gorge de ses concitoyens: une représentation injuste, l'expulsion du français des procédures officielles, les dettes du Haut-Canada payées par le Bas-Canada. Payées à qui? Oui, aux mêmes marchands qui venaient de pousser son peuple à bout. Il comprenait que pour le reste, on compterait sur l'immigration afin de réduire les Canadiens français à la minorité.

Qui n'avait pas pleuré en lisant cet article du journaliste Étienne Parent, cette «démission nationale» publiée le 23 octobre 1839: «Il y en avait, et nous étions de ce nombre, qui pensaient qu'avec l'appui et la faveur de l'Angleterre, les Canadiens-Français pouvaient se flatter de conserver et d'étendre leur nationalité de manière à pouvoir, par la suite, former une nation indépendante. Nous croyions et nous croyons encore qu'il eut été d'une sage politique pour l'Angleterre de favoriser l'extension et l'affirmation dans le Bas-Canada d'une nationalité différente de celle des États voisins; mais les hommes d'États du jour chez la métropole pensent différemment et les Canadiens-Français n'ont plus rien à attendre de ce côté-là pour leur nationalité. Que leur reste-t-il donc à faire pour leur propre intérêt et dans celui de leurs enfants, si ce n'est de travailler eux-mêmes de toutes leurs forces à amener une assimilation qui brise la barrière qui les sépare des populations qui les environnent de toutes parts?

«Avec la connaissance des dispositions actuelles de l'Angleterre, ce serait pour les Canadiens-Français le comble de l'aveuglement et de la folie que de s'obstiner à demeurer un peuple à part sur cette partie du continent. Le destin a parlé: il s'agit de poser les fondements d'un grand édifice social sur les bords du Saint-Laurent, de composer avec tous les éléments sociaux épars sur les rives de ce grand fleuve, une grande et puissante nation. Pour l'accomplissement d'une pareille œuvre, toutes les affections sectionnaires doivent se taire et tous doivent être prêts à faire les sacrifices nécessaires. De tous les éléments sociaux dont nous venons de parler, il faut choisir le plus vivace et les autres devront s'incorporer par l'assimilation.»

Quelle bêtise!

Oui, les liens puissants qui unissaient le peuple d'Ignace Bourget devenaient des «affections sectionnaires» pour la girouette qu'agitaient les vents politiques.

Le retour de la royauté légitime en France

J'ai bien hâte de saisir ce que cette histoire de Restauration vient faire dans ce rêve. J'ai dû procéder à un peu de recherche, mes connaissances sur le sujet étant assez minces. Voici les premières notes.

En 1828, Charles X, roi de France, avait confié l'éducation de son petit-fils Henri d'Artois, duc de Bordeaux, au baron de Damas, si dévot que ses collègues officiers s'en moquaient en disant l'avoir vu «tirant de son fourreau un cierge au lieu d'une épée». La religion occupait en effet une grande part dans la vie du baron. À un sceptique qui avait regretté que le baron se soit employé à donner une éducation trop religieuse au duc de Bordeaux, un légitimiste avait répondu avec la conviction d'une foi profonde : «Si le baron de Damas faisait de son élève un saint Louis, de qui la France aurait-elle à se plaindre?»

Le 2 août 1830, Charles X abdiqua en faveur de son petit-fils Henri, que ses partisans nommaient déjà Henri V. Cependant, après quelques jours, le Parlement appela au trône un cousin éloigné, Louis-Philippe, duc d'Orléans, qui devint Louis-Philippe Ier, roi des Français, et non pas roi de France. Entre-temps, du 2 au 7 août, le duc de Bordeaux avait fictivement été le «roi Henri V». Il ne l'oublierait pas ; ses alliés non plus…

Retour page 173

LE RÉVISIONNISME ONIRIQUE
Séquence 7

Que Gilbert se sent bien! Ce rêve commence vraiment de belle façon...

La fraîcheur rend plus confortable la fin du premier séjour romain du nouvel archevêque de Montréal. Ignace Bourget doit rentrer dans son pays avant la fin de septembre. Qu'est-ce qu'il a souffert de la canicule!

D'excellente humeur, son ami français, le père Gilbert, tient à établir des liens solides avec le prélat. L'homme lui plaît. Il apprécie son énergie, son amour de l'ordre et sa soumission à l'Église. Le dormeur sourit dans son sommeil.

Ignace accède enfin au monde auquel son idéalisme aspire depuis l'enfance.

Ce matin-là, le père Gilbert lui présente le baron de Damas, rentré d'exil. Ignace Bourget apprécie la fermeté de la poignée de main.

Le baron de Damas sait ce qui se passe au bord du Saint-Laurent; voilà pourquoi il tient à rencontrer l'archevêque de Montréal. Il le félicite d'abord pour la manière dont il a géré la crise politique récente et participé au rétablissement de l'ordre. Cependant, il connaît la fourberie légendaire des Anglo-Saxons.

— Ils vous écraseront... Toutefois, votre sagesse est de bon augure.

Monseigneur Bourget, impressionné, attend la suite.

Gilbert, témoin de son propre rêve, fait de même. Le baron de Damas ne les déçoit pas.

— *Vous avez ouvert votre diocèse à Mgr de Forbin-Janson ; vous ne pouviez pas agir plus sensément. Je vous en sais gré et vous m'inspirez confiance.*

Le rêveur connaît trop peu ce personnage ; il devra se renseigner.

En présence du baron de Damas, aux côtés de son nouvel ami, ce prêtre français si solide, ce père Gilbert qui lui ouvre les portes d'un monde que ses compatriotes canadiens jugent perdu à jamais, Ignace Bourget ne regrette déjà plus le rejet papal de sa requête pour devenir jésuite. Oui, il rentrera au pays. Il restera en contact avec ces hommes que la foi unit et qu'un même roi protègera un jour : Henri V. Le père Gilbert l'accompagnera au Nouveau Monde et servira de lien avec la France éternelle, fille aînée de l'Église.

Le baron de Damas achève de séduire Ignace Bourget.

— *La France a besoin de la Nouvelle-France. C'est seulement au bord du Saint-Laurent que demeure intacte l'âme de la France éternelle… une âme qu'elle a souillée dans le sang sur le vieux continent. Depuis la visite de notre pauvre Alexis de Tocqueville, qui ne peut tout de même pas toujours avoir tort, nous le savons : « La vieille France est au Canada. »*

Les mots se répercutent dans la lumière verte.

Notes du rêveur

Le baron de Damas

Il s'agit de l'ancien ministre de la Guerre, celui qui avait, par la suite, remplacé Chateaubriand au ministère des Affaires étrangères de France avant de se consacrer à l'éducation du duc de Bordeaux, le futur Henri V, selon la thèse légitimiste.

Le militaire s'était même battu contre Napoléon sous les ordres du tsar de Russie. Retiré depuis quelques années dans le château de sa femme, à Hautefort, dans le Périgord, il préparait une nouvelle restauration véritable, car il refusait ce roi des Français qui régnait sous le drapeau tricolore : Louis-Philippe Ier, dont le père – qui se faisait appeler Philippe Égalité – avait voté la mort de son propre cousin, Louis XVI. Cette famille qualifiée d'aventuriers révolutionnaires répugnait au baron de Damas.

Mgr de Forbin-Janson

Je connaissais un peu cet épisode ayant suivi les troubles de 1837-1838.

En 1840, Ignace Bourget avait nommé Charles de Forbin-Janson, évêque de Nancy en voyage apostolique aux États-Unis et au Canada, vicaire général de Montréal, ce qui avait donné au prédicateur français un accès privilégié à toutes les tribunes. Charles de Forbin-Janson constituait un phénomène d'éloquence. Il avait emporté l'adhésion de ce peuple peu instruit, impressionné par un tel lyrisme. De plus, les autorités anglaises s'étaient montrées plus que réticentes, ce qui avait rassuré les Canadiens français. Le *Herald* l'avait même accusé de prêcher la trahison dans les campagnes. L'orateur ne manquait ni de détermination ni d'audace. Il s'était lancé dans une campagne pour le retour des exilés, chassés de leur pays en 1839 vers les lointaines terres australiennes. Pendant son séjour à Burlington, il pousserait même l'esprit d'indépendance jusqu'à loger dans la maison de Ludger Duvernay, un expatrié des troubles de 1837.

Pour les Canadiens français, Charles de Forbin-Janson représentait la vieille France dont on cultivait la nostalgie sur les bords du Saint-Laurent : celle de saint Louis.

Pour le fou de Dieu, ce peuple qui l'ovationnait incarnait un puissant espoir : « Je ne pense pas qu'il y ait sur le globe une autre population catholique aussi nombreuse, où la foi soit aussi unie et pure que dans notre Canada. »

La sincérité du prédicateur ne faisait pas de doute : « Le cœur de l'homme a une telle capacité que Dieu seul peut le remplir. » Son intransigeance non plus : « Les impies convoitent le néant, ils ne l'auront pas, non, non, ils ne l'auront pas; ils auront l'éternité.» De l'homme, le pape Grégoire XVI disait: «Je n'ai jamais connu de plus saint prélat.»

Dès son retour en Europe, Forbin-Janson s'était rendu à Londres pour plaider la cause des déportés.

Quittant Sydney le 9 juillet 1844, ils purent rentrer au pays après un exil de cinq ans.

Deux jours plus tard, dans le château de Guilhermy, près de Marseille, Charles de Forbin-Janson alla vérifier si l'éternité lui répondrait.

Retour page 198

LE RÉVISIONNISME ONIRIQUE
Séquence 8

Le beau rêve de Gilbert se poursuit.

En Amérique, il voit que son personnage de père Gilbert prépare un plumage de colombe pour une Église canadienne dans laquelle bat un cœur de serpent, obstiné à vivre.

— Cette fois, la France ne laissera pas tomber les héritiers du fleuve.

Sans laisser de traces dans l'Histoire, dans l'ombre de Mgr Bourget, le père Gilbert facilitera toutes les démarches.

— Nous devons injecter régulièrement dans le peuple canadien-français un sérum thérapeutique. Il faut immuniser notre jeune nation contre l'assimilation américaine et la capitulation morale devant les forces de Mammon qui ont écrasé les téméraires victimes manipulées en 1837-1838. La ploutocratie britannique qui tient Montréal et le commerce ne reculera devant rien pour assurer sa domination. Je connais bien les Anglais. On ne peut pas leur faire confiance. Ils donnent d'une main pour reprendre de l'autre.

Ignace Bourget ne peut s'empêcher de l'interrompre.

— Vous parlez comme les révoltés.

— Sur le fond, le mouvement des Patriotes défendait une juste cause, Ignace. Mais l'indignation compréhensible et la colère, mauvaise conseillère, ne doivent jamais être confondues. Les Patriotes ont prouvé qu'on ne peut pas battre les Anglais de Montréal par les armes. Pas seuls. Pas maintenant. Je me réjouis de la sagesse de votre prédécesseur.

Mgr Bourget approuve.

— C'est juste; ce cher Jean-Jacques Lartigue, subissant les foudres et le mépris de tant de monde, avait pourtant adopté la bonne attitude.

— Cependant, on ne doit pas en rester à la passivité. Depuis trop longtemps, ceux qui détiennent le pouvoir au nord du continent ne servent que leurs propres intérêts; voilà la véritable sédition.

Le rêveur comprend ce qui pousse le religieux en mission. Il lui souffle une réplique.

— Si nous n'agissons pas, les Canadiens français étouffe-ront sous la mauvaise foi des marchands de Montréal qui souhaitent leur disparition.

Gilbert sait ce que doit faire son personnage. Il s'écoute convaincre Ignace Bourget.

— Il faut encadrer ce peuple: quoi de mieux qu'un clergé solide entouré de communautés religieuses investies dans l'éducation populaire et l'action sociale? Soit, le pouvoir politique nous échappe, mais le peuple nous demeure fidèle. Et pour le reste, seul un pouvoir émanant de Dieu saurait ordonner le monde.

Le rêveur s'amuse à mettre dans la bouche de son personnage des paroles du baron de Damas.

— Il faut une autorité morale fondée sur un autre principe que les Droits de l'Homme, et Dieu la fera naître, ou la société périra.

La lumière verte s'estompe sous les paupières du curé du Mile End.

Notes du rêveur

La sédition et saint Thomas d'Aquin

Pour emporter l'adhésion de son ami Ignace Bourget, arche-vêque de Montréal, le religieux français aurait pu lui lire un extrait de l'œuvre d'un grand théologien qui faisait déjà école depuis des centaines d'années: «Le gouvernement tyrannique n'est pas juste, parce qu'il n'est pas ordonné au bien commun, mais au bien particulier de celui qui gouverne. [...] Aussi, le renversement de ce régime n'a pas le caractère d'une sédition, sauf peut-être dans le cas où le renversement se ferait avec tant de désordre qu'il entraînerait pour les sujets plus de dommages que la tyrannie elle-même. Mais c'est bien plutôt le tyran qui est séditieux en entretenant des discordes et des séditions dans le peuple qui lui est soumis afin de pouvoir plus sûrement le dominer.»

Ignace aurait volontiers reconnu l'autorité morale de saint Thomas d'Aquin...

En 1842, l'archevêque de Montréal, né sur la rive sud de Québec où tout le monde parlait français, assumait l'autorité religieuse dans une ville majoritairement anglophone. Il ne pouvait que ressentir intimement son statut d'inférieur.

L'illusion parlementaire

Conséquence de la répression réussie au profit des marchands de Montréal, le nouveau gouvernement d'Union créé en 1840 reposait sur des bases injustes.

Le clan des politiciens canadiens-français, manipulé en 1837-1838, retombait dans un nouveau panneau et suivait Louis-Hippolyte La Fontaine, qui jouait encore une fois au plus fin avec une Angleterre respectant ses principes tant qu'ils la servaient, pas davantage. Contrairement aux Patriotes, que leur incapacité à rester souples avait conduits à l'abattoir, le politicien s'adonnait sincèrement à la joute politique... avec un adversaire malhonnête.

Après quelques années, dans la belle illusion de partager la direction politique de l'Union, les Canadiens français avaient obtenu du Parlement britannique droit de cité pour la langue française en Chambre et dans les documents officiels. Aux commandes de l'économie anglaise, les nouveaux industriels s'étaient aisément accommodés d'une concession sans importance pour eux. Ces hommes brutaux, incultes, énergiques et remarquablement organisés étourdissaient de plus en plus le monde en propageant la grande fièvre des chemins de fer.

L'attachement des parlementaires à leur langue assurait aussi les entrepreneurs anglais contre une menace qui ne cesserait jamais de planer sur l'Amérique septentrionale : l'ambition gargantuesque des États-Unis.

C'est toujours parce que notre existence arrangeait les marchands que nous gardions la tête au-dessus des eaux assimilatrices.

Le mouvement religieux

En accompagnant l'archevêque de Montréal sur ses terres, ce père Gilbert de mon rêve n'aurait pas posé le pied dans un désert.

Convaincu que l'Église devait dominer l'État, ultramontain croyant que le pouvoir divin du pape chapeautait le monde matériel et le domaine politique, Ignace Bourget profitait de l'attitude inflexible de son prédécesseur, Jean-Jacques Lartigue, pendant la crise meurtrière dont sortait à peine son peuple. L'Église jouissait de beaucoup de liberté.

Depuis quelques années, un mouvement prenait forme. De cent trente-sept pauvres prêtres laissés à la Conquête en 1760, on avait péniblement haussé le nombre à trois cent vingt-trois en 1837. La bonne nouvelle statistique venait tout de suite : en 1840, on était rendu à quatre cent soixante-quatre prêtres. De plus, on comptait sept communautés religieuses.

Au printemps de 1842, l'action d'Ignace Bourget auprès de ses collègues français donna un premier résultat. Chassés par les vainqueurs après la Conquête, spoliés de leurs propriétés léguées au général Amherst, les Jésuites rentrèrent à Montréal. Le 31 mai, neuf prêtres de la Compagnie de Jésus reprirent le travail apostolique de leurs prédécesseurs.

Le dynamisme d'Ignace poussait les bonnes âmes à l'ouvrage. Mgr Bourget attirait des paroissiennes que la misère partout présente interpellait. Elles voulaient porter assistance aux nécessiteux, aux orphelins, aux malades. Émue par le sort des mères célibataires, une armée de veuves et de vierges désirait se donner à la préservation morale et aux soins des pauvres « enfants du péché ». Mgr Bourget n'hésitait pas à pousser les plus ferventes à une action soutenue. Il décidait, elles exécutaient. Bien dans l'esprit de son époque, Ignace connaissait ses classiques : « La femme religieuse suit l'homme apostolique. » Le mâle en soutane ne constituait pas une exception. En 1834, les Patriotes eux-mêmes s'étaient battus pour l'abolition du droit de vote des femmes. Au moment où l'archevêque de Montréal enchaînait les fondations de communautés religieuses féminines, les politiciens touchaient leur objectif : en 1849, les femmes perdaient le droit de vote obtenu des Anglais en 1791.

En moins de dix ans, les efforts de l'archevêque affichaient des résultats impressionnants : les sept communautés religieuses de 1840 étaient passées à trente-six en 1850. Six cent vingt prêtres assuraient la direction spirituelle de cette nouvelle puissance apostolique.

La situation en France

La France n'avait pas encore retrouvé sa stabilité. En 1848, on avait chassé Louis-Philippe Ier. Après un gouvernement provisoire menant à une élection, Louis-Napoléon Bonaparte avait obtenu plus de soixante-quinze pour cent des suffrages exprimés. Le neveu de Napoléon Ier répugnait depuis toujours aux légitimistes qui, heureusement pour eux, savaient que l'Histoire aime se répéter. Cependant, pour une vingtaine d'années, ils auraient à exercer leur patience.

Retour page 218

*U*n carrousel emporte le dormeur de scène en scène, à la façon d'un vidéoclip.

Un jeune Métis de vingt-cinq ans se jette dans les bras du père Gilbert. Le rêveur reconnaît Louis Riel, le chef des francophones de l'Ouest canadien. Le nouveau président du gouvernement provisoire de ce qui deviendra le Manitoba semble affolé.

— Père Gilbert, je dois tuer un homme.

Gilbert Fortin comprend: il s'agit d'un Irlandais ontarien opposé au gouvernement provisoire. Thomas Scott a fui la prison. On dit l'homme violemment anti-catholique. Le 3 mars 1870, le tribunal a fixé sa mort au lendemain. Gilbert sait que, dans l'Histoire réelle, l'exécution de Scott a perdu Riel. Il intervient à travers son personnage onirique.

— Non, Louis: en l'exécutant, tu te condamnes et tu entraînes ton peuple vers la mort. J'ai un rêve, Louis. Tu dois gagner du temps…

Puis, le visage d'Ignace Bourget surgit. Gilbert sait ce que son prêtre français doit dire.

— Il faut cesser les luttes fratricides qui déchirent le peuple canadien-français. On doit s'organiser pour une possible résistance…

Le carrousel tourne encore : le père Gilbert vole au-dessus de l'Atlantique.

En Angleterre, il termine un long dialogue avec le Premier ministre Gladstone.

— *Il ne s'agit pas de sortir le Canada de l'Empire britannique. On parle de créer des entités politiques distinctes. Dès son retour prévisible sur le trône de France, Henri V ne pourra pas laisser écraser de cette façon ses enfants exilés dans le Nouveau Monde. Faudra-t-il en arriver à une opposition déchirante avec l'Angleterre ? N'en a-t-elle pas assez des difficultés qu'elle rencontre déjà en Irlande ? Monsieur le Premier ministre, nous vous demandons simplement de proposer à la reine Victoria d'ajouter un fleuron à sa couronne : une possession autonome catholique où l'on parlera le français. Sa Majesté s'attachera pour toujours un peuple reconnaissant…*

Un nouveau visage apparaît.

Le barbu rondelet à l'allure débonnaire, qui espère marcher sur les traces de saint Louis, s'apprête à signer une lettre de renonciation parce qu'on veut lui imposer le drapeau révolutionnaire : « Français, Henri V ne peut abandonner le drapeau blanc d'Henri IV. »

Gilbert Fortin sait ce que le religieux doit lui dire.

— *Majesté, imitez plutôt Henri IV qui, pour accéder au trône, a sagement déclaré : « Paris vaut bien une messe. »*

Une autre voix monte. Cette fois, Gilbert Fortin demeure un témoin muet. Mgr Bourget parle longtemps à une assemblée de politiciens canadiens-français de tous les clans.

— *Les démarches du père Gilbert en Angleterre portent fruit. Le saint roi Henri V occupe le trône de France. Il accepte de servir de caution aux ambitions canadiennes-françaises. Il vous suffira de faire comprendre à vos alliés politiques anglophones que, cette fois, l'Église ne retiendra pas le mouvement qui naîtra vite dans le peuple si l'on poursuit les injustices. Deux peuples habitent le nord de l'Amérique. Il faut créer deux pays libres, amis, associés. Autrement, on passera les cent prochaines années dans les disputes. Au nom de l'efficacité, si chère aux Anglo-Saxons, il vaut mieux respecter les faits et agir en conséquence : un pays, majoritairement français ; un autre, anglais ; chacun marquera son respect et sa considération pour la minorité qui choisira d'y vivre. Pour le reste, chaque entité politique prendra ses décisions et vivra à sa façon.*

Les politiciens, éberlués par les propos de Mgr Bourget, devant l'accord de Mgr Taschereau de Québec, se regardent, médusés. Pourtant, oui, ils les croient. De plus, on a l'appui de la France et la neutralité du Parlement britannique. Le rêve des ancêtres va se réaliser. Ce peuple formera un pays.

Dans son sommeil, le rêveur s'agite. Une dernière séquence ne dégage pas la paix ressentie depuis le début du songe et respecte une logique matérielle implacable : cette fois, pas de « vol à la Superman ».

Sur le chemin du retour vers l'Amérique, le bateau qui ramène le père Gilbert sombre. Le religieux s'enfonce dans l'eau glacée en lançant vers Dieu une ultime prière : « Je vais enfin savoir si tu existes. »

Puis, il se baptise dans l'eau verte.

Notes du rêveur

Mes recherches rapportent : le subconscient travaille. Je crois bien avoir trouvé un moment dans l'Histoire où l'on aurait pu créer un pays de langue française en Amérique. Tant en Angleterre qu'en France et au Canada, les événements auraient pu permettre un repositionnement géopolitique.

Il n'a manqué qu'un homme comme ce père Gilbert de mon rêve. Je suis de plus en plus porté à croire qu'il suffit d'un homme plein de foi et vide d'intérêt personnel pour modifier le cours de l'Histoire. Oui, il suffit à cet homme de donner sa vie... Pour cela, il faut beaucoup de foi et une conception bien supérieure de la vie.

Louis Riel

Voilà quelqu'un qui aurait peut-être pu...

Le père de Louis avait songé un moment à devenir prêtre. L'ancien séminariste s'était marié à une jeune fille qui avait aussi envisagé la vie religieuse. Louis, né à Saint-Boniface, était imprégné de catholicisme. Ayant grandi dans le peuple métis, il avait développé une conscience aiguë de ses racines. Sur les bords de la rivière Rouge, ces enfants de Français et d'Amérindiennes formaient une colonie française et catholique installée sur le territoire Rupert. Les terres appartenaient à la Compagnie de la Baie d'Hudson et s'étendaient jusqu'aux Rocheuses. Les Canadiens français de la province de Québec considéraient qu'il s'agissait d'un essaimage dont ils se sentaient solidaires et responsables. Un évêque s'y était même établi. Mgr Langevin travaillait à l'enracinement d'une Église locale où de jeunes prêtres deviendraient les curés des nouvelles paroisses.

En 1858, il envoya le jeune Louis et deux compagnons au Collège de Montréal. Le brillant garçon se formerait en vue du sacerdoce.

À la mort de son père en 1864, le jeune Louis de vingt ans s'était laissé distraire. Il avait même abandonné ses études. Montréal débordait d'activité politique. Le nationalisme y occupait beaucoup d'espace. Les ultramontains de l'école de Mgr Bourget s'opposaient au projet de Confédération. Louis travaillait chez un avocat aussi anti-clérical qu'anti-confédéré. Le jeune homme, déjà déchiré intérieurement, avait signé un contrat de mariage avec une Canadienne française, mais les parents de la jeune fille s'étaient opposés à ce qu'elle épouse un Métis et le mariage n'avait pas eu lieu.

Louis s'était rendu au nord des États-Unis, où il avait rejoint, disait-on, le poète Louis Fréchette et un groupe de nationalistes en exil.

Puis, après dix ans d'absence, le 26 juillet 1868, Louis Riel rentra finalement à Saint-Boniface. Instruit, sans argent, le jeune homme amorça une véritable épopée.

Formation du Canada et vente de Rupertland
Au Canada-Uni, de 1854 à 1864, on avait vécu une instabilité parlementaire chronique. En dix ans, dix gouvernements s'étaient passé la responsabilité ministérielle. À l'Est, les provinces maritimes parlaient de s'unir.

En dessous des politiciens, les taupes de la grande industrie et les rois du chemin de fer s'activaient.

Le Canada-Uni et les colonies des Maritimes négociaient maintenant une constitution commune. En 1864, l'Église avait appuyé le projet. Toute l'Église? Non, pas Mgr Bourget. En un quart de siècle, à chaque périple, il avait ramené des communautés religieuses européennes au Québec. La structure sociale reposait en partie sur elles. Ignace tentait d'imprimer dans les esprits canadiens-français une autorité à l'image de celle du souverain pontife sur l'Église. Les conflits se multipliaient avec l'autre école de pensée de l'élite canadienne-française : ceux qui ne pardonnaient pas à l'Église sa position depuis la Conquête. Pour eux, l'Église couchait avec les Anglais. Pour l'Église, ces innocents voulaient jeter leur peuple dans la gueule du Moloch américain, qui ne ferait qu'une bouchée de la langue et de la foi de leurs enfants.

Pendant que les Canadiens français se déchiraient, les politiciens avaient réussi à imposer une constitution sans oser consulter le peuple. La législature du Canada-Uni l'avait adoptée par une seule voix de majorité chez les Canadiens français. Signée le 1er juillet 1867, elle ouvrait toutes grandes les portes aux injustices pour tous ceux qui parlaient français, surtout en dehors de la province de Québec qui accordait à sa minorité anglophone des droits que les autres provinces anglophones refuseraient vite à leurs minorités francophones. En 1869, le nouveau Canada négociait l'achat du vaste territoire Rupert, propriété de la Compagnie de la Baie d'Hudson. On marchait vers l'Ouest en écrasant les pieds de ceux qui y vivaient depuis des générations.

Au Manitoba, les abus dépassaient l'entendement. Le mépris pour les Canadiens français s'ajoutait au dédain pour les Sauvages. Un peuple majoritaire de Métis subissait l'arrogance des colons anglais qui convoitaient leurs terres. Les Métis poursuivaient leur mode de vie traditionnel sur un vaste territoire de chasse et de pêche.

Au lieu de chasser les troupeaux de bisons dans les plaines de l'Ouest, les industriels anglais et les soldats britanniques au service du Dominion of Canada chassaient les tribus bâtardes.

En 1868, le Canada, vieux d'une année, ne regroupait que le Québec, l'Ontario, le Nouveau-Brunswick et la Nouvelle-Écosse. Tout l'Ouest appartenait donc encore à la Compagnie de la Baie d'Hudson. Les Métis s'y étaient fait une place et jouaient dans l'administration de la colonie un rôle politique admis par la Compagnie.

Le territoire intéressait beaucoup de monde. Aux États-Unis, un mouvement annexionniste manifestait l'intention d'avaler le territoire Rupert jusqu'aux Rocheuses. Des colons orangistes partis de l'Ontario s'étaient établis depuis longtemps à côté des Métis. Les conflits entre les deux groupes s'additionnaient, comme partout au Canada entre les anglophones et les francophones.

Une chance inouïe se présenta. En 1869, la Compagnie de la Baie d'Hudson proposa de vendre le territoire Rupert au Canada. Cependant, le changement menaçait réellement les Métis, qui vivaient conformément à des coutumes françaises, sans convention officielle avec la Compagnie. De plus, les

Canadians installés autour de Fort Garry voulaient que ce nouveau centre commercial soit annexé au Canada selon leurs propres règles de fonctionnement.

Au-delà des problèmes de langue et de religion, les Métis craignaient avec raison de perdre leurs terres. Leur occupation s'étant effectuée spontanément, ils n'en possédaient pas les titres. Légalement, c'étaient des squatters.

Au cours de l'été 1869, le gouvernement canadien, acheteur prévu du territoire, envoya des arpenteurs jusqu'à la rivière Rouge. Ils entreprirent l'arpentage dans le style ontarien. Divisant le territoire en carrés, ils coupaient à travers les lots des Métis, sans tenir compte de la propriété effective de ceux qui cultivaient ces terres depuis des décennies. Selon la coutume française, on avait donné accès à la rivière au bout de chaque lot tout en longueur.

Le 11 octobre 1869, sur le terrain de son cousin André Nault, le jeune Louis Riel de vingt-cinq ans et seize Métis mirent le pied sur la chaîne d'arpentage. C'était le premier acte de résistance au transfert de la colonie au Canada, prévu pour le 1er décembre. Les Métis venaient aussi de se trouver un chef : Louis Riel.

Le gouvernement du Canada lui donnerait l'occasion de profiter des erreurs de ses politiciens. Ce qu'il n'a pas réussi dans l'Histoire, mon personnage de religieux l'aidera à le réaliser.

Les représentants du Canada mirent la charrue devant les bœufs. Le futur lieutenant-gouverneur de Rupertland s'amena dès octobre pour prendre possession du territoire, plus d'un mois à l'avance. Pour Louis, devenu secrétaire du Comité national des Métis, pas question de pénétrer dans le pays sans l'autorisation du Comité ; le geste du Canada était illégal. Riel s'indignait : la Compagnie de la Baie d'Hudson ne pouvait pas vendre les gens comme elle le faisait des terres. Le Canada devait négocier avec les habitants de la colonie.

En novembre, un groupe de Métis conduisit le futur lieutenant-gouverneur à la frontière américaine. Même si l'élément franco-catholique constituait le seul appui solide de Louis Riel, la liste des droits qu'il voulait négocier avec le gouvernement du Canada recevait l'approbation de toutes les factions.

Une semaine avant l'échéance, le 23 novembre 1869, Louis proposa la formation d'un gouvernement provisoire, huit jours avant le transfert officiel au Canada.

Le 1er décembre, une erreur fatale aurait pu changer le sort du peuple francophone d'Amérique. Louis Riel n'a pas su l'utiliser, mais dans mon rêve, le père Gilbert change le cours de l'Histoire.

Ce qui suit est historique.

À cause des troubles dans la colonie, le Premier ministre canadien Macdonald avait retardé le paiement dû à la Compagnie de la Baie d'Hudson.

Sûr de lui, le 1er décembre, le lieutenant-gouverneur McDougall proclama le transfert. Personne ne s'était préoccupé de le prévenir du retard dans le versement des fonds.

À cet instant, le gouvernement provisoire de Louis Riel devint légitime, la Compagnie ayant perdu toute autorité et le Canada, faute d'avoir payé, n'en possédant aucune.

Deux jours après Noël, Louis Riel fut proclamé président de ce gouvernement. À peine deux mois plus tard, il commit l'erreur d'exécuter un Irlandais, ce qui le condamna auprès des autorités canadiennes.

C'est cette exécution que, dans mon rêve, le père Gilbert empêche en parlant à Louis, avant de partir en Europe.

L'Angleterre

En 1870, depuis plus d'une année, le libéral William Ewart Gladstone occupait le siège de Premier ministre. L'ancien théologien amateur d'Homère, d'Aristote et de Dante s'était bâti en 1851 une réputation de «défenseur de la liberté, de héros national et d'autorité morale européenne». Scandalisé par le sort réservé aux prisonniers de guerre à Naples, qualifié par lui de «négation de Dieu», il avait écrit les *Lettres à Lord Aberdeen* pour dénoncer la situation. Ces lettres lui apporteraient la célébrité. En Europe, le père Gilbert et ses amis diplomates auraient pu se rendre en Angleterre dès le printemps de 1870. Gladstone ne pouvait que se réjouir de la chute inéluctable du Second Empire. Aurait-il accueilli favorablement l'idée de jouer une nouvelle fois le rôle de défenseur de la liberté... d'autant plus facilement que cela ne lui coûterait rien et que l'Angleterre n'y perdrait pas davantage? Le père Gilbert n'aurait pas manqué d'arguments. Le territoire nord-américain serait ainsi assuré d'une paix durable. Le conflit qui s'était apaisé avec les Métis reprendrait si on ne profitait pas de la pause que Louis Riel avait acceptée. En fait, le père Gilbert aurait pu reprendre les revendications défendues par tous les chefs politiques canadiens-français depuis le début du dix-neuvième siècle. Le Premier ministre Gladstone se serait peut-être montré compréhensif, sans se compromettre, en attendant que le roi Henri V soit bien installé sur le trône et qu'il ait rétabli l'ordre dans son pays, en employant «la force au service de la justice», comme le promettait déjà l'héritier légitime du trône.

Il restait au père Gilbert à se tourner vers les industriels qui finançaient la construction du chemin de fer au Canada pour leur garantir que le projet ne serait pas pénalisé. Jouant une carte uniquement motivée par un intérêt supérieur, il aurait pu faire valoir le désordre dans lequel le Premier ministre canadien avait plongé l'intégration de l'Ouest dans la Confédération. Le saint religieux aurait parlé à mots couverts de certains abus d'alcool qui touchaient des personnages occupant de très hautes fonctions au Canada, en promettant la loi et l'ordre: s'il fallait contrer la soldatesque, on trouverait bien le moyen d'y parvenir. Sans parler ouvertement d'intervention de la France ni de soulèvements des Canadien français, il aurait seulement laissé entrevoir tous les désordres qui résulteraient de l'incompréhension des grands argentiers du chemin de fer.

Quant aux États-Unis, les Nordistes vainqueurs avaient mal digéré que le Canada ait servi de base à l'Angleterre pour appuyer les Sudistes pendant la guerre de Sécession. Toute division du nord du continent réjouirait la nouvelle puissance. Les Américains espéraient toujours absorber l'ensemble de la région septentrionale. En 1867, W. H. Seward, secrétaire d'État américain, l'affirmait encore: « Je sais que c'est une loi de la Nature que ce continent tout entier doit un jour ou l'autre entrer dans l'orbite magique de l'union américaine. » Oui, la menace américaine demeurerait toujours réelle, d'où – selon le père Gilbert – le besoin pour les Canadiens français de l'Empire britannique.

Il lui restait à se tourner vers la France…

La France en 1871

Après son élection, il ne fallut pas trois ans pour que le président de la Seconde République, Louis-Napoléon Bonaparte, effectue un coup d'État et devienne seul maître de la France, à la tête du Second Empire. Pendant une vingtaine d'années, Napoléon III s'agita dans tous les sens. Finalement, l'empereur courut de défaite en défaite face aux Prussiens de Bismarck.

Le règne de Napoléon III se termina par la capitulation de l'empereur, à Sedan, le 2 septembre 1870. Les armées prussiennes poursuivirent leur avancée, bombardèrent Paris, puis défilèrent sur les Champs-Élysées le 2 mars 1871.

Une suite de soulèvements populaires étourdit la France, des communes s'étant créées de Marseille à Paris.

En juin 1871, le pays appelait un rétablissement de l'ordre moral. Déjà, le 28 janvier 1871, les élections françaises avaient donné les deux tiers des sièges de l'Assemblée aux royalistes. Le 8 juin, on abrogea la loi d'exil et le 5 juillet Henri d'Artois, comte de Chambord, héritier légitime du trône de France, se vit sollicité. Henri V devait cependant se plier à une condition : on ne voulait pas remplacer le drapeau tricolore par le drapeau blanc des rois de France. Rentré à Chambord, l'héritier légitime travailla à la rédaction d'un manifeste hostile à l'héritage de la Révolution française. Il tenait mordicus au drapeau blanc de ses ancêtres et refusait tout compromis, se référant au symbole de droit divin qu'il représentait. Il avait pondu un texte lyrique sur les prouesses d'Henri IV, de François Ier, de Jeanne d'Arc : « Dans les plis glorieux de cet étendard sans tache, je vous apporterai l'ordre et la liberté. Français, Henri V ne peut abandonner le drapeau blanc d'Henri IV. » En cas de refus, il renonçait à la couronne. Et c'est bien ce qui se produisit.

C'est ici qu'intervient le père Gilbert de mon rêve pour lui rappeler les paroles de son ancêtre Henri IV, converti au catholicisme afin d'accéder au trône : « Paris vaut bien une messe. » Le père Gilbert achève ainsi de convaincre Henri V de penser d'abord au devoir que Dieu lui commande. En supposant que le comte de Chambord se soit laissé convaincre, on peut facilement imaginer la suite de mon scénario onirique.

Cinéma…

Ainsi, à la fin de 1871, grâce à cette intervention opportune du père Gilbert auprès de son confident royal, Henri V monte sur le trône de France en acceptant raisonnablement le drapeau tricolore… dont il se défera rapidement.

Désormais, les Canadiens français peuvent renouer avec la mère patrie, la régicide s'étant amendée.

Le père Gilbert, satisfait du devoir accompli en Europe, et sentant la nostalgie de son pays d'adoption, s'en ouvre au roi. Le sort du pays d'adoption du père Gilbert dépend du monarque. En compagnie de son ami Ignace, le prêtre a accompli une tâche grandiose au bord du Saint-Laurent. Il faut maintenant réaliser le rêve que le père Gilbert entretient depuis son arrivée à Montréal.

— Majesté, nous avons besoin de notre roi pour créer un État français au Canada. Nous l'aurons, notre Amérique française et catholique.

Henri V acquiesce d'autant plus facilement que cela ne coûte rien, puisque l'Angleterre coopère...

Cinéma, oui... mais quel beau film !

Au Canada

Sans l'appui des industriels anglais, les *Canadians* n'auraient pas pu imposer leurs vues. Face aux soldats britanniques déployés au Canada, les Canadiens français et les Métis se seraient adonnés à ce que l'on appelait la « petite guerre ». Les Anglais ne savaient pas se défendre contre la guérilla. L'Histoire leur en était témoin. Le sens pratique anglo-saxon aurait fait le reste, tout comme aux États-Unis, après l'Indépendance américaine.

Chez les Canadiens français, il est plausible d'imaginer parmi les politiciens le consensus auquel parvient le personnage. Au-delà des querelles, ces hommes s'identifiaient à la nation canadienne-française. Ils avaient accepté la Confédération comme un moindre mal.

Bien du travail pour un seul homme ? Oui, mais on rêve...

Retour page 237

Je n'en reviens pas : la réalité se révèle à l'opposé de ce que je rêve la nuit.

Le jeune Louis XIV reste marqué par la vie errante de la Cour pendant les deux mouvements de révolte : les Frondes. Devenu roi, imbu de la nature divine de son pouvoir, il se pose comme infaillible, incarnant bien le Roi-Soleil.

Pour son surintendant des finances, Jean-Baptiste Colbert, les colonies ne représentent qu'un élément de l'organisation de la métropole. On puise leurs matières premières et l'on assure leur survie. Une timide tentative de peuplement se résume, en tout et pour tout, à l'envoi d'une poignée d'immigrants : 3 900 engagés pouvant rentrer en France au bout de trois ans, 3 500 soldats, 1 100 filles à marier, 1 000 prisonniers et 500 volontaires. Ces 10 000 personnes forment la racine d'où sort l'expression « Québécois de souche ».

Au début du vingt et unième siècle, plus de douze millions de descendants de ces dix mille Français arrivés ici — pour vivre moins mal — peuplent l'Amérique : six ici et plus de six aux États-Unis. Ces Américains de même origine sont-ils des Québécois ? Non, bien sûr. Cette jeune famille aux couleurs haïtiennes rencontrée aux fêtes du Mile End forme-t-elle une famille québécoise ? Oui, évidemment. Ainsi, en disant « nous, les Québécois », on ne s'appuie pas sur le racisme. Est-ce tout simplement ethnique ? Cela définit un peuple né sur une terre ou l'ayant choisie... quelle que soit l'époque : hier ou maintenant ?

Toute la richesse de l'idée me saisit, me sert d'appui et de moteur. Bon ! Retour aux notes.

Sous Louis XIV, on voit un pays prétendre rester une puissance coloniale, face à l'Angleterre, tout en cessant de développer sa puissance navale. Pris en Europe dans ses guerres d'expansion, Louis XIV, par ses émissaires, signifie à Frontenac, gouverneur de Québec, qu'il ne peut supporter plus longtemps la dépense à laquelle l'entraîne la colonie. La fragilité de la Nouvelle-France apparaît dans toute son ampleur quand on sait que 200 000 colons anglophones habitent la côte atlantique alors que 10 000 Français peuplent la Nouvelle-France. La survivance du petit peuple tient déjà du miracle.

Dans mon rêve, le père Gilbert prépare l'implantation d'une colonie de 300 000 personnes de l'Acadie aux rives du Saint-Laurent, du Mississippi aux Grands Lacs. Oui, voilà ce qu'il fallait entreprendre.

Pourtant, à la fin du dix-septième siècle, le petit contingent ne manque pas de vitalité : il vient de gagner deux guerres indigènes et un conflit armé avec l'Amérique anglaise. Les Canadiens ont attaqué la Nouvelle-Angleterre, le New York, Terre-Neuve et la baie d'Hudson, qu'ils ont enlevée à l'Hudson Bay Compagny. En 1690, ils ont repoussé devant Québec l'escadre de Phips. Enfin, en 1699, Pierre Le Moyne d'Iberville apparaît dans le golfe du Mexique avant de remonter le cours intérieur du Mississippi pour fonder la Louisiane.

De la baie d'Hudson au golfe du Mexique et de Terre-Neuve à l'ouest des Grands Lacs, partout la présence canadienne se manifeste par une petite armée solide de combattants, d'explorateurs, de commerçants, de missionnaires et d'organisateurs.

En consultant un atlas, on peut juger, devant cette puissance territoriale, de l'importance de la découverte du Saint-Laurent

et de la justesse du choix de Champlain et de son commandi-
taire Pierre Dugua de Mons, ayant opté pour le Saint-Laurent
au lieu du littoral.

Comment expliquer la décision prise en 1696 par Louis XIV
et Pontchartrain, son ministre de la Marine? Ils jugent alors
suffisant l'accès à la Louisiane par la mer et abandonnent le
territoire au sud et à l'ouest des Grands Lacs. Callière, le gouverneur de Montréal, fulmine avec raison: on laisse la place
aux Anglais.

Retour page 61

La genèse de l'identité québécoise

Les « gens de mon pays » sont d'abord passés de Français à Canadiens, puis de Canadien français à – désormais – Québécois. Au départ, ce sont les autochtones qu'on appelle les Canadiens. Tout simplement parce qu'ils habitent un coin de territoire qu'ils nomment « Canada » pour signifier « ville » ou « village ». Quand le mot « Canadien » cesse-t-il de nommer les « Sauvages » ? Très tôt. Avant la fin du dix-septième siècle, on distingue déjà les hivernants canadiens des Français plus raffinés. Les nouveaux arrivants de France veulent se dissocier de ces demi-sauvages que nous sommes devenus. Pour survivre dans ces contrées plus rudes, nos ancêtres ont plongé dans le mode de vie des Amérindiens comme dans du sirop d'érable. À la fin du Régime français, deux camps se partagent la gouvernance de la colonie : les Canadiens, avec Vaudreuil ; et les Français, sous les ordres de Montcalm. Et l'intendant Bigot vole tout le monde…

Bon ! Je suis conscient que ce résumé tourne les coins ronds et qu'un historien le qualifiera avec raison de réducteur. Mais le fait demeure : nous étions devenus des Canadiens, nous n'étions plus des Français. Ils étaient repartis ; nous étions restés. Fin du Régime français, oui ; mais fin aussi de la monarchie absolue comme mode de gouvernement. On n'y tolérait pas la moindre opposition. L'historien Marcel Trudel raconte qu'à la fin du dix-septième siècle le gouverneur Frontenac avait reçu des instructions formelles : « Que personne ne parle pour tous, que chacun parle pour soi.» Un jour, un Canadien s'était rendu auprès du gouverneur pour demander la permission de présenter une pétition – seulement demander la permission, non pas présenter la pétition –, il avait tout de suite été accusé de sédition et jeté en prison.

Oui, je sais que l'on était passé d'un régime royal absolutiste français au parlementarisme anglais: tout de même un pas vers la démocratie... Alors, quoi? Ah! Si on avait accepté de passer à l'anglais...

Peut-on tout réduire à un problème de langue? Non, bien sûr. La question religieuse a autant d'importance, mais je vais la traiter plus tard: trop, c'est trop.

La langue et la religion vont tracer la frontière pour les Canadiens quand les Anglais auront chassé les Français. Il faudra longtemps aux anciens Canadiens pour accepter que les conquérants ne soient plus des étrangers, des envahisseurs sur les terres qu'ils ont défrichées. Et quand la nécessité a fait loi, la langue elle-même a tranché. Nous sommes devenus des Canadiens français, condamnés à un sort de minorité. Quand, par la bouche des dirigeants de l'Empire britannique, notre chez-nous s'est appelé «The Province of Quebec», Londres nous a de nouveau définis, faisant de nous des Québécois. Québec: passage étroit. Encore et toujours, d'autres nous définissaient: après les Français, les Anglais. Lentement, le Canada est devenu l'ailleurs, tout en restant chez nous.

Depuis, l'érosion du nombre se poursuit, comme la chronique d'une mort annoncée.

Comment imaginer la vie autrement? Pourquoi ne pas accepter tout simplement de disparaître? Tout finit par mourir, après tout. Il faudrait trouver un peu plus que la langue. Juste pour parler français? À quoi bon?

On dit parfois le Québec inculte, borné, mou, superficiel et prétentieux: est-il donc l'avorton d'une civilisation ratée? Comme tous les fainéants, les incapables, les bons à rien, les Québécois se bercent-ils d'illusions? soit en s'imaginant qu'une minorité pourra gouverner un pays? soit en s'entredéchirant pour définir à l'avance un pays illusoire que les chicanes mêmes rendront toujours impossible? Est-ce qu'on s'obstine pour s'obstiner... en se qualifiant d'orthodoxes, de lucides, de solidaires, d'autonomistes?

En jouant sur l'angoisse de séparation qui hante tout enfant abandonné, les réalistes du camp canadien traitaient les rêveurs de séparatistes, comme s'il s'agissait d'une insulte. Et ces derniers ont mordu. Ils parlent maintenant de souveraineté, par peur du mot indépendance. Oui, l'indépendance est risquée. La liberté ne le sera-t-elle pas toujours?

Mais pourquoi affirmer que la liberté se conjugue avec l'indépendance? Les Québécois se sentent-ils emprisonnés au Canada? Non, il n'est pas question de prison. Il ne s'agirait pas plutôt d'un tombeau? Faut-il croire alors à la résurrection?

Bon, bon, bon... Un peu mélodramatique, tout ça? En tout cas, je m'amuse bien.

Retour page 63

La Bonne Chanson

Dans les années quarante et cinquante, les manuels *Chantons* faisaient partie du programme officiel des cours primaires et secondaires d'Initiation à la musique. Édités à Laprairie, les recueils de l'abbé Charles-Émile Gadbois répondaient aux engagements du Congrès de la langue française de 1937 d'utiliser la chanson comme véhicule de la culture et de la langue. Le mouvement avait aussi enregistré une cinquantaine de disques, créé des programmes de solfège et de chant en plus d'animer pendant près de quinze ans une émission radiophonique très populaire à Radio-Canada et à CKAC : *Le Quart d'heure de la Bonne Chanson*.

Le répertoire s'étendait d'*Au clair de la lune* à des morceaux de Haendel, en passant par des extraits d'opéra, des airs traditionnels français et des textes de poètes québécois comme Albert Lozeau mis en musique par l'abbé Gadbois lui-même. Il allait du profane au sacré et abordait même le chant grégorien à la fin de chacun des cahiers destinés aux plus vieux.

Retour page 85

Le complexe militaro-industriel

J'ai reçu de Stéphane le texte d'une allocution prononcée par le président américain Eisenhower à la fin de son mandat. Ce qu'il dit me semble encore plus vrai près de cinquante ans plus tard :

« Jusqu'au plus récent conflit mondial, les États-Unis n'avaient pas d'industrie d'armement. Les fabricants américains de socs de charrue pouvaient, avec du temps et sur commande, forger des épées. Mais désormais, nous ne pouvons plus risquer l'improvisation dans l'urgence en ce qui concerne notre défense nationale. Nous avons été obligés de créer une industrie d'armement permanente de grande échelle. De plus, trois millions et demi d'hommes et de femmes sont directement impliqués dans la défense en tant qu'institution. Nous dépensons chaque année, rien que pour la sécurité militaire, une somme supérieure au revenu net de la totalité des sociétés US.

« Cette conjonction d'une immense institution militaire et d'une grande industrie de l'armement est nouvelle dans l'expérience américaine. Son influence totale, économique, politique, spirituelle même, est ressentie dans chaque ville, dans chaque Parlement d'État, dans chaque bureau du Gouvernement fédéral. Nous reconnaissons le besoin impératif de ce développement. Mais nous ne devons pas manquer de comprendre ses graves implications. Notre labeur, nos ressources,

414 Le Curé du Mile End

nos gagne-pain... tous sont impliqués; ainsi en va-t-il de la structure même de notre société.

« Dans les assemblées du gouvernement, nous devons donc nous garder de toute influence injustifiée, qu'elle ait ou non été sollicitée, exercée par le complexe militaro-industriel. Le risque potentiel d'une désastreuse ascension d'un pouvoir illégitime existe et persistera. Nous ne devons jamais laisser le poids de cette combinaison mettre en danger nos libertés et nos processus démocratiques. Nous ne devrions jamais rien prendre pour argent comptant. Seule une communauté de citoyens prompts à la réaction et bien informés pourra imposer un véritable entrelacement de l'énorme machinerie industrielle et militaire de la défense avec nos méthodes et nos buts pacifiques, de telle sorte que sécurité et liberté puissent prospérer ensemble. »

Retour page 154

L'Amérique appartenait bien aux Anglais. Depuis un demi-siècle, les colonies du Sud formaient un grand pays indépendant de la couronne anglaise, lancé dans une course effrénée vers la richesse et le pouvoir. Des hommes et des femmes de partout posaient le pied aux États-Unis afin de profiter des opportunités incomparables que leur offrait ce nouveau continent où, au-delà de toutes les divergences, on s'entendait pour discuter dans une même langue : l'anglais.

À ceux qui se voulaient fidèles à l'Angleterre, le nord du continent permettait la poursuite du développement de l'Empire britannique sur un territoire où la sotte France avait abandonné une soixantaine de milliers d'habitants incultes et tenaces. Tout en se multipliant comme des lapins, les perdants demeuraient soumis. En 1825, on en comptait près d'un demi-million alors que les sujets loyaux de Sa Majesté remontés du Sud après la révolution américaine dépassaient à peine les cent cinquante mille. De plus, pour repousser les tentatives d'invasion du territoire par les colonies du Sud, on s'était résigné à utiliser les vaincus. Il avait fallu leur accorder des droits qu'on devrait contourner jusqu'au moment où ils deviendraient minoritaires.

En 1800, ces Canadiens français restaient propriétaires de presque toutes les terres cultivables. Les Anglais maîtrisaient l'argent et le commerce. Chacun voulait taxer l'autre.

Les mauvais souvenirs laissés par les dernières années du Régime français, où l'administration unissait l'incompétence à la cupidité, où les Français et les Canadiens formaient deux clans entêtés, empêchaient les pauvres restés au Canada de saisir le besoin qu'ils avaient de la France. La sotte France, quant à elle, ne voyait pas mieux l'importance du nord de l'Amérique. Les Parisiens nantis, incapables de saisir le rôle de la colonisation dans le futur équilibre de l'Europe, cultivaient dans les salons le mythe du «bon Sauvage».

Perdus dans leurs conflits d'intérêts, les vingt millions de Français de 1760 avortèrent d'une colonie de moins de cent mille personnes. Les neuf millions d'Anglais avaient accouché d'un pays neuf de plus d'un million d'habitants établis au Nouveau Monde.

Cette puissance du nombre permit ensuite aux Américains de traiter d'égal à égal avec une Angleterre devenue impuissante à les soumettre. Cette vertu du nombre ne pouvait pas jouer pour les colons français de la vallée du Saint-Laurent. Le refus d'un engagement véritable de la France, malgré quelques soubresauts trop courts pour imposer un rythme de croissance continue, devait fatalement conduire à l'échec. Comment regretter longtemps une mère patrie aussi inconstante et frivole? Les Canadiens abandonnés ne saisissaient pas que, sans une métropole française pour les appuyer, il leur serait impossible de devenir une nation. Non, la France et le Canada n'avaient pas compris combien ils avaient besoin l'un de l'autre. Cependant, la part la plus lourde de la responsabilité revenait à la France. La sotte France n'avait même pas tenté de récupérer le Canada à la signature du traité de Paris, en 1763. Plus tard, quand elle avait appuyé la révolution américaine, elle s'était assurée que Québec resterait sous le joug britannique pour constituer une menace pesant sur les États-Unis. Elle espérait créer un conflit entre l'Angleterre et ses anciennes colonies afin de s'approprier leur commerce. On ne bernait pas si bêtement les Anglais. La France n'y avait pas gagné grand-chose avant de s'enfoncer dans une révolution qui la jetterait dans les bras du petit Corse impérialiste. Tant de gâchis! Les bourgeois, décidés à prendre le pouvoir, exploitaient encore une fois les pauvres que la misère avait poussés à la révolte. Comment les Canadiens auraient-ils pu regretter une mère patrie aussi indigne? On ne s'ennuierait pas d'un Voltaire s'amusant à jouer au Sauvage, sans renoncer à vivre en aristocrate, convaincu de son idéal politique de despotisme éclairé: une tête enflée devrait mener le monde, quoi! Pour avoir méconnu le fait dominant du siècle, les encyclopédistes avaient saboté l'effort en Nouvelle-France.

Non, la nostalgie de cette France ne gouvernait pas les sentiments des survivants des «arpents de neige». Pas fous, les colons comprenaient maintenant mieux que la Cour de France leur besoin d'une métropole, qu'elle fût française ou… anglaise. Pour eux, le fait constituait une loi de nécessité.

On comprendrait mal, au vingt et unième siècle, que quelqu'un veuille aller sur la Lune en se coupant de la Terre. Au dix-huitième siècle, il fallait plus longtemps pour passer du Havre à Québec que, de nos jours, pour faire un saut sur la Lune. Dans un tel contexte de dépaysement, le besoin de sécurité primait. Or, après la Conquête, le cadre colonial n'avait pas bougé. La tête parlait maintenant anglais, mais la stabilité de la structure économique rassurait. Chacun poursuivait ses activités, comme avant. Terrible illusion que l'on s'entêtait à entretenir pendant que l'Histoire érodait la présence française en Amérique.

Pourtant, rejetés par la France, les Canadiens auraient couru au suicide en se jetant dans les bras des colonies du Sud. Le vieil antagonisme exprimé par Benjamin Franklin demeurait vrai: «Point de repos à espérer tant que les Français seront les maîtres du Canada.» Jusqu'à la prise du Canada par l'Angleterre, les colonies du Sud étaient restées soumises au Royaume-Uni, car elles savaient sa protection nécessaire.

Depuis toujours, on voulait écraser ces papistes français adeptes du pouvoir absolu. Si les Américains avaient pu envahir le Nord, le même phénomène qu'ils vivaient au Sud se serait répété. Les colons anglais, toujours en majorité, y avaient assimilé les Écossais, les Irlandais, les Allemands, les Hollandais, les Suédois, les Gallois, les Français huguenots, les Juifs et les esclaves africains.

Ainsi, au Canada, au début du dix-neuvième siècle, on se trouvait coincé de part et d'autre. L'illusion parlementaire donnait aux Canadiens la fausse impression de participer au pouvoir. Ils employaient ce peu de puissance à s'opposer à la ploutocratie qui, en fait, dirigeait le Canada vaincu.

Les illusions des parlementaires ne pouvaient pas convaincre et entraîner le peuple. Ceux qui accédaient aux fonctions parlementaires et aux professions libérales formaient eux-mêmes une classe sociale distincte, en dessous des riches marchands anglais. Le régime seigneurial continuait de les favoriser de génération en génération. Louis-Joseph Papineau illustrait bien le phénomène. Élu chef du Parti canadien en 1815, il resterait jusqu'en 1838 à la direction de ce qui serait devenu le Parti patriote.

Après la défaite des Patriotes, Papineau ne verrait plus que l'annexion aux États-Unis, prêt à noyer son peuple dans la mer anglophone.

Manipulés par les Anglais du Canada, ils étaient tombés dans le piège. Les autorités avaient armé des volontaires, émis des mandats à tort et à travers et provoqué un peuple affolé par les injures. Non, Papineau ne voulait pas la lutte armée, lui qui, encore en 1820, parlait du bonheur de vivre en régime britannique, décriant le régime français « arbitraire et répressif » pour se réjouir du changement : « Le règne de la loi succède au règne de la violence. »

Le bon Papineau, sans soucis financiers, libéré des contraintes matérielles qui écrasaient son peuple, parlait, parlait, parlait : « Je mets le gouvernement anglais au défi de me démentir quand j'affirme qu'aucun de nous n'avait préparé, voulu ou même pensé à la résistance armée.»

Oui, manipulé, le grand tribun!

En 1837, l'ambassadeur de la France aux États-Unis portait un jugement sévère sur Papineau. Le Canadien était, pour Monsieur de Pontoise, «beaucoup en dessous de sa réputation et du rôle qu'il prétend jouer; ses idées sur les questions générales sont communes, sa conversation déclamative, son admiration, pour les institutions démocratiques des États-Unis, dénuée de critique et de discernement.»

De 1838 à 1845, pendant que l'on pendait les uns et exilait les autres, il voyageait en France, espérant convaincre le gouvernement français d'appuyer une cause perdue. Il parlait, parlait, parlait...

Dans sa bulle de bourgeois privilégié, Louis-Joseph Papineau avait poussé la démocratie britannique dans ses contradictions en jouant le jeu jusqu'au bout. Mais à l'autre extrême, si l'on passait de la parole aux actes, les Anglais ne jouaient plus. Les Britanniques établis sur les bords du Saint-Laurent et dans le Haut-Canada étaient bien décidés à faire ici un pays anglais, quitte à ce qu'il ne soit pas britannique. Cent ans plus tard, on pourrait lire dans la *Canadian Historical Review*: «On aurait tort de voir la Grande-Bretagne fermement décidée à se garder le Bas-Canada.»

Après l'échec de Papineau et des Patriotes, le ministre anglais de la guerre affirmait: «Si je pensais que la grande masse de ce peuple fût hostile à l'Angleterre, je dirais: "Voyons comment une séparation finale peut se faire sans sacrifier les intérêts des Anglais." Mais je ne crois pas à l'hostilité des Canadiens contre l'Angleterre, d'autant que notre alliance leur est plus nécessaire que la leur n'a d'importance pour nous. Si c'est pour leurs lois et leurs usages particuliers qu'ils combattent, entourés qu'ils sont par une population de race différente, ils subiraient, en perdant la protection de l'Angleterre, un changement beaucoup plus violent, plus brusque, beaucoup plus général que celui qui va probablement avoir lieu.»

Le rapport Durham abondait dans le même sens : « Il me faut noter ici un fait d'une très grande importance. Les plus clairvoyants parmi les Canadiens se rendent parfaitement compte que, si jamais la souveraineté des États-Unis venait à s'étendre sur ce pays, par suite d'une guerre ou même d'une annexion pacifique, leurs institutions propres et même leur langue auraient vite fait de disparaître.»

Cette même lucidité de l'auteur condamnait ses propres concitoyens du Canada : « La rébellion fut précipitée par le Parti anglais qui avait un sens instinctif du danger qu'il y avait à laisser plus de temps aux Canadiens pour se préparer.»

Pendant que Papineau empruntait la voie législative, son propre cousin Jean-Jacques Lartigue, juriste et patriote, surprenait bien du monde en choisissant le sacerdoce, à contre-courant de son milieu. Nommé évêque de Montréal, il était fort mal reçu par ses propres confrères français, sulpiciens comme lui, qui craignaient pour leurs pouvoirs. À travers le jeune évêque et les politiciens, deux courants de pensée s'affrontaient. Pas plus que les Patriotes, Lartigue n'aimait la diplomatie. Malgré l'opposition du gouverneur Dalhousie, qui redoutait les origines familiales du prêtre, il avait accédé à l'épiscopat le 21 janvier 1821, à la date anniversaire de la décapitation du roi de France, en 1793. La réaction canadienne à cet événement expliquait en grande partie l'attitude du clergé. On savait ce qui se passait en France depuis trente ans. Plusieurs voyaient maintenant dans cette séparation d'avec la mère patrie une véritable bénédiction du Ciel.

Après l'aventure napoléonienne et quelques autres péripéties, la France s'était redonné un roi. Cependant, en 1830, elle avait chassé Charles X, trop absolutiste. On sentait ces bouleversements politiques au-delà de l'Atlantique. Le mouvement européen des diverses libérations nationales soufflait son air révolutionnaire sur une partie de la classe politique canadienne-française. L'assemblée voulait plus de pouvoir. Jean-Jacques Lartigue n'avait pas confiance dans les politiciens, menés par l'ambition personnelle. Il les appelait les « démagogues du jour ». Il croyait à la doctrine du pouvoir divin des rois et appréhendait les mouvements politiques qui allaient précipiter le pays « dans l'abîme des révolutions et des guerres civiles ». Sa méfiance envers les Américains l'opposait tout autant à son célèbre cousin Papineau. Pour Lartigue, la conquête de cette pseudo-indépendance face à l'Empire britannique se serait résumée pour nous à « devenir les jouets de nos voisins des États-Unis qui nous auraient engloutis dans leur immense population peut-être cent ans plus tôt que la population britannique ne pourra le faire ».

Pendant les deux décennies de son épiscopat, un jeune secrétaire venu du séminaire de Nicolet, et arrivé tout de suite après son ordination, le seconderait : Ignace Bourget.

À la mort de Jean-Jacques Lartigue, le secrétaire, devenu évêque coadjuteur, prit naturellement la suite. Ignace Bourget entrait dans la quarantaine. Les dernières années l'avaient beaucoup éprouvé. Devenir prêtre au Canada en ce début de dix-neuvième siècle n'allait pas du tout dans le sens du courant. En 1759, à la fin du Régime français, on comptait un prêtre pour trois cent cinquante-neuf personnes. En 1830, on était passé dans le Bas-Canada à mille huit cents fidèles pour chaque prêtre. En 1840, on en comptait, en tout et pour tout, quatre cent soixante-quatre. De 1830 à 1840, Montréal n'avait donné qu'un prêtre par deux ans. On n'entrait pas dans le clergé par ambition. On voulait, pour plusieurs, incarner le christianisme. Idéaliste, assoiffé d'engagement concret, Jean-Jacques Lartigue avait prôné l'activisme social.

À sa suite, Ignace Bourget croyait que le spirituel devait donner son sens au politique. Les choix de sa propre vie découlaient de ce principe. Il appliquait la même grille au corps social. Il se sentait investi de la mission de sauver son peuple de la violence et de la répression. Si l'on prenait les armes contre un ennemi tout-puissant, même vaincu, il cèderait la place à pire encore : les envahisseurs du Sud qu'on avait souvent dû repousser et qui se précipiteraient vers le Nord.

Ignace Bourget abusait-il de ce pouvoir spirituel en menaçant de ne pas donner l'absolution à ceux qui refuseraient de se soumettre à « l'autorité civile légitimement constituée » ? Comprenait-il que les rebelles poussés à la violence par une caste de marchands sans scrupule fonceraient à l'abattoir ? Comment aurait-il pu le dire ? Avait-il toujours raison ? Bien sûr que non. La suite le prouverait assez. Toutefois, l'homme ne manquait certainement pas de cœur le 21 décembre 1838, au moment de l'exécution des Patriotes Cardinal et Duquette. Agenouillé dans la neige, la croix pectorale à la main, mitraillé d'injures par une partie de la foule à laquelle il s'était mêlé, il ne condamnait pas les deux pauvres garçons qu'on pendait : « Oh oui ! Je les plains de tout mon cœur ; il est bien regrettable qu'on les ait poussés aux excès qu'ils ont commis. » Depuis peu évêque coadjuteur du diocèse de Montréal, Ignace Bourget s'accrochait à sa croix, à sa foi, à une autorité au-dessus de l'Empire britannique, prêtre d'une Église où, à Rome, Grégoire XVI portait la tiare pontificale symbolisant le triple pouvoir spirituel qui le faisait « père des rois, régent du monde et vicaire du Christ ».

Pour le petit Ignace, né à Lévis et formé à Nicolet, la source de l'espoir ne jaillissait ni de Londres ni de Paris, mais de Rome.

En 1841, le nouvel évêque de Montréal partit enfin pour un voyage dont il rêvait depuis l'enfance : il verrait la Ville éternelle et rencontrerait le souverain pontife. Pour la première fois, un évêque pouvait quitter le pays sans demander la permission au gouvernement.

Là-bas, loin de se lancer dans une excursion touristique, le jeune quadragénaire sembla vouloir faire le point sur sa vie. Son saint patron, le militaire Ignace de Loyola, avait fondé la Compagnie de Jésus pour offrir à l'Église une société de soldats du Christ, formés à l'aide d'une série d'exercices spirituels que ses successeurs utilisaient encore pour permettre à chacun de discerner la volonté de Dieu à son égard. En 1841, le nouvel évêque de Montréal, au cœur de Rome, plongea dans les exercices de saint Ignace. Il en sortit chargé d'une résolution surprenante. Il deviendrait jésuite. Oui, à plus de quarante ans, Ignace Bourget acceptait de recommencer sa vie.

Retour page 173

Racisme et mission

À n'en pas douter, nous avons été racistes, du moins tacitement chez François-Xavier Garneau : « Les Français établis en Amérique ont conservé ce trait caractéristique de leurs pères, cette puissance énergique et insaisissable qui réside en eux-mêmes et qui, comme le génie, échappe à l'astuce de la politique aussi bien qu'au tranchant de l'épée. Ils se conservent comme type. Un noyau s'en forme-t-il au milieu de races étrangères, il se développe, en restant isolé, pour ainsi dire, au sein de ces populations avec lesquelles il peut vivre, mais avec lesquelles il ne peut s'amalgamer. […] Non seulement ils s'y maintiennent comme race, mais on dirait qu'un esprit d'énergie indépendant d'eux repousse les attaques dirigées contre leur nationalité. »

On voit bien maintenant que Garneau avait tort. Il suffit de porter le regard sur les États-Unis pour le constater : disparus, ces millions de francophones ; avalés par les billets verts.

Nous avons cru qu'une vocation était à l'origine de ce peuple en Amérique. Dans le manuel d'histoire que j'ai aussi connu à l'école, Filteau résume la contribution de notre peuple : « Les motifs qui amenaient la plupart des colons au pays ne s'apparentaient que très peu à la cupidité et au simple esprit d'aventure. […] Un grand nombre répondait à l'appel mystique lancé par la Société de Notre-Dame de Montréal, qui voulait fonder une colonie n'ayant " pour but que la gloire de Dieu et le salut des sauvages, espérant établir une nouvelle

Église qui imiterait la pureté et la charité de la primitive". [...]
Nous avons la vocation d'être les témoins et les hérauts de
l'Évangile. Notre origine française, les luttes que nous avons
menées pour la survivance de notre caractère national et le
maintien de notre culture, nous appellent aussi à nous faire
les représentants et les propagateurs en Amérique, d'une
forme de civilisation hautement spirituelle, dans un monde
qui s'attache de plus en plus au matérialisme. [...] Les éléments venus des diverses provinces de France se sont fondus
au Canada en un tout homogène pour donner un type humain particulier. Une véritable sélection s'était opérée dans le
choix des colons, sélection qui ne s'était pas bornée à la valeur
morale, mais qui avait aussi tenu compte des qualités physiques. Le climat était venu opérer une seconde sélection en
affermissant les constitutions et en éliminant les faibles.»

On approche ici de la frontière de l'eugénisme que semble
pratiquer la nature elle-même. Ce peuple de perdants, que
l'Histoire a floué si souvent, s'est réfugié dans les hautes sphères
du monde spirituel : nous étions un peuple messianique. Le
23 juin 1902, à la Société Saint-Jean-Baptiste, Mgr Louis-
Alphonse Paquet le proclame fièrement : «Tous les peuples
sont appelés à la vraie religion, mais tous n'ont pas reçu une
mission religieuse. L'histoire, tant ancienne que moderne, le
démontre : il y a des peuples voués à la glèbe, il y a des peuples
industriels, des peuples marchands, des peuples conquérants,
il y a des peuples versés dans les arts et les sciences, il y a aussi
des peuples apôtres. Ce sacerdoce social, réservé aux peuples
d'élite, nous avons le privilège d'en être investi : cette vocation
religieuse et civilisatrice, c'est, je n'en puis douter, la vocation
propre, la vocation spéciale de la race française en Amérique.
[...] Nous ne sommes pas seulement un peuple religieux,
nous sommes des messagers de l'idée religieuse. [...] Notre
mission est moins de manier des capitaux que de remuer des
idées ; elle consiste moins à allumer le feu des usines qu'à

entretenir et à faire rayonner au loin le foyer lumineux de la religion et de la pensée.»

Nous étions humblement les meilleurs…

L'Église catholique canadienne-française s'est permis tellement d'exagérations au cours des cent dernières années: elle affirmait que nous étions le dessus du panier! Guy Laviolette, des Frères de l'Instruction chrétienne, l'enseignait dans son manuel scolaire: «L'histoire proclame que nos mamans ont mieux rempli leur devoir que toutes les autres mamans de la terre, et que ce sont elles qui ont accompli le *miracle canadien* de la revanche des berceaux.» Pour le cardinal Rodrigue Villeneuve, un motif d'ordre spirituel et des intérêts supérieurs se trouvaient à l'origine du Canada français. Son Éminence parlait de «la vocation surnaturelle de la race française en Amérique […] du rôle auguste auquel la dispose comme de longue haleine la divine Providence.» Étions-nous un peuple battu et abandonné? Non, nous formions «la nation-lumière et la nation apôtre». Pour Rodrigue Villeneuve, le peuple canadien-français représentait «l'Israël des temps nouveaux».

Je comprends mal. C'est ça qu'on appelle la Grande Noirceur? Ce ne serait pas plutôt la Grande Illusion?

L'histoire récente de l'Église de ces évêques au lyrisme messianique prouve bien que les deux hommes ont nagé en pleine fiction. Nous n'avons illuminé personne. Loin de propager la flamme, nous nous sommes éteints, à l'exception de ce petit reste qui s'accroche encore aux premières terres défrichées par ses ancêtres. Je pense au grand destin de fondateur de pays que mon rêve donnait à Louis Riel. Quelle tragédie! Le pauvre homme, déséquilibré mentalement, malhabile tactiquement, est mort pendu le 16 novembre 1885. Louis avait fait fusiller l'Irlandais Scott et il était devenu, aux yeux du Canada, un meurtrier. Pendant quinze ans, entre la mort de Scott et l'exécution du chef métis, Louis a sombré dans la misère et l'errance. Heureusement, à l'approche de la mort, il s'est recentré pour partir dans la dignité. C'est seulement un peu après son exécution que Louis a réussi à unir les Canadiens français; le 22 novembre 1885, plus de cinquante mille personnes se sont rassemblées au Champ-de-Mars de Montréal. Pourquoi l'indignation ne mène-t-elle jamais plus loin qu'à une manifestation? Pourquoi ce peuple d'insoumis qui a irrité les Français fraîchement débarqués d'Europe tout au long de l'histoire de la Nouvelle-France, ces guerriers terribles qui ont terrorisé les colonies de la Nouvelle-Angleterre pendant des décennies, en se battant comme les Sauvages, pourquoi ces esprits indépendants se sont-ils bercés de l'illusion d'un destin messianique pour devenir un peuple de moutons? Comment un esprit indépendant peut-il se refuser l'indépendance? À cause de la religion? Non, trop simpliste. Cette Église canadienne a donné l'exemple du contraire. Moribond à la Conquête, le clergé de cent trente-sept prêtres s'est débattu dans l'eau bénite: au bout de cent cinquante ans, les ecclésiastiques contrôlaient la société canadienne-française. Pourquoi ne pas suivre cet exemple? Les idées mènent le monde; ça, on le sait. Si Jean-Jacques Lartigue, le premier évêque de Montréal, s'est opposé à la rébellion conduite par ses cousins patriotes, leur conflit se posait en termes de moyens. Lartigue savait trop bien qu'au jeu de la guerre, le plus fort gagnerait toujours. On en trouve une sorte de confirmation dans le manuel de Filteau: « L'idée d'un Canada français autonome, voire même indépendant dans le futur, était le grand rêve de tous. Mais on ne voulait obtenir ce résultat que par des moyens pacifiques et sans violence. »

Pourquoi n'avons-nous jamais profité des occasions que nous offrait l'Histoire? Pourquoi ne sommes-nous jamais arrivés à parler d'une seule voix? Comment changer une mentalité qui transforme les différences d'opinions en conflits personnels? L'historien Filteau voit dans cette faiblesse une cause de l'échec du projet: « Si le rêve de former un État français en Amérique ne s'est pas pleinement réalisé, cela a surtout tenu à nous ; c'est que nous nous sommes trop souvent détournés de l'étoile polaire du nationalisme, pour accepter comme guide l'esprit de parti qui a tué en nous l'esprit de corps, c'est que nous nous sommes plus souvent abandonnés à la démagogie qu'à la politique. »

Cette notion de « l'étoile polaire du nationalisme » peut soulever des craintes. Je sais que la transformation de l'État en objet de culte conduit au délire et provoque tous les dérapages du totalitarisme. Le chanoine Groulx n'y a pas échappé dans *L'Appel de la Race* : « Il serait donc vrai le désordre cérébral, le dédoublement psychologique des races mêlées ! [...] Qui sait si notre ancienne noblesse canadienne n'a pas dû sa déchéance au mélange des sangs qu'elle a trop facilement accepté, trop souvent recherché. »

Le penseur canadien-français respecté par les siens a poussé le raisonnement jusqu'au bout : « Un peuplement de population blanche, française ; rien comme ailleurs en Amérique, d'une population mixte, demi-indigène [...] un seul type de colonie s'avère donc possible : une colonie de race blanche. »

Rien que ça ! De quoi donner raison à l'écrivain George Steiner, chassé d'Europe par l'antisémitisme : « Le nationalisme est, à mes yeux, la malédiction de l'humanité. » Pourtant, non ; pour moi, il ne s'agit pas de ça, mais simplement de prendre notre place et d'assumer notre rôle.

Et, dans les faits, cela représente tellement de difficultés. Que dire aux autochtones qui, en 1994, ont affirmé par référendum leur droit de se séparer d'un Québec indépendant ? Comment, en toute justice, intégrer les peuples autochtones à un Québec indépendant ? Comment les Algonquins, les Mohawks, les Inus, les Cris et les autres peuvent-ils tirer profit d'une appartenance au nouveau pays Québec ? Il faut d'abord les écouter. Ils peuvent certainement respecter le besoin, pour un peuple en péril, de se prendre en main. Les Québécois doivent aussi comprendre la détresse de ces communautés pourchassées, rejetées, méprisées, auxquelles on a dénié le droit même d'exister. Comment susciter la confiance d'un peuple si souvent trompé? Il faut développer le sentiment de dignité. À la notion de dignité de la personne correspond la notion de dignité du peuple. Voilà ce qui pourrait créer des rapports fondés sur le respect. On ne fera pas l'indépendance contre quelqu'un, mais pour nous-mêmes. Il faut taper et taper sur le clou de la nécessaire estime de soi. On va au-devant de tellement de difficultés…

Retour page 239

Hier, un homme m'a rendu visite. Depuis mon arrivée dans le Mile End, il vivait dans la rue sous une terrible dépendance à l'alcool et à des drogues que je ne connais même pas. Or, cet homme a repris sa vie en main d'une façon étonnante; dans un laps de temps si court que cela devient surprenant. Au sortir de ces quelques jours de jeûne, sa rencontre m'a inspiré certaines réflexions.

Tout comme un pauvre, alcoolique, narcomane et parasite depuis l'adolescence, peut renaître et désirer refaire sa vie, chaque organisme qui réussit à se guérir finit par disposer d'une personnalité plus forte et plus créatrice que le reste de sa communauté. Mon peuple de porteurs d'eau se libèrera et deviendra un fournisseur, un approvisionneur, un pourvoyeur d'eau, dans tous les sens.

Voilà pourquoi je n'abandonnerai pas le combat. Il s'agit d'un travail nécessaire, d'une tâche à accomplir.

Dans un premier temps, en bons parvenus, les Québécois ont jeté la vieille morale et les usages démodés à la poubelle. Puis, après une courte euphorie, maintenant, toutes les pauvretés s'expriment. On sent monter le désarroi dans la génération qui a remplacé l'hostie par le joint. Après les grands fous rires, l'angoisse enferme le noceur dans une sombre impuissance. Les paradis se révèlent vite artificiels, étouffant le subtil bruissement d'ailes des anges qui volent autour des chercheurs d'absolu, les laissant désemparés, tremblant d'inquiétude dans le froid interstellaire.

Pendant quelques années, on n'a entendu que le grand bruit de la chute de l'édifice clérical québécois. Il faut une oreille fine pour percevoir ce qui pousse.

Déjà, au moment où l'Église québécoise, souvent si peu chrétienne, recevait les hommages du pouvoir civil, d'autres forces naissaient.

Oui, en 1936, le Premier ministre Maurice Duplessis avait accroché un crucifix au-dessus du fauteuil du président de l'Assemblée législative, en proclamant sa croyance en Dieu et sa fidélité à la religion catholique. S'agenouillant publiquement au pied du cardinal Villeneuve, il lui avait remis un anneau, «symbole de notre attachement à l'anneau du Pêcheur qui fut un prêcheur de charité». Rodrigue Villeneuve s'était félicité de sceller «l'union du temporel et du spirituel, de l'autorité religieuse et civile». Ce même Villeneuve, pendant la guerre, se laisserait photographier dans un véhicule militaire, donnant l'impression de livrer son Église et son peuple à l'impérialisme britannique.

Je comprends: de telles images peuvent illustrer une époque de grande noirceur. Cependant, je sais aussi que, dans les mêmes années, d'autres évêques lisaient les événements bien différemment et s'exprimaient aussi clairement. En 1949, Mgr Deranleau, évêque de Sherbrooke depuis 1937, s'était levé: «Le capitalisme est la cause de tous nos maux. Nous devons travailler contre lui, non pour le transformer, car il ne peut être transformé, non pour le corriger, car il est incorrigible, mais pour le remplacer.»

Pendant la grève d'Asbestos, où Duplessis ne pouvait admettre qu'une grève illégale puisse être juste, l'archevêque de Montréal, Mgr Charbonneau, s'était fermement engagé dans le camp des exploités qui avaient refusé de recourir à l'arbitrage qu'ils pressentaient biaisé en faveur du patronat: «Notre cœur est et restera près de la classe ouvrière.»

Ces forces, nées à l'intérieur de l'Église, agissaient comme prélude à la Révolution tranquille. Le rapport de la Commission sacerdotale d'études sociales, *Le problème ouvrier en regard de la doctrine sociale de l'Église,* aurait même des répercussions internationales quand le pape Jean XXIII en reprendrait des extraits dans l'encyclique *Mater et Magistra.*

Notre Église, supposément la plus réactionnaire, produisait alors une semence qui allait mettre au monde des forces progressistes que plus rien ne réussirait à étouffer.

Nous ne retournerons jamais en arrière, mais nous ne jetterons pas notre Histoire à la poubelle.

Nous arriverons à l'indépendance du Québec. Toutefois, il ne s'agira pas d'un accomplissement mais d'un commencement. À partir de là, les politiciens devront jouer leur rôle. Aussitôt que nous serons assurés d'une majorité décidée à voter « Oui » à la question « Êtes-vous pour l'indépendance du Québec ? », nous entreprendrons les démarches auprès des membres du Parlement.

D'ici là, travail, travail, travail.

Vive le Québec libre !

Retour page 341

Aujourd'hui, j'ai rencontré un original authentique (et détraqué?): Marie-Elphège Fortin. Il dirige une librairie:
Le Signe de Croix, qui dispose à l'arrière d'une salle de
réunion dont les murs sont décorés de douze tableaux illustrant l'Histoire religieuse du Québec. De Catherine de Saint-
Augustin, hospitalière de la Miséricorde de Jésus, au dix-
septième siècle, qui s'est tant battue contre un démon qui la
persécutait… à Dina Bélanger, une musicienne exceptionnelle de la fin du dix-neuvième siècle, devenue religieuse
après avoir triomphé à New York avant de revenir à Québec
donner les dernières années de sa courte vie de trente-deux
ans. De Kateri Tekakwitha, une humble vierge iroquoise
morte en odeur de sainteté à vingt-quatre ans… à la célèbre
Marie de l'Incarnation, la grande ursuline mystique des débuts de Québec. De Marie-Anne Blondin, la fondatrice des
Sœurs de Sainte-Anne, née à Terrebonne en 1809… à Marie-
Léonie Paradis, qui a mis sur pied la Communauté des Petites
Sœurs de la Sainte-Famille. De Marie-Rose Durocher, morte
à trente-huit ans, en laissant pour héritage les Sœurs des
Saints Noms de Jésus et de Marie… à l'humble menuisier du
dix-septième siècle Didace Pelletier, récollet. Du Belge du dix-
neuvième siècle Alexis-Louis Mangin, devenu André Grasset,
fondateur des Servantes de Jésus-Marie… au premier évêque
de Québec, François de Laval, et à un autre évêque, celui de
Saint-Hyacinthe, Louis-Zéphirin Moreau. Et, enfin, le saint

préféré de ce Marie-Elphège, le frère André, fondateur de l'oratoire Saint-Joseph.

Retour page 76

Une leçon

J'ai aussi eu droit à une leçon d'Histoire, d'un point de vue que j'ignorais, je le reconnais.

Jean de Brébeuf, Noël Chabanel, Antoine Daniel, Charles Garnier, René Goupil, Isaac Jogues, Jean de la Lande et Gabriel Lalemand sont morts durant les guerres entre les Hurons et les Iroquois.

Loin des sadiques qu'on en faisait pendant mon enfance, ces derniers ont tout simplement éliminé des alliés de leurs adversaires, en leur enlevant la vie dans le respect de leurs coutumes. On donnait à l'ennemi une chance de montrer sa bravoure en résistant à la torture. Ensuite, on mangeait le cœur des plus braves pour acquérir avec déférence leur courage.

Mon prophète beauceron a résumé la question des martyrs canadiens de façon assez inusitée : « C'étaient certainement des bons gars, mais ils se sont pas mêlés de leurs affaires. »

Je n'ai pas ri.

Retour page 77

JOURNAL DE GILBERT
Tardivel

Au dix-neuvième siècle, le journaliste Jules-Paul Tardivel a écrit des pages prophétiques sur la destinée du peuple canadien-français. Il a même publié ce qu'on pourrait appeler le premier roman indépendantiste: *Pour la Patrie*. Pas question d'en faire une critique littéraire, ce n'est pas mon métier et ça ne me dit rien. Par contre, il tient des propos qui valent encore aujourd'hui.

À ceux qui avancent qu'il faut d'abord maîtriser l'économie, je ne peux dire que comme lui: «Les seuls moyens efficaces qui nous restent de redresser notre situation économique sont d'ordre politique.» Tardivel ajoute: «Si les Anglais sont aujourd'hui si puissants au point de vue économique, c'est parce qu'ils possèdent le pouvoir politique, ils ont pu lutter à armes inégales contre les Canadiens-Français.»

Les innombrables efforts de ces femmes courageuses, de ces hommes vaillants et rudes vont-ils tomber dans le néant? Je partage l'angoisse du journaliste Tardivel: «À un commencement aussi noble, aussi glorieux que le commencement de la nation canadienne-française, doit répondre autre chose que le misérable avortement qu'entrevoient nos pessimistes.» Il ne s'agit pas d'en vouloir aux autres, de les rendre responsables de nos malheurs, de notre pauvreté matérielle, de notre misère morale. Il ne faut pas dilapider nos énergies à nous rejeter mutuellement la faute de notre mollesse, de notre façon même d'envisager les rapports politiques en nous imaginant capables d'investir nos forces déclinantes dans un immense pays anglophone sans faire face à une évidence que Tardivel voyait plus de cent ans auparavant : « Pour nous, la forme actuelle de notre gouvernement ne saurait être le dernier mot de notre existence nationale. [...] Nous n'avons pas été arrachés vingt fois à la mort ; nous ne nous sommes pas multipliés avec une rapidité qui tient du prodige... pour aller périr misérablement dans un grand tout quelconque. »

Pourquoi, en 1889, personne n'a entendu l'écrivain Jules-Paul Tardivel ? Un demi-siècle après la machination réussie des riches commerçants de Montréal contre un peuple qui commençait à se relever, il a clairement énoncé l'alternative : « On dira peut-être que sortir la province de Québec de la confédération est aujourd'hui impossible. C'est très difficile, nous l'admettons, mais difficile, très difficile n'est pas synonyme d'impossible. Ce qui nous paraît impossible, c'est que le régime actuel puisse se maintenir bien longtemps ; à moins que la race canadienne-française ne consente à se suicider, à disparaître comme élément distinct. »

Comment moi, seul au monde, ne laissant aucun descendant pour prolonger ma vie, n'ayant jamais possédé la moindre parcelle de terre ni la plus pauvre cabane... comment pourrais-je convaincre ceux qui ont mari, épouse, frères, sœurs, père, mère, neveux et nièces ? Est-ce que je peux faire mieux que Jules-Paul Tardivel ? « Si moi, Canadien-Français simplement par adoption, et à moitié Anglais par-dessus le marché, je comprends ainsi les destinées de ce pays, comment se fait-il que tous les Canadiens-Français de naissance ne partagent pas mes espérances ? C'est un mystère pour moi. »

En fait, les plus réalistes sont ceux qui veulent l'indépendance du Québec.

Ce soir, j'aimerais de tout mon cœur partager l'idéalisme naïf de Joseph Lamirande, le beau personnage de *Pour la Patrie* de Tardivel : « Qui nous dit que Dieu ne voudra pas épargner ce petit coin du monde qui nous est si cher, ce

Canada français dont l'histoire est si belle, afin qu'il soit le point de départ d'une nouvelle civilisation? Je ne puis m'empêcher de l'espérer.» Oui, un vrai pays nommé Québec peut prendre naissance ici et maintenant. Il faut développer une profonde conviction, indéracinable. Je sais qu'on n'y arrivera pas sans la foi. Comment faire comprendre la richesse du consentement à la présence de plus grand que soi? Ce peuple y a déjà puisé le courage de ne pas se laisser assassiner. Il a sacrifié une partie importante de ses fils aînés et de ses filles les plus douées, qui se sont privés de famille et d'amour pour se donner exclusivement à la poursuite du rêve des premiers mystiques fondateurs de Ville-Marie. Pourquoi toutes ces femmes et tous ces hommes courageux, déchirés par le doute intime que partagent tous les croyants excluant le fanatisme, mais obstinés dans la quête de sens, formant une Église, ne pourraient-ils trouver personne, au vingt et unième siècle, pour concrétiser ce qui semble maintenant à portée de main?

Oui, je m'acharne à espérer. Pourquoi quelqu'un ne trouverait-il pas l'entrée que recherchait Leverdier, un autre personnage de Tardivel? Moi aussi, j'ai envie de dire: «Si nous pouvions apprendre aux hommes à croire comme nous leur apprenons à lire!»

Oui, je sais que plus personne ne veut parler comme ça, mais je n'y peux rien: je pense à une mission civilisatrice. Ce peuple possède l'âme missionnaire. Tout au début, les artisans de la contre-réforme catholique espéraient incarner en Nouvelle-France la spiritualité d'action qui venait de triompher au concile de Trente: le christianisme s'engageait dans le monde et les efforts de l'homme coopéraient avec la grâce de Dieu. Pour eux, c'était dans le monde que la foi chrétienne se vivait le mieux. Marie de l'Incarnation avait même abattu les murs de séparation du cloître.

Ils croyaient que, chaque personne ayant droit au respect qu'on accordait au fils de Dieu, il fallait combattre la superstition en disciplinant l'individu pour que chacun sache que nous sommes, toutes et tous, filles et fils de Dieu. Des générations d'héritiers du fleuve ont parcouru l'Afrique et l'Asie, combattant la lèpre, ouvrant des écoles, des dispensaires et baptisant tous ceux qui valaient une prière. Souvent bornés, intransigeants, imperméables aux autres cultures, ils n'en demeuraient pas moins héroïques dans les épreuves, partageant la misère des plus pauvres dans la ferme intention de «sauver le monde». Oui, beaucoup de ces fils et de ces filles de familles nombreuses aspiraient à plus grand qu'eux-mêmes et malgré la sécheresse de cœur de plusieurs, la grande majorité s'inscrivait dans la pensée de saint Vincent de Paul, qui croyait que pour tourner quelqu'un vers Dieu, la gentillesse, l'humilité et la patience atteignaient plus efficacement leur but que l'éclat, le débat et l'injure.

Je veux adopter la même attitude dans la marche vers l'indépendance qui s'ouvre. Nous vaincrons… mais avant je vais aller me coucher. Qu'est-ce que ça fait mal, une sciatique! Avec ça, tu ne te sens jamais seul!

Retour page 167

Mademoiselle Galland

Vraiment, cette Gisèle Galland me surprend. Oh! Elle ne remplacera pas le frère Victor, mais elle tient une place que personne n'occupait. Elle semble posséder le don de révéler les gens à eux-mêmes. Il suffit d'observer un vieux au sortir de sa rencontre individuelle avec elle pour comprendre.

J'ai vu des petits vieux d'abord entêtés dans leur peur du risque se muer en témoins de leur propre libération. Comment fonctionne Mademoiselle Galland? Elle leur fait prendre conscience de leur propre parcours: «Au bout du compte, qui a assumé la responsabilité de votre vie?» Évidemment, chacun en arrive au même constat: lui-même. De plus, je vois que, lentement, elle tisse une toile: par Internet, un peu partout, elle entre en contact avec des religieuses, toujours elles-mêmes un peu maîtresses d'école. Jusqu'où peuvent-elles aller? Je n'en ai aucune idée.

J'ai eu moi-même droit à un véritable cours. Je résume. L'argument de Mademoiselle Galland vaut le détour. Ce qu'elle dit? Pour la première fois dans l'Histoire de ce peuple, ces vieillards ont pu faire instruire une grande partie de leurs enfants. Eux-mêmes, leurs parents ne disposaient pas des moyens de leur offrir les instruments de la liberté. Elle cite Arthur Buies, le célèbre journaliste de la fin du dix-neuvième siècle: «Nous sommes le peuple le plus arriéré du monde. [...] Nous donnons ce spectacle unique, parmi les peuples éclairés, d'un peuple qui ne renferme pas de " classe " instruite. Il y a des " individus " instruits, voilà tout : et encore ne le sont-ils que relativement au reste des Canadiens. » Elle leur dessine une large fresque de leur vie collective : « Depuis cinquante ans, le Québécois travaille à se dégager de sa vieille peau de Canadien français. On peut maintenant prendre le pays en main. Vous avez, comme moi, assisté au miracle de Manicouagan. On a vu se vider les grands séminaires, mais se remplir les écoles d'ingénieurs. Vos enfants se croient enfin aussi bons que les autres. Notre génération a assisté de loin à près d'un siècle de guerre. Oui, nous en avons profité grâce aux usines de munitions... mais toujours réduits à des rôles de valets, aux ordres des puissants : "Nous produisons les armes, vous fabriquez les balles." On pouvait rêver de devenir sous-chef, pas plus. On se contentait de petits rêves, ceux qu'autorisait une vie d'enfant. D'ailleurs, les curés vous appelaient " mes enfants "; et vous répondiez " oui, mon père ; oui, ma mère " à des ensoutanés sans progéniture. Pas moi ! Ils m'appelaient " Mademoiselle Galland "! Pourtant, vous vous en êtes sortis. Avant de mourir, vous devez témoigner : on peut s'en sortir. Il suffit de courage. On vit pour réaliser des rêves. Il faut viser haut. »

Moi, Gilbert Fortin, soixante ans dans quelques jours, je suis étonné par ce qui se passe. Cette Gisèle Galland de cinquante kilos est en train de monter une armée de petites vieilles et de petits vieux prêcheurs d'indépendance itinérants.

Retour page 299

Pauvre comme Claude

Ce pauvre homme représente la pauvreté même. La misère ne rend pas gentil, humble, aimable. Elle détruit. Elle rend le pauvre, en apparence servile, enragé par l'injustice. Dans les cas les plus dramatiques, le miséreux travaille à son autodestruction en vampirisant les «bonnes âmes» qui lui donnent un peu de monnaie, en sachant bien que c'est un coup d'épée dans l'eau et souvent une subvention aux *pushers*. La multiplication des démunis oblige à une anesthésie de la compassion… ou à une vie de saint où l'on devient soi-même un indigent.

Moi, ce pauvre Claude me tue. Il me ramène à mon impuissance. Qu'est-ce qu'on peut faire? Il me semble qu'il doit rester une place en Amérique du Nord pour une société qui ne considère pas l'homme du seul point de vue économique, soumis à la recherche du profit et aux lois du marché. Pourquoi personne ne veut entendre le cardinal indien Telesphore Toppo qui propose, au-delà de la «mondialisation des marchés», la «mondialisation de la solidarité»? Moins de vingt pour cent des gens consomment quatre-vingts pour cent des ressources de la planète; ce qui laisse vingt pour cent des biens à quatre-vingts pour cent de l'humanité. Comment peut-on croire que ça va durer? Je sais que de tels propos touchent les gens d'ici. Eux-mêmes pour la plupart nés d'un peuple ayant connu la misère, où la mortalité infantile atteignait autrefois des sommets vertigineux, ils peuvent donner une voix supplémentaire à la solidarité internationale en formant un nouveau pays. L'Église – que je refuse de quitter – demande à répétition que soit annulée la dette des pays les plus pauvres. Il s'agit d'une question de vie ou de mort, littéralement. Si en 1997, on avait annulé la dette des vingt pays les plus pauvres, comme promis d'ailleurs, on aurait sauvé la vie de plus de dix-neuf mille enfants par jour. Je crois au bon cœur du peuple québécois. Mon sentiment d'appartenance s'enracine plus loin que dans la géographie commune. Les racines pénètrent dans l'Histoire de la Nouvelle-France. Oui, un mouvement mystique participait à la naissance de ce peuple. Tous les autres motifs jouaient aussi, bien sûr… mais ce n'est pas une raison pour nier la part d'inspiration religieuse et… oui : catholique.

J'en ai assez ! On dit que l'Église ne parle que de sexe et d'avortement. Faux ! C'est simplement tout ce que les médias rapportent. La responsabilité de la désinformation repose en partie sur la cupidité. Souvent, dans les journaux, on écrit non pas pour informer, mais juste pour vendre… ou pour se faire un nom, ce qui revient au même. Toujours les droits et jamais les responsabilités. On vit dans un monde de vendeurs et d'acheteurs. Nous valons mieux que ça ! À quoi servira l'indépendance du Québec si elle n'élève pas le niveau d'humanité du monde ?

Ce pauvre Claude prolonge bien malgré lui la longue série des quêteux que la plupart des familles québécoises accueillaient dans les campagnes ; plusieurs maisons disposaient même pour l'itinérant de ce que l'on appelait le banc du quêteux. Cependant, l'obsession de l'argent déshumanise maintenant les gens. Pourquoi nous laisser réduire à ce pauvre type angoissé, à cet individu isolé cherchant à se tailler un bout plus ou moins gros de la richesse commune ?

Où commence le processus de libération d'un homme comme Claude ? Il lui faut d'abord prendre conscience de sa détresse. Comment ? En descendant jusqu'au bas-fond désespéré

J'aimerais redonner sa voix à un peuple que sa propre langue a paralysé trop longtemps par son incapacité à l'utiliser pleinement. J'espère que la création d'un pays Québec permettra aux Québécois de réaliser ce que les journalistes Julie Barlow et Jean-François Nadeau ont publié en anglais : *The Story of French*[26]. Ce récit superbe rappelle que, loin de vivre un déclin, le français constitue l'autre langue « globale », parlée par plus de deux cents millions de Terriens. Isolés sur le continent nord-américain, les Québécois réalisent mal que le français s'affirme comme langue officielle dans trente-deux pays, seulement douze de moins que l'anglais. Partout dans le monde, chaque matin, deux millions de professeurs investissent des salles de classe où cent millions d'étudiants suivent des cours de français.

La fierté, l'ouverture au monde, l'originalité, la créativité, la liberté et le respect constituent les ingrédients du plat de résistance du peuple francophone d'Amérique. Les Héritiers du Fleuve ne recherchent rien d'autre.

En province, dans les régions, le frère Victor me disait sentir monter une inquiétude plus dangereuse. La peur et le sentiment d'impuissance produisent des rejetons sinistres. La paranoïa américaine trouve dans certains villages un terreau

---

26. Publié en français en 2007 chez Québec Amérique : *La Grande Aventure de la langue française*.

fertile à la xénophobie. La liberté de la presse joue de mauvais tours à la vérité. Combien de fois lit-on deux articles d'un journaliste sur le même sujet? Un premier pour dénoncer bien fort une situation scandaleuse; puis, quelques jours plus tard, un second plus discret qui débute par: « Dans la précipitation, je n'avais pas vérifié… » Peut-être le journaliste ignore-t-il que liberté rime avec responsabilité?

Parfois, une forme sournoise de découragement m'assaille. Certains soirs, je n'y crois plus. On vit une situation plutôt confortable. Aux États-Unis, l'assimilation des Franco-Américains s'est faite sans douleur. Le mouvement va peut-être tout simplement dans le sens de l'Histoire. Par moments, la résistance me paraît irréaliste. Oui, je sais: la fatigue entraîne naturellement la démotivation.

En fait, je me raccroche à la prière avec les autres. Sans l'équipe des jeunes du GIA, sans le groupe du Signe de Croix qui développe les Héritiers du Fleuve avec constance et détermination, sans le souvenir du frère Victor dont la foi s'ancrait dans plus de soixante-dix ans de fréquentation des Écritures, je céderais à la tentation de me retirer dans mes livres, seul dans ma tête.

Bon! Je me dis que chacun vit probablement les mêmes combats. Il faut continuer, avancer pas à pas, un geste à la fois. Seule la persévérance fait que le lent progrès ne se perd pas dans les sables, comme le dit l'antique sagesse chinoise. Je prévois tellement de difficultés à surmonter. Ce premier mouvement de conscientisation du peuple québécois de sa situation de civilisation en péril s'avère déjà bien difficile. Beaucoup de gens ne veulent tout simplement pas l'entendre; surtout de la bouche d'un curé se mêlant de politique. S'ils savaient comme le domaine en soi ne m'intéresse pas. Ce passage à l'action répond à un sens du devoir que je ne peux pas ignorer. Heureusement, je prends plaisir à motiver les troupes. Je sors toujours moi-même énergisé des séances de motivation qu'on organise dans la salle aux douze tableaux et à la Maison Victor.

Maintenant, je ressens mon besoin des autres. Je m'affiche librement comme homme religieux dans un milieu de plus en plus déchristianisé, en apparence. Le mouvement intérieur qui m'a bouleversé aux portes de ma propre mort s'appelle une conversion. Elle implique une conscience nouvelle, un éclairage différent révélant l'unité fondamentale de l'intérieur et de l'extérieur, du passé et de l'avenir. De retour de la frontière de la mort, je sais que l'on sort toujours gagnant d'une descente dans les profondeurs de son être. Comment un peuple peut-il plonger en lui-même? Il faut lui enseigner son Histoire. Celle du peuple canadien-français ressemble à une course à l'échec. Peut-être mon peuple arrive-t-il enfin aux portes de la mort? Il ne reste même pas dix ans; encore un demi-million supplémentaire d'immigrants, que le sort du peuple québécois ne peut pas – en toute justice – préoccuper, et c'en sera fini. Oui, il faut se remuer. Les premiers signes d'appauvrissement se manifestent déjà par endroits dans la peur face aux étrangers. On démonise des habitudes culturelles différentes. On veut niveler, interdire les signes distinctifs. Au nom du respect, on manque de respect. Au nom du progrès, on veut imposer sa propre façon de vivre. Au nom de la liberté, on interdit la différence. Tout ça relève de la peur. Une crainte pertinente cherche à s'exprimer sans prendre de risques. On voudrait geler la situation. Certains proposent d'accepter moins d'étrangers, d'autres relèvent la tendance des nouveaux venus vers l'anglais en refusant même d'envisager que tous ces gens courageux qui ont accepté de se déraciner pour sauver leur peau iront naturellement vers les moyens les plus efficaces pour s'enrichir. Je ne comprends pas que les Québécois ne comprennent pas. Je lis des éditorialistes confondant les succès individuels toujours possibles avec le développement de la personnalité d'un peuple. Il faut parler, parler, parler... à des gens qui, jusqu'à présent, n'ont jamais voulu entendre. Marie-Elphège s'impose depuis des années ce costume ridicule qui le campe visiblement dans une position irréversible. Quand on se moque de lui, il en profite pour signaler qu'il n'est pas plus ridicule que celui qui pense que l'on peut gouverner un pays avec vingt-cinq pour cent des voix.

Retour page 313

Participez au prochain concours d'essais littéraires

Une initiative du comité directeur du
Fonds Jean-Robert-Gauthier

Pour vous inscrire au concours, visitez le site suivant:

www.richelieuottawa.org/ConcoursJRG.htm

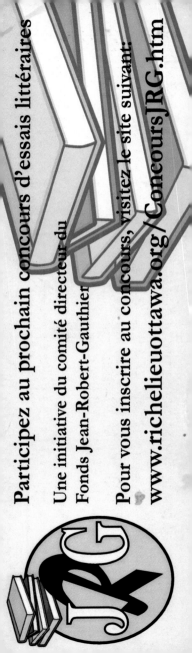

Photo: Pierre-André Simard

Finalistes du concours 2007-2008 (de gauche à droite):
3e lauréat: Serge Miville - Université d'Ottawa - 2000$
1er lauréat: Manuel Pelletier - Université de Sherbrooke - 4000$
2e lauréat: David Brown - Université de Moncton - 3000$
L'honorable Jean-Robert Gauthier
4e lauréat: Jordi Pourcher-Bouchard - Université d'Ottawa - 1000$
Lucien Bradet président du comité directeur du Fonds Jean-Robert-Gauthier

Merci à nos donateurs
Vous recevrez un reçu pour fins d'impôt de la Fondation franco-ontarienne.

Au salon funéraire

Cette scène se situait avant le passage à la télévision de Gilbert, en deuxième partie, au chapitre 5.

Le dimanche après-midi, au salon funéraire, on note un changement. Des visiteurs plus jeunes se présentent. Des parents accompagnent leurs enfants qui fréquentent les ordinateurs de la salle aux douze tableaux du Signe de Croix. Plusieurs immigrants ayant fui la misère de leur pays d'Amérique latine s'interrogent maintenant sur le curé qui semble vouloir se mêler de politique.

Depuis quarante ans, dans leur pays d'origine, les Américains s'assurent que les mouvements de libération populaire sont étouffés dans l'œuf. On trouve toujours un pauvre pour frapper sur un pauvre. Ce mot d'indépendance qui sort de la bouche du curé du Mile End leur fait peur. Oh! Ils comprennent, bien sûr. Mais ils savent encore mieux que le seul moyen de s'en sortir consiste à travailler, travailler, travailler. Ils accomplissent tous les sales boulots que refusent les Québécois qui préfèrent le chèque du gouvernement, la bière, la pizza, la Poule aux Œufs d'Or et les «gratteux». Ces déracinés, venus du Pérou, du Brésil, de Colombie ou du Nicaragua, n'entretiennent pas d'illusions. Ils ont vu dans leurs pays les riches s'enrichir toujours davantage sur le dos des pauvres, de plus en plus pauvres. Ils ont fui vers le Canada, un pays riche. Ils y vivent parmi des pauvres établis depuis des générations, parlant une langue que personne d'autre ne comprend sur tout le continent, de la Terre de Feu jusqu'au nord du Yukon.

Ils ont vu dans leurs pays quelques prêtres se mêler de politique, au nom de ce qu'ils appelaient la théologie de la libération. Certains ont même pris les armes. Le pape est venu en personne les écraser. L'image de l'un d'entre eux, humblement agenouillé sur le puits de l'aéroport de Managua, se faisant sermonner comme un enfant désobéissant par l'homme en soutane blanche descendu de son grand avion tout blanc, reste marquée du fer rouge de l'humiliation. À quoi servait l'incompréhension du désespoir collectif, brutalement exprimé en public par le visiteur du Vatican? Pas qu'il avait tort de rejeter la violence armée, mais la justice aurait commandé qu'il administre aussi publiquement le même traitement aux exploiteurs provoquant l'indignation du religieux Ernesto Cardenal, prêtre, poète, mystique et ministre de la Culture du Nicaragua. Aurait-on pu imaginer Jésus, pieds nus, dans sa robe poussiéreuse, accabler de remontrances un religieux profondément sincère, entièrement engagé au service des plus pauvres?

Oui, le curé du Mile End aura droit au même traitement. Tous ces braves gens aux mains rudes et à la peau brune le savent. Ils ne laisseront pas leurs enfants monter dans la barque du futur naufragé. En haut, tout en haut, là où l'argent sent bon, on sait pouvoir compter sur eux. Au dix-neuvième siècle, des Irlandais, des Polonais et des pauvres canadiens-français tenaient les gourdins à bout de bras pour assommer les Canadiens français. Aujourd'hui, les nouveaux pauvres poursuivront leur œuvre, si nécessaire. Oui, on trouvera toujours des pauvres pour frapper sur des pauvres.

Les visiteurs n'en parlent pas à leur nouveau curé. Ils l'observent, ils le saluent et offrent leurs condoléances au pauvre naïf qui aurait dû rester bien tranquille dans son monastère à fabriquer du fromage et du chocolat.

Gilbert remercie chacun. Il répète chaque nom trois fois dans la première minute de la rencontre. Il met ainsi en pratique un moyen très efficace pour le mémoriser.

Loin de l'image que projettent sur lui les nouveaux arrivants, Gilbert ne fonce pas à l'abattoir, un fusil de bois dans les mains. Il songe à une tactique inspirée de l'Histoire récente, à laquelle s'ajoutera une couleur bien personnelle. Il n'en parle pas encore ; trop tôt !

Gilbert croit savoir dans quelle galère il s'embarque en s'affichant à la télévision devant plus de deux millions des siens.

Dossiers de Gilbert Fortin :
1910 à l'église Notre-Dame

Cette réflexion de Gilbert suivait la visite de Claude Belhumeur et de Gaston Savard à la Maison Victor.

Son Église se prépare à célébrer à Québec le second Congrès eucharistique de son Histoire. Le prêtre connaît la controverse qui a marqué le Congrès eucharistique de 1910.

Le cardinal Francis Bourne, archevêque de Westminster, avait prêché l'assimilation des Canadiens français : « L'avenir de l'Église en ce pays, et la répercussion qui en résultera dans les vieux pays de l'Europe, dépendront, à un degré considérable, de l'étendue qu'auront définitivement la puissance, l'influence et le prestige de la langue et de la littérature anglaises en faveur de l'Église catholique.

« Qu'on me permette de résumer ma pensée. Dieu a permis que la langue anglaise se répandît dans tout le monde civilisé et elle a acquis une influence qui grandit toujours. Tant que la langue anglaise, les façons de penser anglaises, la littérature anglaise, en un mot la mentalité anglaise tout entière n'aura pas été amenée à servir l'Église catholique, l'œuvre rédemptrice de l'Église sera empêchée et retardée. »

En réponse, le journaliste catholique Henri Bourassa avait parlé du « Christ qui est mort pour tous les hommes et qui n'a imposé à personne l'obligation de renier sa race pour lui rester fidèle ».

L'intervention improvisée de Bourassa s'était pour une bonne part nourrie de l'indignation de l'archevêque de Saint-Boniface, qui se débattait dans l'Ouest canadien au milieu d'injustices criantes. À la fin du plaidoyer de Bourne, Mgr Adélard Langevin s'était approché de Bourassa : « Nous ne pouvons pas laisser passer cela ; il faut que vous répondiez. »

Lancé, l'orateur avait poursuivi la pensée du prélat anglais jusqu'à sa conclusion logique avant de se dresser fièrement, sous l'ovation de la foule : « Laissons aux catholiques de toutes les nations qui abondent sur cette terre hospitalière du Canada, le droit de prier Dieu dans la langue qui est en même temps celle de leur race, de leur pays, la langue du père et de la mère. N'arrachez à personne, ô prêtres du Christ, ce qui est le plus cher à l'homme, après le Dieu qu'il adore… Mais, dira-t-on, vous n'êtes qu'une poignée ; vous êtes fatalement destinés à disparaître ; pourquoi vous obstiner dans la lutte ? Nous ne sommes qu'une poignée, c'est vrai ; mais ce n'est pas à l'école du Christ que j'ai appris à compter le droit et les forces morales d'après le nombre et par les richesses. Nous ne sommes qu'une poignée, c'est vrai ; mais nous comptons pour ce que nous sommes, et nous avons le droit de vivre.

« Douze apôtres, méprisés en leur temps par tout ce qu'il y avait de riche, d'influent et d'instruit, ont conquis le monde. Je ne dis pas : Laissez les Canadiens français conquérir l'Amérique. Ils ne le demandent pas. Nous vous disons simplement : Laissez-nous notre place au foyer de l'Église et faire notre part de travail pour assurer son triomphe. »

Au milieu d'un flottement d'incertitude parmi les élites aux places d'honneur, le cardinal Vincenze Vanutelli, légat du pape Pie X, s'était dignement avancé vers le fondateur du nouveau journal *Le Devoir* pour lui serrer la main. Ce 10 septembre 1910, le geste tout à fait inusité de l'émissaire du Vatican avait provoqué une explosion d'enthousiasme dans l'église Notre-Dame de Montréal.